D0250850

MANON
DES SOURCES

ŒUVRES DE MARCEL PAGNOL

de l'Académie française

DANS PRESSES POCKET

LA GLOIRE DE MON PÈRE
LE CHÂTEAU DE MA MÈRE
LE TEMPS DES SECRETS
LE TEMPS DES AMOURS
MARIUS
FANNY
CÉSAR
LA FEMME DU BOULANGER
JEAN DE FLORETTE
MANON DES SOURCES
ANGÈLE
LA FILLE DU PUISATIER
LE SCHPOUNTZ
JAZZ
TOPAZE
LE SECRET DU MASQUE DE FER
NAÏS
LES MARCHANDS DE GLOIRE
MERLUSSE
FABIEN
CIGALON
JOFROI
REGAIN
PIROUETTES
LE PREMIER AMOUR
LA PRIÈRE AUX ÉTOILES
JUDAS
LA BELLE MEUNIÈRE
CONFIDENCES
LA PETITE FILLE AUX YEUX SOMBRES

ÉGALEMENT PARUS CHEZ JULLIARD

L'INFÂME TRUC
LE TEMPS DES AMOURS
CONFIDENCES
LA PETITE FILLE AUX YEUX SOMBRES
JEAN DE FLORETTE

Il existe une biographie illustrée de Marcel Pagnol, publiée aux éditions Julliard et Presses Pocket sous le titre : « *Il était une fois Marcel Pagnol* », par R. Castans. Et aux Éditions Julliard : *les Films de Marcel Pagnol*, par R. Castans et A. Bernard.

MARCEL PAGNOL

de l'Académie française

L'EAU DES COLLINES

Tome II

MANON
DES SOURCES

PRESSES POCKET

© *Marcel Pagnol, 1976.*

ISBN 2-266-00101-9

Dès qu'il reçut la grande nouvelle, Attilio n'hésita pas une seconde, et il vint d'Antibes pour diriger en personne les premiers travaux.

Il arriva sur une étincelante bicyclette à pétrole qui tirait des coups de fusil en traînant une longue écharpe de fumée bleue.

Il était grand, large d'épaules, et beau comme un prince romain. Il parlait un patois que l'on ne comprenait pas très bien, et un français convenable, mais qui employait souvent deux adjectifs l'un sur l'autre.

Il se signa devant la source, qu'il regarda longtemps couler, puis il dit : « Elle est belle claire. » Il en but ensuite un gobelet, avec l'attention d'un dégustateur, et déclara : « Elle est bonne fraîche. »

Puis, avec sa montre et un seau, il fit plusieurs expériences, et dit enfin :

« Tu as au moins quarante mètres par jour. Des cubes!... Nous autres, à Antibes, ça nous coûterait trois mille francs par an! Pour une plantation de deux ouvriers, tu en as trois fois de trop! »

Ugolin et le Papet se regardaient en riant de plaisir. Puis, ils se promenèrent dans le champ. Ugolin donna un coup de pioche, Attilio écrasa une petite motte dans sa main, la regarda, la flaira.

« Elle est belle grasse, dit-il. Elle fera de grosses fleurs. Mais le premier travail, c'est d'arracher tous ces oliviers.

— Tous? dit le Papet stupéfait.

— Tous. Ces arbres-là, ça mange tout. Vous pouvez garder les quatre gros, là-bas, devant la maison. Mais les autres, il faut qu'ils y passent. Et puis, ces pinèdes qui descendent, il faut les faire remonter sur le coteau d'au moins trente mètres. Et puis, je m'imagine qu'il doit y avoir des lapins ici?

— Oui, dit le Papet inquiet. Il y en a pas mal. Cette clôture que tu vois, là, c'est un ancien parc aux lapins... Il y en a deux douzaines qui se sont échappés, et qui ont dû faire ménage avec les sauvages...

— O misère, dit Attilio. Il faut prolonger ce grillage tout le tour du champ, le pied enterré à cinquante. Autrement, c'est pas la peine de parler d'œillets. Un lapin, pour un fleuriste, c'est comme un loup pour un berger. S'il en rentre un seul dans la plantation, il se fait un souper de trois cents francs, et il s'en va sans payer!

— D'accord, dit le Papet. On achètera le grillage.

— Écrivez-le sur un carnet! dit Attilio.

— Non, dit le Papet, si je l'écris, je l'oublie, et peut-être je perds le carnet. »

Attilio sourit, et dit :

« M. Tornabua, mon père, dit la même chose. Après, il faudra défoncer à soixante; quatre-vingts ça serait mieux. Mais ici, soixante, ça suffira.

— On défoncera à quatre-vingts, dit le Papet. Pas vrai, Galinette?

— Je m'en charge, dit Ugolin. On se fera prêter un autre mulet. Trois labours de suite dans le même sillon, puis la pelle, et la pioche. Douze heures par jour, ça ne me fait pas peur.

« — Tu auras mon mulet, celui d'Anglade, et le bardot d'Eliacin, dit le Papet. Je m'en occupe.

— Il faudra atteler le bardot en tête, dit Ugolin. Il est plus petit que les deux autres. Si nous le mettons au milieu, quand le premier tirera, ça va le soulever de terre, il va gambiller en l'air, et il se fera du mauvais sang. »

*
* *

La sourde-muette leur servit un riche déjeuner dans la belle maison du Papet. Attilio, excité par le vin de jacquez, parla de son métier avec une poésie véritable; il s'attendrit sur la fragilité des boutures, l'infinie richesse des coloris de l'œillet Malmaison, la longueur des tiges du « Remontant de Nice ». Puis il fulmina contre l'araignée rouge, parla durement du pou du Mexique, et critiqua le directeur de la criée d'Antibes qui favorisait honteusement les Italiens (car Attilio était né en France, et son père, M. Tornabua, était naturalisé depuis longtemps).

Puis, il tira de sa poche une grande liste des fournitures nécessaires.

« D'abord, quatre mille baguettes, de soixante centimètres. Il en faut trois ou quatre par plante. Ça, c'est pas la peine de les acheter. Vous pouvez les faire vous-mêmes.

— Ça sera mon travail, dit le Papet.

— Après, il faudra faire les piquets et les traverses pour soutenir les paillassons.

— Ça aussi, nous pouvons le faire.

— Puis, il faudra commander les paillassons, pour couvrir les fleurs la nuit. C'est fait avec des joncs de Camargue, il t'en faut pour au moins mille francs... Ensuite, cinquante bobines de fil de coton, l'engrais chimique, les insecticides, et deux sulfateuses. J'ai calculé qu'en tout, ça va chercher dans les sept à huit mille francs. »

9

Ugolin regarda le Papet, craignant que l'énoncé d'une pareille somme ne le fît souffrir, mais le vieillard dit simplement :

« Les sulfateuses, nous les avons.

— Alors, Papet, tu es d'accord pour qu'il commande tout ça pour nous?

— Ça sera bien gentil de sa part, parce que nous ne savons pas où ça se vend ! »

En enfourchant la pétaradante motocyclette, le bel Attilio déclara :

« Faites ce que je vous ai dit... Dans trois mois, je reviendrai pour tracer les vaseaux, et j'apporterai les boutures, toutes prêtes à repiquer. C'est M. Tornabua, mon père, qui te les offre, parce que tu nous as beaucoup aidés. »

Il fut assez facile de faire reculer les pinèdes : une équipe de bousquetiers s'en chargea, moyennant la moitié du bois abattu; naturellement, il fallut les surveiller, car pour augmenter leur part de bois, ils auraient rasé les deux coteaux jusqu'à la crête : oui, c'est comme ça les bousquetiers.

L'arrachage des oliviers vint ensuite.

Ils étaient plusieurs fois centenaires, et leurs racines formaient des blocs énormes.

Avec le pic, la hache, et le palan, il fallut cinq semaines pour en venir à bout, et combler les cratères qui avaient trois ou quatre mètres de diamètre.

Tout en faisant ce travail, Ugolin avait mauvaise conscience. Pour obtenir le pardon de ce crime, il offrit vingt petits cierges à saint Dominique, et promit de soigner dévotement les quatre arbres qu'il avait épargnés.

Il fallut ensuite combler le puits du « pauvre monsieur Jean ». Ugolin, qui travailla deux longues

10

journées à rejeter les déblais dans le trou, eut une pensée émue pour celui qui s'était donné tant de mal à les extraire : mais il était trop passionné par son entreprise pour s'attendrir durablement.

Après les labours profonds, le défonçage à la pioche lui prit six semaines, de l'aube à la nuit. Il quittait le champ sans pouvoir relever son buste, jusqu'à ce que le Papet l'eût frictionné avec de l'eau-de-vie parfumée par quelques épis de lavande. Ils commencèrent ensuite la clôture : mais les grillages du parc aux lapins n'en fournirent pas la moitié; il fallut en acheter, à Aubagne, pour neuf cents francs : les piquets de fer et le ciment coûtèrent sept cent quatre-vingts francs, qu'il paya sans hésiter.

En mai, Attilio revint. Il loua le travail fait, et dirigea l'installation des premiers vaseaux, qui sont d'étroites plates-bandes entourées d'un petit remblai, comme de minuscules rizières.

Attilio tirait les cordeaux. Ugolin modelait le sol; le Papet qui s'était fabriqué des genouillères avec une vieille paire de souliers et des chiffons, se traînait derrière lui, et fignolait le travail avec un piochon et une truelle, tout en fredonnant une romance méconnaissable. Il disait de temps à autre :

« Je me régale! »

Après les derniers conseils, Attilio conduisit Ugolin à Marseille.

Le Papet ne put cacher son inquiétude lorsqu'il vit le dernier des Soubeyran chevaucher le porte-bagages d'une machine qui pouvait dépasser (selon Attilio) une vitesse de quarante kilomètres à l'heure : mais Ugolin, accroché à la taille de son ami, le rassura d'un clin d'œil triomphal.

Ils allaient voir M. Trémelat, un « expéditeur » c'est-à-dire un courtier en fleurs, qui était son correspondant sur la place de Marseille.

Ce négociant, qui était gras, souriant, et bavard,

11

déclara que si les œillets d'Ugolin étaient de qualité, il achèterait toute la production au « cours du jour » (qu'il fixait d'ailleurs lui-même).

Quant aux transports, Ugolin n'aurait qu'à confier les paniers de roseaux au messager d'Aubagne le mardi, le jeudi, et le samedi, avant quatre heures du matin.

*
* *

Ugolin n'épargna pas sa peine ; de l'aube à la nuit, et parfois à la lanterne, il était dans ses œillets. Le Papet l'aidait patiemment, pour les travaux faciles et minutieux, comme les pulvérisations ou la cueillette et la mise en bottes. Malgré deux gelées, d'ailleurs peu rigoureuses, la première campagne fut une belle réussite : il put rembourser toutes les dépenses payées par son parrain, et garda pour sa part cent vingt beaux louis, car M. Trémelat avait accepté de le payer en or, moyennant un petit rabais. Une seule ombre au tableau : malgré les efforts du Papet et de Délie, M. Trémelat déclara que les bottes étaient si mal présentées, que ses propres ouvrières étaient obligées de les refaire, et que dans ces conditions, il valait mieux envoyer les fleurs en vrac, mais qu'il les paierait 5 p. 100 de moins. Ugolin fut bien forcé d'en passer par là, et il pensait continuellement à ces 5 p. 100 qui lui manquaient, tandis que le Papet, pendant des heures, essayait de composer la botte idéale, selon son goût ; mais ce n'était pas celui de M. Trémelat...

Ç A « faisait parler » au village... Les chasseurs qui passaient autrefois sur l'autre versant du Saint-Esprit pour monter vers les plateaux, semblaient maintenant avoir une préférence pour le chemin des Romarins, afin d'examiner la plantation au passage.

On disait qu'Ugolin gagnait des cents et des mille; le messager d'Aubagne avait confié à Philoxène que « rien que pour sa part, il avait reçu plus de six cents francs de transport, parce que trois fois par semaine, il portait chez Trémelat et Cie trois gros paniers de fleurs. Des fois quatre — et même, une fois, cinq! » Chacun supputait le rapport possible entre le prix du transport et la valeur de la marchandise. On en tirait des conclusions effarantes, qui étaient pourtant inférieures à la vérité.

La seconde année fut triomphale.

Deux grandes gelées avaient dévasté les plantations de la Côte d'Azur, et le prix des œillets avait triplé. Par un caprice céleste, le grand froid n'était pas venu jusqu'à Marseille, et les fleurs d'Ugolin n'avaient que fort peu souffert.

Ce fut Attilio lui-même qui vint, sur une camionnette bringuebalante, lui annoncer la merveilleuse catastrophe, et qui emporta tout un chargement de fleurs pour le marché d'Antibes. M. Trémelat poussa les hauts cris, et monta jusqu'aux Romarins pour faire de la surenchère. Il ne fut plus question de l'élégance des bouquets, ni du triste 5 p. 100.

Après une longue discussion, au cours de laquelle le courtier se leva trois fois en criant « au voleur! », il fut convenu qu'il aurait la moitié de la récolte, l'autre restant réservée à Attilio, mais qu'il paierait les fleurs au prix de la criée d'Antibes, où les expéditeurs se battaient à coups de billets de mille pour acheter des œillets qu'on eût donnés aux chèvres l'année précédente. C'est ainsi qu'Ugolin put un soir aligner sur la table deux cent soixante pièces d'or.

*
* *

Le grand problème du paysan a toujours été le choix d'une cachette : Ugolin était assez fier de la solution qu'il avait trouvée.

Au-dessus du petit bahut boiteux de sa cuisine il avait cloué une grande feuille de carton jaunâtre, sur laquelle était tracée, en lettres inégales, une inscription décourageante :

CABRIOLEUR, ANTENTION!
Vous fatigez pas à sercher l'arjent. Elle est pas ici. Elle est à la Banque, au milieu d'Aubagne, à côté de la jeandarmerie. 12, Cour Voltère.
Y a rien à faire.

C'était une ruse qu'il jugeait infaillible. En réalité le trésor était enterré sous une grosse pierre, dans le coin droit de l'âtre, à un mètre du feu. De plus, pour accréditer l'affirmation de la pancarte, il jouait souvent la comédie à Délie, « parce que les femmes, ça parle! ». Chaque fois que M. Trémelat était venu, il avait dit :

« Demain matin, tu ne me verras pas, parce qu'il faut que j'aille mettre de l'argent à la banque, à Aubagne. Les cachettes ça n'existe pas. Moi, j'ai toujours tout mis à la banque : comme ça, je suis bien tranquille ! »

Cependant, son aspect extérieur n'avait pas changé : au contraire ! Tout entier à sa passion, il ne serait jamais plus revenu au village pour la soirée du samedi au Cercle, si le Papet ne l'avait pas forcé à se raser et à s'habiller de temps à autre. Pendant la partie de loto ou de manille, il sortait au moins une fois pour s'assurer que les étoiles étaient toujours là. Il craignait sans cesse un coup de froid, ou la grêle, ou le grand coup de mistral qui eût emporté les paillassons, et surtout, le retour du vieux lapin géant... Celui-là sauterait par-dessus la clôture, comme il l'avait déjà fait, et avec sa mâchoire d'âne, il serait capable de raser deux ou trois vaseaux...

De plus, les conversations le gênaient.

Un dimanche, Philoxène lui demanda :

« Qui c'est qui t'a donné l'idée de faire ces fleurs ?

— C'est au service, à Antibes. J'ai vu des paysans qui en faisaient... J'ai un peu regardé, et j'ai pensé qu'ici ça viendrait bien...

— Les œillets, dit le vieil Anglade, ça vient bien partout, à condition qu'il ne gèle pas...

— Et surtout, dit Casimir, il faut beaucoup d'eau... De l'eau à volonté... Lui, il a la chance d'avoir retrouvé la source.

— Celle que le pauvre bossu a tant cherchée, dit Pamphile. Moi, je l'ai vu, avec sa baguette... Il avait l'air mystérieux comme un sorcier... Et il est passé à côté...

— Ça rapporte bien ? demanda Cabridan.

— Ça dépend, dit le Papet. Ça dépend des jours...

— C'est surtout les fêtes qui rapportent, dit

Ugolin. La Noël, c'est le meilleur... Et puis le Mardi Gras, et puis Pâques... Pâques, c'est très bon !

— Et les Morts ? demanda Pamphile, ça rapporte, les Morts ?

— Pas mal... Les Morts, c'est pas mauvais ! Ça rapporte bien !

— Ça dépend des morts, dit Casimir. Il y en a qui vous laissent un gros héritage ; il y en a d'autres, des fois, qui viennent vous tirer par les pieds... »

Et comme Casimir éclatait de rire, le Papet dit brusquement :

« Alors ? On joue ou on ne joue pas ? »

*
* *

Non, le gentil Monsieur Jean n'était jamais revenu tirer Ugolin par les pieds... Il était même bien loin de sa pensée, toujours occupée et comme distendue par le présent.

Le massacre des oliviers avait agrandi le vallon. Une nappe de fleurs éclatantes ondulait au moindre souffle, et au pied du coteau brillait un petit bassin rond dans lequel la rigole souterraine versait une eau plate, tressée par la roche grenue d'où glissait une étroite et courte cascade... Jean de Florette était vraiment parti sans retour pour un autre royaume. De son passage, et de sa longue misère, il ne restait rien, ou très peu de chose : dans un olivier, près de la maison, deux anneaux rouillés par d'autres saisons d'où pendait jadis une balançoire, et pendant les nuits de mistral, caché là-haut dans la gouttière, un petit air d'harmonica.

CEPENDANT, Manon, sa mere et la vieille Piémontaise vivaient ensemble dans la grotte du Plantier, au fond des solitudes odorantes des garrigues.

Dans l'étrange palais de Baptistine, Aimée n'avait touché à rien, mais elle avait aménagé la bergerie qui occupait l'autre moitié de la baume.

Giuseppe, pour fumer son jardin, avait gratté l'épaisse couche de fumier de brebis, entassée et séchée par un siècle de transhumance, et le sol en était maintenant couvert d'un mince tapis de mousse rougeâtre, taché de lichens d'un vert sombre : les meubles venus des Romarins étaient alignés le long du mur et de la paroi, comme dans la boutique d'un brocanteur.

La belle coiffeuse brillait entre deux malles, en face de la glace vénitienne accrochée contre les strates de calcaire bleuté, et le lustre inutile, suspendu par une tresse de fil de fer à une longue stalactite grenue, se balançait chaque fois qu'on ouvrait la vieille porte. Les lits étaient tout au bout, sous la roche plongeante d'où pendait un double rideau jaune à petites fleurs, qui s'ouvrait comme un rideau de théâtre italien. Enfin, entre les deux lits se dressait la haute pendule.

17

La petite Manon l'avait remise en état, et presque chaque jour, elle en faisait briller le vernis et les cuivres, mais elle ne l'avait jamais remontée, et les deux aiguilles dorées marquaient toujours l'heure fatale de la mort.

Avec les quatre mille francs de la vente, Aimée avait payé la concession au cimetière et la pierre tombale : il lui resta deux billets de cinq cents francs, cousus dans la doublure de son corset, une dizaine de louis, et une poignée d'écus d'argent. Elle avait mis les pièces dans un petit sac, et ce « trésor » était caché dans une fente de la roche, à la tête de son lit...

La mort de son mari avait troublé sa raison. Certes, elle n'était pas folle, et dès six heures du matin, après avoir fleuri la photographie du bien-aimé, elle faisait fort bien son ménage, et préparait le déjeuner comme autrefois; mais l'après-midi, elle restait parfois des heures assise devant la porte de la grotte, le dos au mur, sans mot dire, et le regard perdu au loin. D'autres fois, revêtue des restes de plusieurs costumes d'opéra, elle se promenait sur le plateau désert du Plan de l'Aigle, et cueillait des fleurs en chantant *Werther* ou *Lakmé*.

Au cours de la seconde année, elle se mit à parler presque continuellement, à mi-voix, en souriant et en faisant des mines; les propos qu'elle tenait étaient surprenants. Il était souvent question du commandant — un très bel homme — toujours poli et prévenant, mais sa femme, qui avait de petites moustaches, était d'une grossièreté insupportable; elle avait fait un vrai scandale, et il avait fallu quitter Saigon. Le commandant en avait pleuré. Il y avait aussi le directeur du Théâtre de Tananarive : un véritable mufle, qui ne tenait jamais ses promesses, et qui laissait tomber les gens « comme de vieilles chaussettes », tandis que le secrétaire général de la Gaîté Lyrique, ce cher Armand, s'était conduit en gentilhomme, et « je ne serais pas ici s'il n'était pas mort, car il voulait me faire chanter *Manon* à l'Opéra de Paris. J'y suis d'ailleurs entrée, grâce à Victor, mais dans les chœurs ».

Baptistine hochait la tête sans rien y comprendre, et Manon pensait que ces messieurs avaient dû être des amis de son père, mais elle ne posait pas de questions.

Depuis peu, sa mère avait la manie d'écrire des lettres à des gens qui habitaient Paris ou Marseille, et elle allait elle-même les mettre à la poste aux Ombrées; mais elle se plaignait parfois de ne jamais recevoir de réponse, en disant : « De la part d'Armand, c'est bien de lui! Mais ça m'étonne de Victor... Ça ne lui ressemble guère! Après tout, il est peut-être mort, lui aussi... Mais je vais tout de même insister... »

Et elle se remettait à son écritoire.

Contre le mur qui fermait la baume, et contre la barre qui le prolongeait, Manon avait tendu un réseau de fil de fer — et chaque année, au printemps, elle plantait les graines noires : jusqu'au milieu de l'automne les courges d'Asie cachaient les pierres et la roche sous un épais rideau de verdure, et six caisses grillagées abritaient une douzaine de lapins. Manon s'appliquait de tout son cœur à ce petit élevage, dont la réussite constante justifiait les espoirs déçus de son père. Tous les mois, elle confiait à la grosse revendeuse de Monsieur Jean quatre ou cinq lapins de belle apparence et d'un bon poids, nourris toute l'année de courges d'Asie, dont la fécondité était si grande qu'en automne Baptistine allait en offrir au marché d'Aubagne autant que l'ânesse pouvait en porter.

A cause de l'étrangeté du fruit, les débuts n'avaient pas été faciles : les gens regardaient avec méfiance ces dures boules de bois vert, et un plaisantin avait proposé à Baptistine une association pour la mise en route d'une fabrique de bilboquets; mais la grosse revendeuse s'en était mêlée, et elle avait lancé les beignets d'Asie, que sa fille faisait sur place dans une immense poêle à frire sur un fourneau de marchand de marrons...

Baptistine était devenue bien vieille, et sous ses cheveux blancs, son visage s'était rapetissé. Elle ne parlait presque plus, mais travaillait sans cesse, comme une machine.

C'était elle qui entretenait le petit jardin potager, qu'elle pouvait arroser à profusion, grâce à l'intarissable source.

Matin et soir, elle trayait les douze chèvres : avec le lait bleuté des collines, elle faisait de petits fromages incrustés de pèbre d'aï, à la manière des bergers de Banon; avec des roseaux refendus et des joncs, elle tressait des paniers ronds pour un vannier d'Aubagne, et le soir, elle triait les herbes aromatiques que Manon rapportait de ses courses dans les collines.

C'étaient des fagots de fenouil, des bottes de thym, de pèbre d'aï, de menthe poivrée, et surtout des bouquets de rue : c'est une plante assez rare, et qu'il est défendu de vendre, parce qu'elle sert à préparer la tisane du diable, qui fait avorter toutes les femelles. Les chèvres la connaissent bien, et elles n'y touchent jamais, sauf quand elles savent qu'elles portent un chevreau mal commencé, et que ce n'est pas la peine de le finir.

Ces petits commerces complétaient la vente clandestine du gibier pris au piège, et les ressources des collines permettaient aux trois femmes de vivre sans aucun souci du lendemain.

Elles recevaient parfois les visites d'Enzo et de Giacomo; quand leur travail les appelait dans la

20

forêt des Ombrées, ou dans les bois de Pichauris, ils venaient, le dimanche, déjeuner à la Baume. Sitôt arrivés, ils déposaient sur la table de cuisine deux cageots de pignes amandières ou de champignons, quatre ou cinq bouteilles de vin dans une musette, et un gros paquet dont le rude papier jaune, où brillaient de très petites étoiles de paille, enveloppait une douzaine de côtelettes. Ensuite, ils accrochaient au mur leurs belles vestes bleues, leurs chapeaux verts, leurs cravates rouges, et quittaient leurs souliers du dimanche. Pieds nus, ils démuselaient les haches de Giuseppe, pour préparer la provision de bois, et Baptistine était heureuse d'entendre sonner la lame courbe des grandes cognées ressuscitées. Puis, ils faisaient quelques travaux de force, comme les réparations du chemin, emporté çà et là par les orages d'automne; c'est eux qui avaient construit, avec des rondins, la cabane aux chèvres, et qui avaient maçonné le petit bassin du potager. Après le déjeuner, assis à l'ombre de la barre, ils chantaient des chansons piémontaises : Manon les accompagnait sur l'harmonica sacré, et Baptistine souriait à travers de petites larmes. Quand ils partaient, le soir, ils se retournaient deux ou trois fois, le bras levé pour des adieux lointains, mais il restait quelque chose de leur présence : un sentiment de sécurité, la certitude qu'en cas de malheur ou de danger, les deux gros mâles accourraient au premier appel...

* *
*

Manon venait d'avoir quinze ans, mais elle était plus grande que son âge. Avec l'aide de sa mère, elle taillait ses vêtements dans de vieux costumes de théâtre. Le temps n'en avait pas épargné les couleurs, mais les riches tissus avaient gardé leur force : c'est pourquoi la bergerette courait les garrigues dans des robes de brocart fané, des boléros de soie délavée, et qu'elle portait sous la pluie la capuche à franges dorées de la chantante Manon.

De ces somptueux haillons sortaient ses bras bruns, griffés par les argéras et les aubépines, et ses longues jambes musclées souvent noircies par ses courses dans les bois brûlés, où l'herbe est plus riche, et où l'on trouve parfois sans les chercher, de petites processions de morilles encapuchonnées. Ses cheveux, coupés aux épaules, dorés par le soleil et séchés par le vent, formaient une épaisse crinière; ses yeux bleu de mer brillaient derrière les boucles qui cachaient son front, et tout son visage avait cet éclat que les brugnons mûrs ne gardent qu'un jour, mais qui brille trois ou quatre ans sur les joues lisses des jeunes filles.

Enzo, qui avait quarante ans, et prétendait connaître la vie, lui disait souvent : « Madonina, encore un an, tu seras belle à faire peur! » Et Giacomo lui avait dit un jour : « Si tu vas à la ville, par pitié, mets les lunettes noires, autrement tu les brûles tous! »

Elle était fière des compliments de ces hommes, et elle en riait de plaisir.

Les chèvres traites par Baptistine, elle partait chaque matin, une heure après l'aurore, son bâton de cade à la main, en poussant le cri aigu des bergères : « Bilibili! Bililibili! » Le troupeau sortait au galop suivi de l'ânesse et du chien noir.

Sur le bât de l'ânesse, il y avait un sac, étranglé en son milieu par une courroie. Il contenait un sécateur, une faucille, un piochon pour déterrer les fourmis ailées, de la ficelle pour lier les herbes, la moitié d'un pain, un fromage de chèvre, un gobelet d'étain, et deux ou trois livres, pris au hasard dans la précieuse caisse de son père.

Dans son dos, une petite musette sans bretelle était accrochée à sa ceinture, Elle y gardait ses trésors : un peigne d'écaille à monture d'argent, un louis d'or plié dans du papier, une agate trouvée dans la colline, une petite pince pour extraire les épines (qui était peut-être en or), les deux harmonicas des temps heureux, et dans un portefeuille amolli par le temps, une image de la Sainte-Vierge, et la photographie à demi effacée du beau visage de son père.

En poussant le troupeau devant elle, elle allait d'abord faire la tournée des pièges tendus la veille au soir : lorsque soufflait le mistralot, qui amène des vols de culs-blancs, c'était au bord des barres, au pied de petites pyramides qu'elle construisait avec des pierres plates pour attirer les oiseaux du vent... Si le grand mistral sifflait dans les pins obliques, elle descendait au fond des gorges, et plaçait ses engins au pied des à-pics, sous les térébinthes et les myrtes; mais lorsque le temps était calme, elle tendait sur les plateaux, près des bergeries ou des fermes en ruine, autour de vieux arbres fruitiers agonisants.

Chemin faisant, elle cueillait des herbes et des plantes, et en bourrait le sac sur le dos de l'ânesse, puis, tous les jours, quand il faisait beau, elle allait s'établir au même endroit.

C'était sur un coteau abrupt du vallon des Refresquières. Entre deux ravins, s'étendait une longue et large terrasse de roche, vêtue de thym, de genièvres et de romarins. Abritée du mistral par la haute barre de roche bleue qui soutenait le plateau supérieur, elle dominait le fond du vallon verdoyant par un à-pic de cinquante mètres, on n'y accédait que par les étroits sentiers au fond des ravins.

Là, se dressait un très vieux sorbier, qui plongeait

23

sans doute ses racines dans une crevasse invisible. Mutilé par la foudre, hérissé de moignons comme un perchoir de perroquet, il étendait une longue branche verdoyante au-dessus d'une roche plate, aussi lisse qu'un miroir.

Du côté opposé à cette branche, le tronc portait une bosse énorme. Manon aimait cet arbre, parce qu'un jour, en « faisant l'herbe » pour les lapins, son père, en le découvrant d'assez loin, avait dit gaiement :

« Hé hé! Voici un confrère que le Ciel n'a pas épargné : mais il n'a pas perdu courage, et sa dernière branche verdoie vaillamment! Allons lui faire une visite, et lui offrir nos compliments. »

Ils étaient montés jusqu'au pied de l'arbre, que le bossu avait salué plaisamment, puis, ils avaient rempli leurs musettes de sorbes... En partant, après un dernier regard, il avait dit en riant :

« On dirait ma statue en bois! »

Manon passait des heures sur la dalle de roche. Tout en surveillant ses chèvres, que Bicou ne laissait jamais divaguer trop loin, elle mangeait son pain et son fromage, peignait longuement ses cheveux, et lisait n'importe quoi : *Robinson Crusoé,* les *Maximes* de La Rochefoucauld, *Les Aventures d'un Gamin de Paris,* la *Grammaire* de Brunot, l'*Iliade,* ou les journaux illustrés de son enfance.

Parfois, dans les marges, ou sur la page de garde, il y avait des notes de la main paternelle : alors elle baisait la chère écriture, et regardait au loin la crête féroce du Saint Esprit, le récif éventreur de nuages, qui l'avait ruiné.

Elle n'était jamais retournée aux Romarins, mais sa pensée y revenait sans cesse : alors, elle prenait l'harmonica — le plus gros — et elle jouait les airs qu'il lui avait enseignés... Souvent, c'était la fugue de frère Jacques en face de l'écho du Pas du Loup. Selon la distance et le vent, les réponses de l'écho tombaient si juste qu'on eût pu croire à une présence humaine. Les yeux fermés, elle imaginait qu'il était là-bas, caché dans le grand lierre, et qu'il était content des progrès qu'elle avait faits.

Du haut de son observatoire, elle voyait venir de loin les rares passants des collines : elle se cachait sous les genêts, ou grimpait sur le plateau par la cheminée des Cabrettes ; et elle voyait sans être vue le manège de quelques braconniers des Ombrées, dont elle ne savait pas les noms, ou des Bastides comme Pamphile ou Casimir, qu'elle avait connus à la mort de son père ; parfois aussi, mais assez rarement, des chasseurs qui portaient des jambières de cuir, une plume au chapeau, et qui poussaient devant eux des chiens à longues oreilles. Ces gens étaient beaux, mais redoutables, parce que leurs chiens se prenaient dans les pièges à lapins, pendant que leurs maîtres tiraient des doublés sur une bouscarle, des salves sur une grive, et faisaient tant de bruit qu'après leur passage le gibier disparaissait pour huit jours.

La ville, pour elle, c'était Aubagne. Elle y allait presque chaque semaine, modestement cachée dans une pèlerine de son père, sa chevelure serrée dans un foulard bleu. Derrière elle marchait l'ânesse, sous un énorme ballot qui ne pesait pas grand-chose, car il ne contenait rien d'autre que les plantes aromatiques, qu'elle allait porter chez l'herboriste, ou des paniers de roseau tressé.

Dès l'entrée d'Aubagne, le grand marché sous les platanes l'étourdissait, et tant de bruit lui faisait peur... Il lui semblait que les cris mêlés des revendeuses, la cloche d'un forain frénétique, les hurlements d'un marchand de volailles dans un porte-voix, étaient le prélude d'une bataille générale, et elle pressait le pas... Il lui fallait pourtant traverser ce tintamarre pour livrer les paniers au revendeur, dont la boutique n'était qu'une baraque en bois sous un platane.

Puis, laissant l'ânesse dans la cour de l'herboriste, elle allait entendre la messe de huit heures, comme son père, et elle priait pour lui. Ensuite, il fallait pénétrer au cœur de la ville pour « faire les commissions », acheter le pain, le sucre, le café, le pétrole, le sel, le poivre, le savon...

Les rues étroites l'oppressaient : on ne voyait que des raies de ciel où l'heure n'était pas marquée, on ne pouvait pas prévoir le temps qu'il ferait dans cinq minutes, et l'air était épaissi par des odeurs insupportables... La bergère des lavandes, des résines et des genièvres flairait de loin les salaisons et les fromages, les sulfureuses fumées du charbon, le souffle puant des égouts qui flottait le long des trottoirs, surtout l'odeur impudique et lugubre de ces gens de la ville, affairés comme des fourmis, qui la frôlaient sur le seuil étroit des boutiques...

De plus, on la regardait souvent — sans méchanceté — mais avec un intérêt qui la faisait parfois rougir, et il y avait des garçons qui lui lançaient au passage des compliments ou des moqueries... Et même un jour chez le boulanger, un petit vieux à la figure moisie avait dit à haute voix : « Regardez-moi cette petite! On en mangerait! » Elle avait pris la fuite devant ce cannibale, en serrant sur son cœur deux gros pains brûlants...

Non, elle n'habiterait jamais la fourmilière, elle resterait bergère toute sa vie, et si un jour elle se mariait, ce serait avec un jeune homme très riche, qu'elle rencontrerait dans la colline, un propriétaire forestier qui habiterait un petit château sur les pentes du Baou de Bertagno ou sur l'épaule du Pilon du Roi; il donnerait du travail aux chers bousquetiers, il rachèterait les Romarins; alors, on remettrait tous les meubles à leur place, pour y passer les mois d'été : mais d'abord, dès le premier jour, on boucherait à jamais la source perfide qui avait préféré Ugolin, et l'on finirait le puits du malheur : alors, à travers la roche vaincue, l'eau de son père jaillirait jusqu'au ciel.

AU village, la vie continuait, monotone et paisible, du moins en apparence, malgré l'arrivée de deux nouveaux personnages.

Le vieux curé, parti vers une maison de retraite, avait été remplacé par un prêtre d'une quarantaine d'années, né dans une ferme du Gard. Ancien aumônier de la Légion, il portait sur sa soutane une mince Légion d'honneur, pour être allé confesser des mourants sous le feu de l'ennemi, et il souffrait en silence de graves blessures de guerre. C'est pourquoi l'évêché l'avait mis au repos dans ce petit village des collines.

Sur son large visage rose, brillait un beau sourire, mais, comme disait Casimir, « il ne rigolait pas avec la vertu », et ne se gênait guère, dans ses sermons, pour dénoncer d'une voix puissante l'incroyance, l'égoïsme, et l'avarice de ses paroissiens. Les vieilles bigotes et les enfants de Marie — qui aiment être brutalisées — l'adoraient, et les hommes l'aimaient bien, parce qu'il était fils de paysan, et parlait avec eux la douce langue provençale.

D'autre part, la vieille institutrice avait pris sa retraite, et elle était allée vivre chez sa fille, qui tenait une épicerie « en ville », c'est-à-dire dans un faubourg, où, disait-on, « elle se régalait à voir du monde ». C'est pourquoi l'on vit arriver, à la fin de septembre, un jeune instituteur.

C'était grâce aux réclamations de Philoxène qu'on avait enfin obtenu un mâle, capable de maîtriser les « grands », et de les préparer au certificat d'études.

Il s'appelait Bernard Olivier. Vingt-cinq ans, brun, de grands yeux couleur café brûlé, les épaules larges, la démarche assurée, des poils sur le dos de la main. Malheureusement, sans moustache : rasé comme une statue ; heureusement sa voix était grave et musicale, et ses dents éblouissantes. Le vieil Anglade pensa qu'il faudrait surveiller les filles et même la sienne, une vierge endurcie de vingt-cinq ans.

Il fut reçu au Cercle, par un apéritif d'honneur.

Philoxène fit un discours plaisant, puis l'instituteur déclara qu'il était très heureux de débuter dans ce village à l'air salubre, dont la population lui paraissait déjà fort sympathique, et dont les collines l'intéressaient vivement, car il était passionné de minéralogie. Tout le conseil municipal apprit ce jour-là que le « massif des Bastides » contenait des roches rares, et que ce jeune savant se proposait d'y rechercher des bauxites et des lignites. Il ajouta qu'il jouait assez bien aux boules et aux dames, qu'il n'était pas marié, mais qu'il vivait avec sa mère, veuve depuis sa naissance. Après quoi, il se fit séance tenante inscrire au Cercle républicain, et lança un défi à quiconque pour une partie de pétanque. Casimir fut aussitôt délégué comme champion du village ; l'instituteur, sans le moindre tact, lui fit « baiser Fanny » en vingt minutes : Philoxène déclara :

« C'est quelqu'un ! »

Casimir, sans la moindre rancune, affirma solennellement :

« Avec un garçon de cette valeur, on aura du succès au certificat d'études! »

*
* *

Sa mère — une dame de la ville de cinquante ans — était vraiment bien fraîche pour son âge : plus fraîche que Nathalie, qui n'en avait que trente-cinq.

Et puis, elle était coquette ; toujours bien coiffée, et même un peu poudrée : au début, ça ne plaisait pas beaucoup. Mais un après-midi que les vieilles « mémés » tricotaient sur le parapet de l'esplanade, elle vint sans façon s'asseoir auprès d'elles, pour coudre les ourlets d'une douzaine de torchons tout neufs. Les mémés ne parlaient entre elles que le provençal.

Comme Léonie (celle des Castelot, qui était un peu sourde), demandait qui était cette dame, ce fut la dame qui répondit dans la même langue :

« Moi ? Je suis la mère de l'instituteur, et bien contente d'être venue habiter dans ce village, parce qu'il me rappelle le mien. Je suis de Lachau, dans la Drôme. Mon père faisait des pêchers et des lavandes, et j'ai pris la faucille plus souvent qu'à mon tour... »

Le soir, dans les familles, les mémés racontèrent que la mère de « l'essituteur » était une merveille : intelligente, et belle, et brave, et qui parlait le patois aussi facilement que le français. Tout ce qu'on pouvait lui reprocher, c'était que pour dire « peut-être », elle disait « béléou » au lieu de « bessaï ». Mais qu'est-ce que vous voulez, la Drôme c'est dans le Nord...

Au bout de huit jours, comme les commères persistaient à l'appeler « Madame l'essitutrice », elle déclara :

« Moi, je ne suis pas institutrice, et je m'appelle Magali. »

30

Seule, Sidonie, la doyenne, qui avait « un brave toupet », osa instantanément mettre à profit cette autorisation : les autres furent toutes fières de l'avoir, mais ne se risquèrent que peu à peu à l'appeler Magali, et pour la première fois, on vit une « étrangère » naturalisée Bastidienne, et devant qui on parlait sans se gêner.

Le jeudi et le dimanche, « l'essituteur » partait de bon matin pour la colline, une belle musette de cuir pendue à l'épaule. Il avait expliqué au Cercle qu'il allait prélever des échantillons de minéraux, pour en faire un petit musée à l'école.

Au début, comme sa musette paraissait bien gonflée, on pensa que cette histoire n'était qu'un prétexte, et qu'il allait tout simplement tendre des pièges aux grives. Puis, quand on constata que sa mère achetait précisément des grives aux braconniers du village, et qu'il rapportait vraiment des pierres et des éclats de roche, son explication fut admise : d'autant plus qu'on sut par le boulanger-épicier que le vaillant jeune homme emportait dans cette musette un pain d'une livre, un demi-saucisson, un fromage de chèvre, et une bouteille de vin pour son petit déjeuner dans la colline.

De plus, il prit bientôt l'habitude de venir à l'apéritif du soir, à la terrasse du café de Philoxène, et devint un membre important du concile quotidien qui se réunissait à la terrasse du café, sous la présidence du maire.

Parce qu'ils n'allaient jamais à la messe, le nouveau curé les appelait « cette bande de mécréants ». Il y avait là le boulanger, le boucher, le forgeron, le Papet, le menuisier, Ange le fontainier et M. Belloiseau.

M. Belloiseau, qui se disait ancien notaire, avait été en réalité le premier clerc d'une importante étude à Marseille. Il était grand, mince, d'une distinction un peu ridicule; sa barbe grisonnante, et taillée en pointe, était l'objet de tous ses soins. Il portait toujours une jaquette grise, de drap en hiver, sous un chapeau melon, d'alpaga en été, sous un chapeau de Panama. Comme il disait que cette paille, tressée sous les tropiques, était parfaitement imperméable, on le priait assez souvent d'en faire la démonstration, et il allait aussitôt le remplir d'eau à la fontaine : c'est pourquoi ce merveilleux couvre-chef, véritablement imperméable, mais sourdement travaillé par l'humidité de ces expériences, changeait de forme et de taille selon le temps et la saison, si bien qu'après une longue partie de boules au soleil, il fallut l'arroser longuement pour qu'on pût le séparer du scalp de son propriétaire.

M. Belloiseau avait eu coutume de passer ses vacances au village. Il avait été « l'estivant » pendant des années, avec l'acerbe Mme Belloiseau. Puis, l'âge était venu. Mme Belloiseau était allée vitupérer en Purgatoire, et M. Belloiseau, tout guilleret, avait pris sa retraite, décidé à se reposer à mort dans sa petite maison. Sa façade donnait sur la place, à quatre pas du café, et elle faisait le coin de la rue étroite qui menait au Cercle. Le rez-de-chaussée était occupé par un vieux cellier. Un escalier extérieur, aux marches de pierre creusées par les ans, conduisait à une terrasse qui précédait l'appartement.

Il était servi par Célestine, qu'il avait amenée de la ville. Assez dodue, les dents belles, l'œil noir, elle avait à peine trente ans. C'était une « bonne à tout faire », et qui faisait tout en effet, même le désespoir de M. le curé, et la joie des garçons du village.

La conversation de M. Belloiseau, nourrie de remarques philosophiques et de propos grivois, était d'autant plus plaisante qu'il était parfaitement sourd (Philoxène prétendait qu'il avait des tympans en peau de saucisson) et qu'il répondait au hasard aux questions qu'il n'entendait pas.

Ugolin y venait aussi de temps à autre, sur les instances du Papet, qui disait :

« Premièrement, tu as besoin d'un peu voir les gens, autrement tu vas devenir un sauvage, et tu finiras par garder la barbe. Deuxièmement, on sait que maintenant tu gagnes des sous : il faut pas que tu aies l'air d'abandonner tes amis. Une fois par semaine, et même deux, descends à six heures, et viens à l'apéritif avant de dîner avec moi... »

Les réunions des mécréants — qui n'avaient nul besoin de convocations — se déroulaient toujours de la même façon.

Philoxène lisait d'abord à haute voix quelques articles du journal. On discutait la politique locale, le prix des légumes, du vin, des outils. Quand il y avait un beau crime, le lecteur posait le journal sur la table, afin d'avoir les mains libres pour faire des gestes : alors il étranglait la rentière, poignardait l'amant de l'épouse infidèle, ou tirait la longue langue du pendu...

On parlait ensuite de tout et de rien, et même parfois, des « affaires des autres », mais par des allusions discrètes, que l'instituteur ni M. Belloiseau ne pouvaient comprendre... Par exemple, quand le boulanger avait dit un soir : « Il y a des familles où on s'entend vraiment bien », c'était parce que Pétoffi venait de passer, et qu'on le soupçonnait d'être le père de l'enfant de sa belle-sœur.

Puis, vers six heures, en été, quand on avait du courage, on allait faire une partie de boules au Cercle, après avoir tiré à la courte paille les partenaires des deux camps.

UN matin, Manon, allongée à plat ventre sous le sorbier, et les poings sous le menton, lisait *Les chercheurs d'or de l'Alaska*. Le soleil d'avril n'était pas encore bien haut sur l'horizon, et le silence était si pur qu'elle entendait brouter ses chèvres. Le fidèle Bicou gronda, dressa ses oreilles, leva le nez, et Manon vit un homme qui, à vingt mètres sous elle, longeait la barre, dans les éboulis. Il marchait lentement, en regardant le sol, comme s'il cherchait un objet perdu. Il se baissa soudain, et ramassa un assez gros caillou. Il l'examina un instant puis le posa sur un rocher, tira de sa poche un petit marteau brillant, et d'un coup sec, brisa la pierre en plusieurs éclats.

Alors, il prit dans sa musette une grosse loupe, et examina les cassures l'une après l'autre.

Manon le regardait, très intéressée. Elle pensa : « C'est peut-être un chercheur d'or ! »

Il mit un éclat dans sa poche, après l'avoir marqué avec un gros crayon, puis il reprit sa marche dans l'éboulis.

Il atteignit bientôt le ravin qui coupait la barre : mais au lieu de descendre, il monta vers le sorbier...

Manon cacha son livre sous un cade, se leva sans bruit, et courut parler à son chien à voix basse, en lui montrant du doigt le sol. Bicou s'assit sur sa queue. Elle courut alors vers un pin amandier, dont les rameaux serrés étaient presque impénétrables, embrassa le tronc, et disparut dans la ramure, tandis qu'un gros écureuil fuyait jusqu'au sommet du dôme.

Souvent, elle avait escaladé cet arbre pour en cueillir les pignes, où se cachaient les douces amandes; elle s'installa dans la fourche centrale, d'où partaient trois grosses branches, et attendit.

Le chercheur d'or montait vers elle; à travers l'épaisseur des ramures, il aurait pu sans doute distinguer quelque chose, s'il avait su qu'elle était là; mais il marchait toujours à pas lents, en regardant le sol à ses pieds.

En arrivant sous l'arbre, il s'arrêta, et tendit l'oreille : il venait d'entendre tinter une clochette. Il regarda autour de lui, et vit une grande biquette qui le regardait avec beaucoup de curiosité, un bouquet de fleurs blanches au bout du museau. Il s'avança vers elle : alors le vigilant Bicou s'élança, courut se placer devant la chèvre, et gronda en découvrant ses crocs.

Le chercheur d'or fit un pas vers lui; mais le chien ne recula pas, et jappa furieusement.

« Hé hé! Tu as peur que je te vole tes chèvres? »

Le reste du troupeau était venu se ranger en demi-cercle derrière le gardien velu, et regardait l'intrus; mais l'ânesse s'avança paisiblement vers lui, jusqu'à lui donner un petit coup de museau dans les côtes, puis elle retroussa sa longue babine sur ses dents jaunes, et lui fit, les yeux mi-clos, un très beau sourire d'ânesse.

« Ha ha! dit-il, tu veux des caresses! »

Il gratta doucement la rude soie grise entre les deux oreilles... Mais après quelques secondes, l'ânesse plongea ses naseaux sous son bras, et mordilla la belle musette de cuir.

Il la repoussa doucement.

« Alors, les caresses, ça ne te suffit pas? Tu voudrais bien déjeuner avec moi? Attends un peu, on va essayer... Mais où est ton berger? »

Il regarda encore autour de lui. Le chien avait rassemblé les chèvres, et les éloignait de l'ennemi.

Le jeune homme siffla, puis appela sur deux notes : « Ho... ho... »

L'écho d'une barre lointaine lui répondit.

Alors, il vint au pied du pin, posa sa musette sur le tapis de ramilles sèches, s'assit adossé au tronc de l'arbre, ôta son béret, et déboucla son déjeuner : il prit d'abord la bouteille de vin, qu'il appuya, à demi couchée, sur une grosse pierre; puis un gobelet argenté, puis un saucisson. L'ânesse le regardait faire, très intéressée. Ses yeux globuleux, aussi gros que des prunes, brillaient à travers des longs cils de crin roux. Lorsqu'elle vit le saucisson, elle allongea soudain le cou pour le flairer.

« Non, ce n'est pas pour toi, dit le jeune homme. Et puis je dois te dire que les charcutiers malhonnêtes mettent parfois de l'âne dans le saucisson. Donc, méfiance ! »

Il coupa une tranche de pain, l'offrit à l'ânesse, sur sa paume grande ouverte.

Manon observait ce manège. Elle pensa :

« C'est quelqu'un de la ville, et pourtant, il sait donner à manger aux ânes... »

Elle ne voyait du jeune homme que des cheveux très noirs, aux vagues brillantes, la nuque blanche et les avant-bras dorés par le soleil.

Il essayait maintenant de couper des rondelles de saucisson, tout en repoussant du coude les naseaux frémissants. Manon riait en silence; le chercheur d'or ne pourrait certainement pas déjeuner si la bête restait près de lui.

Par bonheur, Bicou parut soudain : ayant mis les chèvres en sûreté, il revenait à grands bonds, la langue pendante, pour récupérer la traîtresse, qui reniait le troupeau pour un morceau de pain.

Il se mit à danser autour d'elle, en lui mordillant les pattes de devant, pour éviter les ruades. Elle se retourna brusquement, et lui tint tête : mais le tournoyant agresseur connaissait à fond son métier.

Après sept ou huit coups de sabots, dont le seul résultat fut un jet de sable sur le pain du chercheur d'or, l'ânesse dut se soumettre, et partit au galop vers les lointaines sonnailles du troupeau. Alors Bicou, regardant l'arbre, jappa, puis pleura pour appeler sa chère maîtresse : le jeune homme crut que ce discours s'adressait à lui, et commença à déjeuner de grand appétit.

Sans réponse, le chien, tourmenté par le souci de ses responsabilités, fit tout à coup volte-face, et repartit en grande hâte vers son devoir.

Manon entendait craquer le pain entre les mâchoires neuves du mystérieux chercheur d'or... Il allait peut-être rester là une demi-heure, mais cette perspective ne l'effrayait pas : de son observatoire, elle voyait au loin le troupeau, cerné de temps à autre par la course du chien : en bas, à travers les branches elle épiait la solitude d'un inconnu, qui était propre, jeune, qui parlait aux bêtes d'une voix mâle et douce, et qui avait ri avec tant d'amitié quand l'ânesse poussait son museau sous son bras...

Elle pensait :

« Papa était chercheur d'eau, celui-là est chercheur d'or... Il n'aura peut-être pas plus de chance, mais en tout cas, il cherche quelque chose... »

Au bout d'un quart d'heure le déjeuneur but un

grand verre de vin, ramassa ses ustensiles, se leva, et s'étira avec un gémissement de plaisir.

Puis, la musette en bandoulière, il s'éloigna, en regardant de tous côtés, vers le troupeau. Bicou vint de nouveau le repousser. Le jeune homme siffla, puis appela comme s'il avait envie de parler au berger. En vain... Il revint alors sur ses pas, prit le sentier de la Garette, et disparut au loin sous la pinède.

Manon descendit de son arbre; mais en sautant sur le sol, elle vit luire un éclair dans l'herbe. C'était le couteau de l'aventurier. Un beau couteau à quatre lames, complétées par un poinçon, un tire-bouchon, une lime à ongles, et une minuscule paire de ciseaux. Elle le regarda longuement et pensa que le jeune homme reviendrait le chercher... Comme à regret, elle le posa bien en vue sur une pierre; mais en s'éloignant, elle vit que le nickel brillait d'un très vif éclat.

Elle se dit :

« Le premier qui passera va sûrement le mettre dans sa poche. »

Elle revint sur ses pas, hésita un instant puis elle reprit sa trouvaille.

« S'il revient, je le verrai et je le lui rendrai. S'il ne revient pas, tant pis pour lui! »

Comme l'instituteur continuait sa prospection sous la pinède, il vit un vieux paysan, vêtu de loques, qui ramassait des asperges sauvages. Ses cheveux et sa barbe hirsute étaient blancs mais ses rides étaient noires.

« Salut mestre! » dit l'instituteur.

L'autre leva deux grands yeux bleus, et fit une espèce de sourire timide.

« Salut!

— Ça commence bien, les asperges?

— Pas mal. Elles sont un peu en retard, mais elles sont belles.

— Et ce troupeau là-bas, c'est à vous?

— Oh non! dit le vieillard. Moi des chèvres j'en ai que deux et c'est ma femme qui s'en occupe... Je suis pas d'ici : Je suis des Ombrées... Le troupeau, c'est celui de la fille des sources.

— Quelles sources?

— Les petites sources de la colline, dit le vieux. Elle les arrange, elle les nettoie... Avec de l'argile, elle pastisse de petites cuvettes bien propres... Comme je ne connais pas son nom, alors je dis la fille des sources, autrement je ne saurais pas quoi dire... Elle est brave. L'autre jour, elle m'a donné un fromage. Sans lui demander, parce que moi je ne demande jamais.

— C'est une fille des Ombrées?

— Non. Sûrement pas.

— Alors, elle est des Bastides?

— Je ne sais pas. A mon idée non. Elle n'est pas des Bastides. Je ne lui ai pas demandé, moi je ne demande jamais! »

Puis, en regardant le goulot qui sortait de la musette, il répéta :

« Moi, je ne demande jamais! »

L'instituteur comprit aussitôt que sans demander jamais, le fier vieillard acceptait toujours et il lui fit présent du vin qui lui restait. L'autre ne prit même pas le temps de le remercier, car il emboucha la bouteille comme une trompette, tandis que le généreux donateur reprenait en riant le sentier plongeant du vallon.

CE soir-là, vers les six heures, les mécréants étaient
en place à la terrasse du café, autour d'une partie de
manille magistralement conduite par l'équipe
Philoxène-Belloiseau, qui malmenait cruellement
Casimir et Claudius le boucher. Chevauchant des
chaises, le Papet, Ugolin, Pamphile, Ange et le
boulanger appréciaient en silence les malices et les
tricheries, mais poussaient de petits cris de douleur à
la chute d'un manillon sec.

M. l'instituteur arriva sur la fin de la partie, mais il
se garda bien d'ouvrir la bouche avant la dernière
levée, que M. Belloiseau annonça d'un cri sauvage en
abattant la manille d'atout.

« On les a tellement écrasés, dit Philoxène en se
levant, que j'aurais vergogne de leur faire payer la
tournée... Ils ont trop souffert. C'est moi qui
l'offre! »

L'instituteur prit place à côté de M. Belloiseau.

« Eh bien, mon cher Bernard, dit le notaire,
qu'avez-vous fait aujourd'hui?

— Cet après-midi, j'ai corrigé les cahiers de mes
élèves, et j'ai préparé ma classe de demain. Mais ce
matin j'ai fait un grand tour dans la colline, et j'en ai

rapporté quelques cristallisations calcaires d'un genre très particulier. A propos, messieurs, qu'est-ce que c'est que la fille des sources?

— La fille des sources? dit Philoxène en versant le Pernod. Vous avez vu ça dans un livre?

— Pas du tout! J'ai rencontré un pauvre vieux des Ombrées, et il m'a dit qu'il y avait là-haut une fille qui aménage les petites sources des collines.

— J'ai remarqué, dit le boulanger, qu'on a arrangé la Font du Rigaou, et elle coule le double qu'avant.

— Le Laurier aussi, on l'a nettoyé, dit le boucher. Mais j'ai pensé que c'étaient les bûcherons.

— Ou un berger, dit le Papet. Ils en ont besoin pour leurs bêtes...

— Eh bien, d'après ce bon vieux, c'est une bergère.

— Et comment est-elle, cette bergère? demanda Pamphile.

— Je ne l'ai pas vue, dit l'instituteur. Je n'ai vu que son troupeau.

— Des moutons, ou des chèvres?

— Des chèvres, un âne, et un chien noir.

— Alors, je sais qui c'est, dit Pamphile. C'est le troupeau de la petite Manon. Quand elle vous a vu, elle s'est cachée!

— Pourquoi?

— Parce que c'est son caractère. Des fois, on la voit de loin, et quand on s'approche, elle n'y est plus! Elle est plus sauvage qu'une gerboise!

— Les filles, c'est souvent comme ça, dit le boulanger. Mais en grandissant, ça leur passe!

— Quel âge a-t-elle? demanda M. Belloiseau.

— Elle doit avoir dans les douze ou treize ans, dit Ugolin.

— Quoi? cria Pamphile... Moi je dis qu'elle en a au moins quinze! »

M. Belloiseau mit sa main en cornet sur sa bonne oreille.

« Quinze ans! » répéta Philoxène.

Il emprunta une main du menuisier, pour ouvrir quinze doigts côte à côte.

« Peste! s'écria M. Belloiseau. Et d'où sort-elle?

— C'est la fille du pauvre Bossu! » dit Pamphile.

En Provence, « pauvre » veut dire que la personne dont on parle est morte. Parole de païens, qui considèrent qu'un mort ne possède plus rien.

« La fille de qui? » murmura M. Belloiseau.

Philoxène renonçant à l'expression sonore, rentra son cou dans ses épaules, qu'il fit remonter jusqu'à ses oreilles.

« Le Bossu! répéta-t-il.

— Quel Bossu? demanda l'instituteur.

— Un fada, dit le Papet.

— Pas si fada que ça, répliqua le menuisier.

— Quand je dis fada, reprit le vieillard, je ne veux pas dire imbécile. Je veux dire pas raisonnable. Il a cru qu'il allait élever des milliers de lapins, en faisant des multiplications sur du papier.

— Et alors, dit Pamphile, parce qu'il n'avait pas d'eau, il a essayé de creuser un puits...

— Et il a voulu faire des mines! dit Ugolin. Pourtant, je l'avais averti! Je lui disais : « Ne vous amusez pas avec la poudre! » Mais qu'est-ce que vous voulez, il avait des livres, et il se croyait qu'avec des livres, on peut tout faire. Il n'a pas voulu m'écouter et sa première mine l'a tué.

— Et depuis, dit Pamphile, la petite habite dans la colline avec sa mère, qui est un peu fadade, et Baptistine, la veuve de Giuseppe, cette vieille qui semble une statue en bois... »

Ugolin réfléchissait :

« Tu crois qu'elle a quinze ans?

42

— Sûrement, dit le Papet... C'est la troisième année des œillets et le Bossu est resté trois ans... Elle a au moins quinze ans, et peut-être seize! Tu perds la mémoire?

— C'est la faute des œillets! dit Ugolin. Ça occupe tellement que les années passent comme des oiseaux... Et comme j'ai plus le temps d'aller à la colline, je ne l'ai jamais revue!

— Et comme elle ne vient pas au village, dit Philoxène, personne ne sait ce qu'elles font là-haut.

— Elle ne vient jamais au village, dit Casimir, mais elle va quelquefois au cimetière...

— Faites-nous donc, dit M. Belloiseau d'un air gourmand, une description de cette jeune personne.

— Sa figure, dit Casimir, je ne l'ai pas vue. »

M. Belloiseau, égrillard, demanda :

« Qu'avez-vous donc vu?

— C'était l'été dernier, au cimetière. Il fallait creuser la fosse du pauvre Elzéar, celui des Rastoubles — et il fallait faire vite, parce qu'avec la chaleur qu'il faisait, le pauvre Elzéar, il ne tenait pas le coup... On m'avait prévenu à quatre heures, et le soir j'en avais pas fait la moitié. Le lendemain, je viens juste avant la pointe du jour... Et comme j'allais mettre la clef au portail, j'entends une petite musique, un peu triste, mais très jolie. Il faisait pas encore bien clair, mais quand même je vois que c'était une fille, à genoux devant une tombe. J'écoute un peu, et puis, tout d'un coup, je tourne la clef. Ah! mes amis! D'un bond, elle saute sur la croix des Pelissier et hop! elle s'envole par-dessus le mur! Je vais voir la tombe : c'était celle du pauvre Bossu, et elle avait apporté une grande brassée de la garrigue : des iris sauvages, des immortelles, des fleurs de fenouil. Et des fleurs comme ça, j'en vois presque tous les mois — mais elle, depuis l'enterrement de son père, je ne l'ai jamais revue de près.

« — Eh bien moi, dit Pamphile, moi je peux vous dire qu'elle a au moins seize ans parce que moi, je l'ai vue de près!

— Où? demanda Ugolin.

— À Baume Sourne, là-haut. Je cherchais des morilles. »

Philoxène, tout en dosant son propre Pernod, s'exclama :

« Coquin de sort, tu vas les chercher loin. »

Pamphile répondit mystérieusement :

« C'est que là-haut, je sais un endroit que mon père m'avait fait voir... Et puis, qu'est-ce que tu veux! C'est mon vice, j'aime la colline. Quoique des arbres, j'en ai tellement sciés, que quand j'en vois des vivants, j'ose pas trop les regarder! Alors, j'étais là-haut tout seul, et tout d'un coup je sens venir l'orage : les pins du vallon commencent à chanter. »

Il se tourna vers l'instituteur.

« Vous savez, il n'y a absolument pas de vent, et pourtant les arbres font le bruit du vent... Et du haut de la Tête Rouge je vois descendre un nuage terrible : ça semblait une fumée d'encre violette. Et son devant se recourbait par-dessous, et il roulait sur la garrigue de la Garette, et il arrivait tout droit sur moi! »

Le boulanger frémit à haute voix.

« Ça m'est arrivé au Plan de Précatory, sous Garlaban. Ça m'a fait dresser les poils sur les bras!

— Et tout d'un coup, reprit Pamphile, bang badabang bing : le premier tonnerre! »

Claudius le boucher frissonna, et murmura :

« Ayayaïe!

— Je pars en courant, et je vais me mettre à l'abri dans cette mauvaise cabane de charbonnier, juste au bord de la barre de Font-Bréguette.

— Je la connais, dit le Papet. J'en ai tué des grives là-haut quand j'avais mes bonnes jambes...

44

— Oh! maintenant elle est en ruine... J'arrange un peu le toit, j'allume ma pipe et j'attends. Ça sentait la poudre brûlée, et le jour était violet. Par le trou pour tirer les grives, je voyais les buissons tous pareils et qui bougeaient pas plus que moi. Et tout d'un coup, à ras de la gineste, je vois passer comme un oiseau doré... Il file, il file, et il arrive au découvert : et je vois que c'était cette fille qui courait devant l'orage, et le doré, c'était ses cheveux; Elle s'arrête, elle se retourne, elle regarde les nuages. Le tonnerre pète, elle éclate de rire, elle lui envoie un baiser!

— Celle-là, dit Ange, elle a peur de rien!

— Elle a pris la pente, mes amis, en sautant les buissons comme une gerboise, et que je meure à l'instant si ce n'est pas vrai, l'orage ne l'a pas rattrapée! »

M. Belloiseau regarda l'instituteur, et dit :

« Voilà une jeune personne bien intéressante! Ma foi, comme je n'ai pas d'enfant, je me sens tout disposé à faire quelque chose pour elle! Est-ce qu'elle est jolie?

— Monsieur Belloiseau, dit Pamphile, ses cheveux, ça ressemble à de l'or. Ses yeux, ça ressemble à la mer; ses dents, ça ressemble à des perles? et ce qu'elle a dans son mauvais corsage, je suis sûr que ça doit ressembler à quelque chose de bien joli! »

C'est alors qu'une voix irritée, aux sonorités éclatantes, descendit de la fenêtre au-dessus de la menuiserie. C'était la grosse Amélie, elle criait :

« Et toi, à quoi tu ressembles, espèce de satyre! C'est ça le genre de champignons que tu vas chercher? »

Tous les compères de la terrasse éclatèrent de rire, et le Papet cria : « Ayayaïe! »

Elle continuait :

« Tu m'en as pas parlé à moi, qué, de l'oiseau doré! »

Pamphile, en trois pas, fut sous la fenêtre : les bras écartés, le menton levé vers sa femme, il disait sur le ton d'un homme raisonnable :

« Amélie, ne le prends pas comme ça! Moi j'ai parlé sans malice. C'était l'impression que ça m'avait fait!

— Oh! je la connais, l'impression que ça t'avait fait! C'est bien dommage qu'elle coure aussi vite, qué?

— Tu n'y es pas du tout, Amélie! Moi, j'ai parlé comme d'une chose artistique! »

Après un éclat de rire strident, Amélie hurla :

« L'artiste! Venez voir l'artiste! Qui croirait que c'est un père de quatre enfants! »

Les mécréants ricanaient, des commères et des enfants accouraient. Derrière Amélie, on entendit les cris d'un bébé.

Alors elle proclama :

« Écoutez sa fille qui pleure de honte! Pauvre petite! Quand elle aura l'âge de comprendre que son père est un satyre, comment il faudra que je lui explique ça? Pauvre petite! »

Mais comme la « pauvre petite » s'était mise à hurler, Amélie se retourna brusquement, et hurla elle-même : « Tais-toi fille de satyre! »

Puis s'adressant au public :

« Monsieur a espinché une petite bergère, et ça lui a frappé sur la coucourde! A ce qu'il paraît que ça ressemble à de l'or, et ça ressemble à la mer, et que sa poitrine, c'est tout ce qu'on peut voir de plus beau! Dis, marrias, et moi, ce qu'il y a dans mon corsage, ça ressemble à rien? »

Il y eut de grands éclats de rire. Alors, le menuisier excédé, répliqua avec enthousiasme :

« Oh! que si! Ça ressemble à deux coucourdes! »

Amélie poussa un long cri de rage.

« Oh! Tu insultes la mère de tes enfants? Cette fois, tu as dit un mot de trop, et ça va te coûter cher! »

Elle quitta la fenêtre. Pamphile, déjà effrayé de sa propre audace, cria :

« Amélie! J'ai voulu dire deux belles coucourdes! BELLES, Amélie!

— O malheureux, dit Philoxène, j'ai idée que ça va mal finir! »

On s'attendait à la voir sortir, son balai à la main, par la porte, mais ce fut à la fenêtre que parut une marmite qu'elle tenait par les oreilles, et qui s'avança dans le vide. En même temps, la voix caressante d'Amélie disait :

« Qui est-ce qui aime le ragoût de mouton avec les haricots du jardin? Et celui-là, il est fameux, avec des olives noires, et du petit salé, et un peu de farigoule... Il a mijoté toute la nuit! »

Les spectateurs faisaient silence, ceux de la terrasse s'étaient levés : Pamphile, pathétique, leva les bras vers la marmite, et cria :

« Amélie, ne fais pas ça! Non, Amélie, non! Si jamais tu fais ça... »

Implacable, elle continua :

« Mais les amoureux d'oiseaux dorés, les satyres artistiques, les mépriseurs de coucourdes, ils n'en mangeront pas, du ragoût de mouton... Et moi, voilà ce que j'en fais! »

Pamphile eut à peine le temps de bondir en arrière pour éviter la fumante marmite qui explosa entre ses souliers, tandis que les assistants applaudissaient à grand bruit.

Il se précipita pour sauver quelques morceaux de viande fumante : mais deux chiens, puis trois, puis quatre, sortis on ne sait d'où, commencèrent entre ses jambes une féroce bataille, d'où il ne se tira qu'en battant des entrechats si ridicules que l'instituteur en pleura de grosses larmes, et que les mécréants hurlaient de rire, tandis que Philoxène, adossé au mur, et tenant à deux mains sa panse tressautante, poussait des gémissements enfantins.

LE Papet et Ugolin rentrèrent de bonne heure à la maison Soubeyran. Ils attendaient M. Trémelat qui venait régler les comptes des quatre premiers mois de l'année. Il arriva dans une voiture automobile, assez petite, mais toute neuve, et munie d'un moteur si puissant que lorsqu'il tournait à l'arrêt, la voiture sautillait sur place. Ils s'installèrent dans la salle à manger — volets fermés et porte close — et le Papet contrôla longuement les bordereaux du courrier, en les comparant à ceux du messager. Après une assez longue discussion, ils tombèrent d'accord, et M. Trémelat aligna sur la table quatre-vingt-quatre louis d'or : Ugolin les fit tinter l'un après l'autre sur le marbre de la cheminée, pour s'assurer qu'ils étaient bons.

« Ce n'est pas que je me méfie, mais on ne sait jamais, on vous a peut-être trompé vous-même. »

Ils dînèrent ensuite tous les trois, avec une douzaine de grives, de la polenta, une grande omelette aux pointes d'asperges sauvages, et une tarte d'un kilo que M. Trémelat avait apportée de la ville, en même temps qu'une bouteille habillée de paille qui prétendait contenir du champagne.

La conversation fut très instructive; M. Trémelat

avoua qu'il se ruinait à faire ce métier d'expéditeur d'œillets, et qu'à cause de la concurrence des Italiens qui venaient de rafler les marchés étrangers, il était sur le point de vendre sa voiture automobile et sa maison de campagne.

Ugolin et le Papet lui répondirent tristement qu'étant donné la faiblesse du prix qu'il leur consentait, ils arrivaient à peine à payer les engrais et les insecticides, et qu'ils méditaient en ce moment même un retour définitif à la culture intensive du pois chiche. M. Trémelat loua la sagesse de cette décision, et déclara que son seul regret serait de ne plus rencontrer chaque trimestre des amis aussi charmants...

Après la tarte, l'expéditeur fit sauter le bouchon du champagne, avec une détonation si puissante qu'Ugolin se demanda comment cette bouteille avait pu la contenir si longtemps. Ils trinquèrent avec des verres où foisonnait une mousse de bulles qui n'entrait dans la bouche que pour ressortir par le nez, et se souhaitèrent mutuellement longue vie et prospérité ; puis le Papet, feignant l'indécision, déclara :

« Je me demande ce que nous allons faire des engrais et des insecticides qui nous restent. Pour les pois chiches, ça ne peut nous servir à rien... »

A quoi M. Trémelat, après réflexion, répondit :

« Si vous voulez essayer encore une campagne cette année, moi je veux bien — pour vous rendre service — continuer à travailler pour vous : on n'abandonne pas ses amis comme ça. Mais alors, je vous conseille d'arracher tout de suite les plantes, pour mettre en place les nouvelles boutures. »

Ugolin poussa les hauts cris, car ses œillets étaient encore en pleine floraison : à quoi le courtier répondit qu'il ne s'agissait pas de faire de belles fleurs, mais d'en tirer de beaux prix ; pour sa part, il considérait que la campagne était terminée, et qu'il ne voulait plus d'œillets jusqu'en octobre, parce que le mois de mai, qui allait commencer, était un mois détestable entre tous : cinq jours sont annulés par des fêtes de l'Église, ce qui fait qu'ils n'ont pas de saint, donc pas de fête à souhaiter; cinq autres sont consacrés à des saints qui ont des noms extravagants, comme Athanase, Pie, Servais, Urbain, Pétronille, si bien que fort peu de gens les portent; d'autre part, au mois de mai, on ne se marie guère, et enfin, au grand préjudice des fleuristes, les gens meurent bien moins volontiers qu'en décembre!

Il était donc raisonnable de sacrifier le faible rapport de ce mois pour que la prochaine récolte pût commencer au début d'octobre, qui met à l'honneur Saint Rémy, Saint François, Saint Constant, Sainte Brigitte, Saint Denis, Saint Édouard, Sainte Thérèse, Saint Léopold, Saint Raphaël, Sainte Antoinette, Saint Simon et Saint Arsène : glorieuse et commerciale litanie, complétée, du côté funèbre, par la virulence des premières grippes, et triomphalement couronnée par la Toussaint et les Trépassés.

Ils se séparèrent vers onze heures, assez contents les uns des autres, et Ugolin prit le chemin des Romarins, serrant sur sa poitrine le sachet de pièces d'or qu'il avait suspendu à son cou.

A cause du champagne, il s'arrêtait tous les dix mètres, secoué par des éructations qui ressemblaient à des aboiements; comme il passait sur la planette, devant Massacan, un nuage creva, et la pluie oblique et drue accompagna sa course jusqu'aux Romarins.

Il mit la barre à la porte, recompta ses louis et plaça le sac sous son oreiller.

Il se coucha au son des gouttes crépitantes sur les tuiles, tandis que les échos tendus tressaillant aux coups de tonnerre, les renvoyaient contre les volets dont le frémissement faisait vibrer les vitres.

C'est sans doute cette longue pluie bienfaisante qui le fit penser au pauvre M. Jean, puis à sa fille qui se cachait comme un renard, et qui courait plus vite que la grêle... Puis, il revit Pamphile bondissant au milieu des chiens, et s'endormit en souriant.

**
* *

Lorsqu'il s'éveilla, l'orage était déjà bien loin, et le jour blanchissait les fentes des volets. Il glissa aussitôt sa main sous l'oreiller, pour s'assurer que le petit sac était toujours là. Il se leva, le plus haut qu'il put, et le laissa retomber sur son estomac, pour en sentir le poids magnifique : il y en avait un demi-kilo, et quelle jolie musique ! Il possédait déjà quatre cent dix louis. Il calcula qu'avec ces quatre-vingt-quatre, ça lui faisait quatre cent quatre-vingt-quatorze, et tous les frais de la campagne étaient payés. Il en manquait six pour faire cinq cents ; il décida de les demander au Papet, qui ne les refuserait certainement pas. Alors, paressant dans son lit, il répétait à voix basse, sur un ton de ravissement : « Cinq cents louis !... O Ugolin, tu as cinq cents louis. »

Il enfila sa culotte, mais il n'ouvrit ni la porte, ni les volets, car il fallait mettre en sûreté les quatre-vingt-quatre nouveaux arrivants, et les joindre à son trésor.

Avec mille précautions, il descella la pierre de l'âtre, souleva le couvercle de la marmite, y versa les quatre-vingt-quatre pièces sur les autres, remit tout en ordre, aussi pressé qu'un voleur. Quand il eut replacé la large pierre plate, il gâcha, à la main dans une assiette, une poignée de plâtre, et luta soigneusement la rainure.

Puis, pendant que le plâtre était encore frais, il prit

un petit balai de genêts, et il fit passer cinq ou six fois sur la pierre une vague de cendres mêlées de suie.

« Et voilà! dit-il. Même Délie, en faisant le ménage, elle n'y verra rien du tout... Et les voleurs, je ne les crains pas... »

Toutefois, pour se rassurer, il joua sa scène favorite celle du cambrioleur déçu.

Il sortit, referma la porte, puis la rouvrit sans bruit, avec une prudente lenteur et il entra dans la vaste cuisine sur la pointe des pieds, en prêtant l'oreille, comme pour s'assurer que la maison était vide.

Il murmura :

« Personne. Tout va bien! »

Il s'approcha du lit, souleva l'oreiller, puis tâta longuement la paillasse.

« Bon, dit-il. Il n'y a rien. »

Il ouvrit la grande armoire, souleva les draps, les torchons, les chaussettes, en exprimant par quelques grimaces la déception du voleur. Puis, il se dirigea vers le buffet, ouvrit les deux portes, inspecta les deux étagères, ôta le couvercle de la soupière, secoua une vieille cafetière, et murmura, sur un ton irrité « Mais où est-il, le magot? Où c'est qu'il l'a caché, son argent? » Il ouvrit brutalement les deux tiroirs du buffet, en grommelant des injures : et tout à coup en levant la tête, il découvrit avec surprise l'écriteau. Il le lut à haute voix, lentement, comme s'il le déchiffrait avec peine.

« Cabrioleur, Antention! » parut exciter sa curiosité, et il fronça le sourcil. « Vous fatigez pas à sercher l'arjent. Elle est pas ici. »

Il fit un sourire ironique, et dit :

« Menteur! »

Il continua :

« Elle est à la banque »...

Alors, il joua d'abord l'inquiétude, et s'écria :

53

« Mais c'est vrai qu'il va trois fois par semaine à Aubagne! Il est bien capable d'avoir fait ça, ce cochon-là! Et puis, c'est un paysan moderne puisqu'il a eu l'idée de faire des œillets! Il n'est pas bête, celui-là! Et à laquelle, de banque? »

Il lut :

« Au milieu d'Aubagne, à côté de la jeandarmerie. »

Alors, terrorisé par cette évocation des gendarmes, le « cabrioleur » fit un pas en arrière, la bouche ouverte, et bondit vers la porte, pour une fuite éperdue. Mais il s'arrêta sur le seuil, éclata de rire, se frotta les mains joyeusement, et s'écria :

« C'est pas tout d'être voleur; il faut aussi être malin! Et malin, ça veut dire Ugolin! »

*
* *

Il sortit pour voir ses chers œillets, qu'il fallait arracher de toute urgence... Grâce à la longue pluie nocturne, un grand nombre de boutons s'ouvraient.

« Si c'est pas malheureux! dit-il tout haut. Eh bien, non; je vais attendre pour les arracher et si ce Trémelat n'en veut plus pour cette année, je les porterai au fleuriste d'Aubagne... Même au mois de mai, j'en vendrai quand même un peu... »

Il se promena un moment, les mains dans les poches, regardant le bout de ses gros souliers.

« Franchement, je suis pas à plaindre. Cinq cents louis bientôt! Qui aurait dit ça? Il ne faut pas toujours voir ce qui manque. Si le pauvre bossu avait gagné cinq cents louis, sa fille ne serait pas à courir les collines comme une sauterelle. Enfin, chacun sa chance, chacun son étoile. Les affaires des autres, ça ne me regarde pas. »

Le grand soleil dispersait de légères brumes, et les hirondelles entrecroisées semblaient voler pour le plaisir. Une petite chouette attardée, la machote, miaula une fois, avant de rentrer chez elle pour dormir, et le coucou se mit à chanter régulièrement.

Ugolin leva la tête, regarda le ciel, puis respira profondément. Enfin, il sortit ses mains de ses poches, et dit tout à coup :

« Et si j'allais faire un petit tour dans la colline ? Les premières morilles sont peut-être sorties... Et puis, c'est la repasse des bécasses... Et puis, ça me changerait un peu les idées... Quand on est riche, on a le droit de se distraire. Allez, zou ! Aujourd'hui, ce sera dimanche ! »

Il revint à la ferme, prit une serviette, le gros pain de savon, et il alla se laver au bord du petit bassin.

Puis devant un morceau de miroir triangulaire, que trois clous rabattus appliquaient au mur près de la fenêtre il se rasa. Sa barbe rousse était très dure, et la lame du rasoir étrangement étroite, car la pierre à aiguiser en avait mangé la meilleure part. Mais il en avait l'habitude, et malgré la finesse surprenante de sa peau de « rouquin » son adresse et sa patience en vinrent à bout.

Il choisit une chemise propre, un pantalon de velours à côtes, et des espadrilles de chasse à semelle débordante. Puis il mit dans son carnier deux épaisses tranches de pain, une poignée d'olives cassées dans une boîte en fer-blanc, un petit fromage de chèvre, un gros oignon blanc, et une bouteille de vin. Enfin, il serra sa ceinture, prit son fusil, son carnier, et sortit. Il poussa les volets, ferma la porte, cacha la clef dans un trou du mur de l'écurie, pour Délie qui allait venir faire le ménage, et partit vers les hauts plateaux.

IL suivit les crêtes, ou le bord des barres : la chasse n'était pas ouverte; et il fallait, dans une certaine mesure, craindre les gendarmes.

C'était une très belle matinée, immobile et chaude comme un jour d'été. Les buissons portaient mille petits oiseaux qui ne valaient pas une cartouche, et qui devaient le savoir, car ils chantaient à bec ouvert sur les plus hautes brindilles, et ne daignaient pas remarquer le passage du chasseur.

Dans l'air transparent la chaîne lointaine de Sainte-Victoire semblait s'être rapprochée pendant la nuit, et l'odeur du thym, un peu adoucie par la pluie, flottait sur la garrigue du Plan de l'Aigle.

Il suivit lentement le bord du plateau, au-dessus du vallon du Plantier. Au bout du creux, des merles invisibles ramageaient, et tout à coup éclataient de rire.

« Ceux-là, au moins, ils ne se font pas de mauvais sang... Leur plus gros travail, c'est de préparer le nid... Pas de costume, pas de souliers à payer... Ils mangent pour rien, ils dorment tant qu'ils veulent, il n'y a pas à dire, c'est la belle vie! »

Il était bien rare que sa pensée s'élevât à de telles hauteurs philosophiques; il en fut lui-même émerveillé, et poussa plus loin sa méditation.

« Oui, la belle vie, mais ça dure pas bien longtemps, et encore à condition de ne pas recevoir un
coup de fusil dans le râble... Et puis, ils se laissent
souvent couillonner par un piège... Chacun a ses
plaisirs et ses peines... Moi, je me demande pourquoi
je travaille... Avec cinq cents louis, je pourrais vivre
comme un merle jusqu'à l'héritage du Papet... et plus
jamais rien faire de ma vie... La vérité, c'est que plus
on en a, plus on en veut, et finalement, au cimetière.
Alors, à quoi ça sert? »

Il s'aperçut qu'il était arrivé au-dessus de la
Baume du Plantier. Alors il s'arrêta un moment, et
regarda le paysage, comme un excursionniste du
dimanche.

Devant le mur de la grotte, sur une cordelette, du
linge séchait. Il n'y avait personne dans le petit jardin
potager, qui paraissait tout propre et bien tenu. Il vit
des tuteurs pour les haricots, cinq ou six rangs de
choux, des oignons, des poireaux, et quelques belles
plantes d'artichauts, un joli carré de pommes de terre
déjà verdoyantes, des fraisiers, deux beaux groseilliers.
Au-dessus de ces cultures, un épouvantail ouvrait ses
bras raides, au bout desquels pendaient des gants
noirs : mais il portait une robe bleue en loques, et un
chapeau de femme surmonté d'une longue plume, ce
qui lui sembla extravagant.

« Un épouvantail femelle, dit-il, j'avais encore
jamais vu ça... Elles ont peut-être pas osé lui mettre
un costume du pauvre bossu... Ça doit être la petite
qui n'a pas voulu... »

Il remarqua que les chèvres n'étaient pas là. Il
reprit sa marche, fit le grand détour sous Garlaban,
puis descendit vers Baume Sourne... Ni lièvre, ni
lapin, ni perdrix.

« Je me demande où ils se cachent, aujourd'hui...
Ou alors, c'est moi qui deviens sourd et aveugle. Il

faudra que je me fasse prêter le basset du boulanger... »

Il fouilla tout le vallon du Jardinier, où des cultures de sumac abandonnées avaient formé au-dessus des messugues une petite forêt à peine pénétrable. Un très beau lièvre jaillit soudain d'un fourré de ronces. Gêné par les branches des arbustes, il le manqua deux fois.

« Je suis plus bon à rien! dit-il. A rien! Une lièvre de trois kilos. deux cartouches à vingt sous pièce, et je perds tout ça à la fois! Cette lièvre, je l'aurai... D'abord, je vais monter déjeuner sur le bout du Taoumé! De là-haut, je verrai tout le pays. Avec de la patience, c'est bien rare si je ne la vois pas! »

Il escalada la pente abrupte, coupée plusieurs fois par de petites barres qu'il fallut contourner.

Il arriva sur le plateau terminal : une brise légère rafraîchit son front trempé de sueur.

A sept cents mètres d'altitude, il dominait la contrée et il fut surpris par l'étendue du paysage.

Comme la plupart des Bastidiens, il n'était jamais monté sur les sommets : on n'y trouve ni gibier, ni champignons, ni bois mort, ni asperges sauvages, et ces escalades inutiles ne sont qu'un exercice sportif à l'usage des gens de la ville. Son regard fit lentement le tour de l'horizon, et il dit :

« C'est grand. Il n'y a pas à dire, c'est grand! »

Il alla s'asseoir au bord de l'à-pic, et déjeuna de bon appétit, tout en scrutant les vallons et les ravins qui plongeaient autour de lui.

A première vue, il ne les reconnut pas, quoiqu'il sût leurs noms depuis son enfance, mais il ne voyait pas les Bastides, cachées derrière la Tête Ronde, et il n'avait sous les yeux que l'envers de son paysage habituel. Sur sa gauche, il distingua, minuscule, la Baume du Plantier qu'il avait cherchée sur sa droite : il put ainsi ordonner le paysage, et nommer tous les vallons.

« Bon ! dit-il. Celui-là, là-bas, c'est le Plantier. Celui-là, c'est le Rascla, celui-là c'est le Bec-fin. Ceux-là, la lièvre ne peut pas y être, à cause de la barre... Alors, ou bien elle est restée sur le plateau, ou bien elle est descendue aux Refresquières par le Pas de la Ser... C'est un trop beau civet. J'y passerai peut-être la journée, mais je la trouverai ! »

Il descendit vers le plateau qui dominait les Refresquières.

C'était une profonde vallée, largement creusée dans le calcaire bleu de Provence, par quelque glacier raboteux qui s'était fondu dans la nuit des millénaires.

De chaque côté, un coteau abrupt, mais vêtu d'une épaisse pinède, montait jusqu'au pied des barres verticales qui soutenaient les deux plateaux, et descendait jusqu'au fond de la vallée : c'était une large table de roche sillonnée çà et là de fentes que le vent et la pluie avaient comblées de poussière, de sable, de gravier : les plantes vivaces des collines étaient venues s'aligner dans ces sillons.

Le thym, la rue, l'aspic et le ciste formaient ainsi des haies en miniature, et dans les crevasses plus larges, les cades et les genièvres, mêlés de quelques pins tordus, faisaient de petits bosquets d'un vert sombre, parfois chargés d'un vol de pinsons.

Au milieu même du vallon, un torrent des orages avait creusé son lit dans le calcaire, parfaitement nu et poli comme du marbre, mais troué çà et là d'ouvertures circulaires dont la cavité s'élargissait en descendant selon la forme d'une sphère aplatie. Il y en avait de toutes les dimensions. Beaucoup n'étaient pas plus grandes qu'une marmite, mais d'autres avaient jusqu'à deux mètres de diamètre.

A chaque pluie, le vallon recevait le ruissellement

des plateaux voïsins, qui avait creusé les coteaux de ravines profondes, et se précipitait au fond du lit de rocher où roulait en grondant le torrent d'un jour.

Après sa fuite bondissante, les trous restaient pleins d'une eau ronde et brillante que les oiseaux, les chèvres, les chasseurs et le soleil buvaient à sec en quelques jours.

A cause de l'orage de la nuit, sous les clairs rayons du matin, tous les creux du vallon miroitaient, et les plus grands frissonnaient sous la brise qui faisait à peine flotter le silence.

Ugolin regardait le calme paysage, lorsqu'il entendit le son grêle d'une clochette.

Il s'arrêta net, et tendit l'oreille.

« Tiens, dit-il, c'est sûrement le berger des Ombrées. »

Il avança prudemment, comme pour surprendre un gibier et découvrit, dans le lit du torrent, près d'un bouquet de pins rachitiques, une dizaine de chèvres et deux chevreaux qui broutaient l'herbe maigre des fentes : un chien noir était couché à plat ventre, la gueule appuyée sur ses pattes allongées.

« Vé! dit-il, comme surpris, ça doit être les chèvres de Manon! »

Il regarda un long moment, mais il ne vit pas la bergère.

« Ho ho! dit-il encore, cette coquine doit tendre ses pièges et elle a sûrement effrayé ma lièvre, qui doit être loin maintenant! »

L'air soucieux, et hochant la tête, il fit deux pas en arrière, chercha dans la barre une cheminée commode et profonde. Il en trouva une encombrée de broussailles, qui lui permit de descendre sans être vu, jusqu'à la pente du coteau. Dissimulé par les sousbois de la pinède, il reprit sa marche silencieuse, son fusil sous le bras, le doigt sur la gâchette et l'oreille aux aguets.

Cependant, il ne regardait guère devant lui, mais plus souvent vers le vallon. Dans un bruit de rafale, à moins de vingt mètres, les perdreaux se levèrent, et leur gerbe s'épanouit soudain à travers la futaie. Il épaula, mais ne tira pas.

Alors, à voix basse, il dit :

« Ugolin, tu es un couillon. Un pauvre couillon. »

Il reprit sa marche, courbé derrière les genêts, et peu à peu, il descendait vers le lit du torrent.

De temps à autre, il s'arrêtait, il écoutait. Les sonnailles étaient maintenant toutes proches... Mais il s'aperçut que le sentier ne descendait plus, et qu'il suivait, à flanc de coteau, une petite barre, au bord d'un à-pic de quatre ou cinq mètres bordé d'épais buissons de lierre et de clématites, qui pendaient jusqu'au lit du torrent.

Caché derrière ce fourré, il avançait, d'un pas hésitant, qui cherchait la place où poser sans bruit la semelle de corde.

Il avait ainsi parcouru une centaine de mètres, lorsqu'il s'arrêta brusquement : il venait d'entendre un son léger, une sorte de clapotis... Lentement, il écarta les tiges grises des clématites, puis les feuilles charnues d'un lierre, et il la vit enfin, celle qu'il cherchait depuis l'aurore, et qui l'avait attiré jusque-là.

*
* *

Assise au bord d'un grand trou rond, les jambes pendantes vers l'eau, qu'elle égratignait du bout de l'orteil, elle était nue.

Une collerette de hâle descendait de son cou vers sa jeune poitrine, ses avant-bras étaient bruns jusqu'au coude et ses jambes jusqu'aux genoux; mais son torse était d'un blanc de lait, et brillait d'un lumineux contraste avec les gants et les bas mordorés du soleil.

61

Immobile comme une pierre, il ne respirait plus...

Non loin de la bergère, sur la roche brûlante, sa robe sombre et sa chemise séchaient au soleil.

Tout près d'elle, un morceau de savon carré, et son petit harmonica.

Pensive, la tête baissée, ses cheveux blonds pendant vers sa poitrine, elle balançait toujours ses jambes rondes, et des gouttes brillantes, au bout de son pied, sautaient au soleil.

Il sentit que le sang lui montait au visage, et qu'il faisait battre ses tempes : il avala deux fois sa salive, et il ne pouvait détacher ses yeux de ces blanches et tendres cuisses, élargies par leur poids sur la roche bleue. Une sombre folie commençait à monter en lui. Il leva la tête, et regarda de tous côtés : personne. Ni berger, ni bûcheron, ni braconnier. Il écouta. Nul bruit ne troublait le silence, qui tremblait à peine au son d'un grillon. Alors, il chercha des yeux le passage caché qui le conduirait derrière elle.

Mais elle se leva soudain, légère et prompte comme une chèvre, et se pencha pour ramasser la robe, qui laissa son ombre sur la pierre humide. Elle dut trouver que l'étoffe n'était pas encore sèche, car elle en habilla un cade pointu. Puis, elle se pencha de nouveau pour prendre son harmonica. Alors, elle écarta ses cheveux de sa bouche, et souffla quelques frêles accords qui enchantèrent un écho tout proche, puis elle attaqua un vieil air de Provence, et tout à coup, un bras étendu, elle se mit à danser au soleil.

Il entendit des aboiements, puis un galop léger, qui crépitait comme une pluie : les chèvres parurent au détour d'un petit cap de roche, suivies du chien noir qui les ralliait à la musique.

Le chien s'assit sur son derrière, et regarda, tandis que les chèvres, en demi-cercle, broutaient les vertes broderies des crevasses. Mais un chevreau se dressa sur ses longues pattes de derrière, sa petite barbe courbe repliée contre sa gorge, et les cornes pointées en avant... Il hésita quelques secondes, et s'élança vers la danseuse; d'un pas de côté, elle l'évita, mais quand il fut au bout de son élan, il fit volte-face, et reprit le jeu.

Lancés l'un vers l'autre, ils s'évitaient et se croisaient, sans le moindre effort visible, comme portés par la brise et la joie de leur jeunesse; et le pauvre Ugolin des Soubeyran, qui cassait le manche des pioches, et qui n'avait jamais pu franchir une porte sans meurtrir son épaule au chambranle, regardait ces pieds cambrés, repoussés par la roche élastique, ce chevreau roux, aussi léger que la musique, et il ne savait plus si c'était elle qui jouait cette chanson, ou si les échos amicaux l'inventaient pour porter leur danse. Il était pris dans le mystère d'une peur émerveillée : le menton dans une lavande, il entendait battre son cœur, et il sentait obscurément que cette dansante fille, encore fraîche de l'eau lustrale de la pluie, était la divinité des collines, de la pinède et du printemps.

Il ne s'aperçut pas qu'il glissait lentement vers cette magie, et sous sa paume, une petite pierre roula.

Le chien leva la tête, pointa son nez luisant, et gronda sourdement. La fille arrêta net sa pirouette, prit ses seins dans ses mains, et courut se cacher derrière un cade.

Alors, sur ses paumes et ses genoux, il recula vers la haute broussaille de genêts. Mais comme il y pénétrait, une poignée de gravier coula sur la pente. Le chien, accouru au pied de la petite barre, aboya furieusement... Il se leva, mais resta courbé comme le centenaire du village, pour plonger sous la nappe odorante des fleurs jaunes, et s'enfuit sans savoir pourquoi.

Manon, cachée dans les douces ramures du cade, suivait la course du sacrilège par l'ondulation des genêts, mais elle ne put le voir lui-même, et elle crut que c'était un garçon du village. Alors, furieuse et nue, elle passa la fronde à son poignet, et poursuivit de pierres ronflantes l'invisible fuyard qui nageait sous la vague de fleurs.

Ugolin s'arrêtait de temps à autre, et comme il regardait en arrière pour s'assurer qu'elle ne le voyait pas, il reçut le troisième projectile au milieu du front.

Le caillou n'était guère plus gros qu'une noix, mais il venait de loin, et n'était pas bien rond. Il en resta stupide un moment, puis du bout de l'index, il essuya une goutte de sueur qui coulait le long de son nez : il vit son doigt rouge de sang... Alors, au lieu de colère, il ressentit une terreur sacrée, et sous les longues paraboles bourdonnantes, il fonça comme un sanglier à travers les branches furieuses, chassé par les pierres magiques que la colline lui lançait...

Hors d'haleine, il jugea qu'il était hors d'atteinte, et se releva lentement derrière une grande aubépine. A travers les branches, il la vit au loin : les bras levés, elle entrait dans sa robe. Les cheveux dorés reparurent. Alors, elle serra sa ceinture, et s'élança vers le haut du vallon en poussant son cri de bergère : « Bilibili... Bilibilibili ! »

Le chien, d'une course arrondie, rassembla les chèvres qui la suivirent; la troupe légère, par sauts et par bonds, s'éleva sur le coteau d'en face, et disparut sous la noire pinède.

Il alla s'asseoir sur une grosse pierre, et se mit à réfléchir. Il pensa à cette folie qui l'avait prise, et il murmura :

« Un peu plus !... »

Puis il essuya le sang de son front, et sentit sous son doigt une bosse ovale et molle; il dit encore :

« Un peu plus, elle me cassait la tête !... »

Les perdrix chantèrent au loin, et il se souvint qu'il avait oublié son fusil. Toujours courbé sous une peur inexplicable, il fit un grand détour pour aller le chercher.

Les petites sonnailles tintaient sous la forêt d'en face. Il se glissa jusqu'à la crête, et prit le galop dès qu'il l'eût franchie. Il avait hâte de voir sa ferme, ses outils, sa table, des choses vraies, réelles, sans mystère...

Il entra : tout était en ordre, et les chaises ne dansaient pas. La pesante Adélie était venue, la marmite sifflotait sur le trépied, l'assiette, le verre, la bouteille et le pain étaient sagement collés à la table.

Mais il ferma la porte à clef, accrocha le fusil au mur, et les bras en croix, il s'étendit sur son lit.

C'EST le Papet qui le réveilla vers cinq heures du soir, en revenant de chercher du bois dans la colline. Il attacha d'abord à la treille le mulet chargé de fagots, puis poussa la porte, dont la plainte réveilla le dormeur.

« Eh ben, dit le Papet, c'est cinq heures! Tu as fait une drôle de sieste! »

Ugolin se frotta les yeux, bâilla, et marmotta :

« Je me demande si je n'ai pas pris un petit coup de soleil... »

Le Papet ouvrit les volets, et regarda son neveu.

« Tu n'es pas rouge, dit-il. La vérité, c'est que tu as du sommeil en retard, et maintenant que tu n'as plus le gros souci des œillets, c'est une bonne chose de te reposer. »

Ugolin prit la gargoulette, la leva vers le plafond, et but longuement à la régalade.

Le Papet déclara :

« Moi, je préfère un coup de vin blanc. »

Il alla ouvrir l'armoire, y prit le verre et la bouteille, et s'installa devant la table, pendant qu'Ugolin se lavait le visage et se coiffait.

« Galinette, dit le Papet, je suis allé faire du bois sous le Plantier, mais en revenant, j'ai fait le détour par ici, parce que j'ai à te parler en tête-à-tête. La muette n'entend rien, mais elle devine tout, et ce que je veux te dire, ça ne regarde que nous deux. »

Le Papet était grave. Ugolin vint s'asseoir en face de lui. Le vieillard but, essuya longuement ses moustaches et parla.

« Galinette, dit-il, tu as bientôt trente ans, et tu es le dernier des Soubeyran... »

Ugolin savait par cœur ce qu'il allait dire, et connaissait la conclusion habituelle de cette litanie.

« Je te vois venir, dit-il. Tu vas encore...

— Laisse-moi parler! cria le vieillard. Si je te répète souvent la même chose, c'est de ta faute, et je recommencerai jusqu'à ce que tu aies compris. »

Il prit un temps, et parla lentement, et parfois les yeux fermés.

« Les Soubeyran — Nous Autres — nous étions la plus grosse famille du village. Mon père avait quatre mulets et deux chevaux... »

Ugolin récita la suite :

« Vous aviez cinq cents abricotiers à la Badoque, et un verger de cinq cents arbres sur le plateau du Solitaire.

— Douze mille pieds de vigne au Plan des Adrets.

— Autant sur les coteaux de Prëcatori!

— Plus de trois cents pruniers dans les champs sur le Plantier. Quand on faisait des pois chiches...

— On en battait plus de dix charretées.

— Douze, rectifia le vieillard. Quand on faisait des melons...

— Il fallait les porter à Marseille, parce que sur le marché d'Aubagne, ça aurait tué les prix.

— Pour la fête du grand-père...

— Vous étiez plus de trente à table.

— Tous des Soubeyran, avec des marmites pleines d'or cachées un peu partout dans la maison. On nous saluait de bien loin, et c'est nous qui avons fait réparer le toit de l'église...

— Et la croix du clocher, c'est ton grand-père qui l'a payée, et qui l'a posée. Tu vois que je sais bien ma leçon... Et je vais te répondre comme d'habitude : si tout ça n'a pas duré, ce n'est pas de ma faute! C'est le Destin!

— C'est pas vrai! dit le vieillard avec force. Le Destin, ça n'existe pas! C'est ceux qui sont bons à rien qui parlent du Destin! On a toujours ce qu'on mérite... Ce qui est arrivé, c'est de la faute des vieux... Un peu pour l'orgueil, un peu pour ne pas séparer l'argent, ils se sont mariés entre eux, cousin-cousine, cousine-cousin, et même l'oncle et la nièce... C'est mauvais pour les lapins, c'est pas bon pour les hommes. Au bout de quatre ou cinq générations, un fou, mon grand-oncle Elzéar; on a dit qu'il était mort à la guerre de septante, mais il est resté vingt ans à l'asile. Deux folles, et trois suicidés. Et maintenant, nous voilà tous les deux, et moi je ne compte plus. Maintenant, les Soubeyran, c'est toi!

— Et tu vas encore me dire de me marier... Alors moi, cette fois-ci, je te demande : toi, pourquoi tu ne t'es pas pris une femme? »

Le vieillard hocha la tête, pensif, comme s'il cherchait une réponse... Enfin il dit :

« Ce n'était pas bien dans mon caractère... J'y ai pensé, remarque bien... Et puis, ça ne s'est pas arrangé... Finalement, je suis parti soldat pour l'Afrique, comme ça, bêtement... Quand je suis revenu, naturellement, j'ai courtisé des filles, comme on fait à cet âge... Si une m'avait donné un enfant, je me la serais mariée tout de suite... Ça ne s'est pas trouvé. J'étais comme le beau cerisier d'Anglade qui fait tant de fleurs, et jamais de fruit... Et il ne reste plus que toi.

— Et alors, tu veux que je me marie à ta place!

— Il le faut, Galinette...

— Mais pourquoi? POURQUOI? »

Le vieillard se leva, alla ouvrir la porte, et regarda de tous côtés, pour s'assurer que personne ne pouvait l'entendre, puis il revint vers Ugolin, et dit à mi-voix :

« Et le trésor? Tu veux le laisser mourir, le trésor des Soubeyran? Ce n'est pas des billets, que les rats les mangent. C'est de l'or. Un jaron de pièces d'or. Oui, le trésor, c'est moi qui l'ai. Parce qu'à mesure qu'ils mouraient, on disait la cachette au plus vieux des vivants, et ça a fini que tout est arrivé chez moi! C'est toi qui l'auras, et à qui tu veux le laisser? A des voisins? Ou au curé? Ou à la terre? Et notre bien, qui fait le quart du cadastre des Ombrées? Tout ça, c'est des économies, des privations, du travail. C'est tout ça que tu veux jeter?

— Bien sûr que non! dit Ugolin. Moi, l'or, je l'aime.

— Puisque tu l'aimes, tu ne le laisseras pas sans maître. Avec l'or, tu prendras des domestiques jusqu'à ce que tes fils soient grands :

— O Papet, dit Ugolin, je crois que tu rêves... Une famille, ça ne peut pas se refaire comme ça...

— Galinette, un jour nous sommes partis au tocsin, pour aller à l'incendie du bois des Bouscarles, et quand nous sommes arrivés, on nous a dit : « C'est fini, on a réussi à l'éteindre », et tout le monde est reparti... Seulement, à minuit, le tocsin sonnait dans quatre villages... Parce que dans les cendres éteintes, on avait oublié une étincelle. Une étincelle rouge, comme tes cheveux... Viens Galinette, allons dîner à la Maison Soubeyran, sous le plafond de nos grands-pères : il te portera conseil. »

*
**

A table, le Papet donna des précisions. Il pensait à

la sœur d'Eliacin, aussi forte qu'une jument, et capable de donner des enfants puissants... A la fille d'Anglade, une brune travailleuse qui aurait en dot le Vala des Alouettes, et une partie de la concession de la surverse de la fontaine, qui permettrait peut-être de faire un nouveau champ d'œillets. De plus, elle était bègue, au point d'être presque muette.

Enfin, il y avait la fille de Claudius le boucher : Elle aurait une assez belle dot en argent, parce que son père l'adorait, et la viande gratuite toute sa vie; ses biens n'étaient pas bien grands, mais les six petites parcelles dont elle hériterait étaient toutes les six enclavées (avec droits de passage) dans le plateau du Solitaire, orgueil des Soubeyran. Ce mariage nettoierait une longue rancune paysanne... Mais il avait aussi ses inconvénients : Clarisse était très instruite, elle était allée à l'école en ville, et on sait bien que les gens instruits n'aiment pas le vrai travail...

Enfin, il fallait voir, il fallait réfléchir, et se décider une fois pour toutes.

Ugolin ne parlait guère, mais buvait de grands verres de vin noir, qui avait un petit goût de framboise.

Il finit par dire :

« Écoute Papet, je te comprends, mais il faut me laisser encore un peu de temps...

— Ça fait presque dix ans que je t'en parle...

— Pas si sérieusement qu'aujourd'hui... Écoute : laisse-moi encore un an. Et puis, laisse-moi choisir à mon idée. Ces trois-là ne me plaisent pas.

— Alors, tu as une idée sur quelqu'un ?

— Peut-être.

— Et tu ne veux pas me dire qui c'est ?

— Papet, aujourd'hui j'ai pris un coup de soleil, je viens de boire beaucoup de vin, et je ne sais pas ce qui m'arrive. J'ai l'impression d'être fada. Alors, ne me demande rien. Nous en parlerons plus tard.

— D'accord, d'accord, dit le Papet en souriant. Tu me plais, Galinette. Fais comme tu voudras. Je ne te demande qu'une chose : en choisissant la femme, pense aux enfants.

— Qu'est-ce que tu veux dire?

— Je veux dire ne te laisse pas escagasser par une jolie figure. Ce qu'il nous faut, c'est des hanches larges, des jambes longues, et de beaux gros tétés. Choisis-la comme une jument poulinière.

— Mais si en plus, elle a la jolie figure?

— Si c'est en plus, dit le Papet, ça ne me dérangera pas ; au contraire. Ça sera la Belle Soubeyrane, et j'aurai plaisir à la regarder. »

IL retourna aux Romarins vers dix heures et demie, la lune était pleine, et sa lumière verte faisait des ombres très noires. Il monta le raidillon de Massacan, en s'arrêtant de temps à autre, non pas pour souffler, mais pour réfléchir.

Ce qui l'avait frappé, ce n'étaient pas les objurgations du Papet, et il ne songeait guère à son devoir de perpétuer la famille. Il pensait à cette aventure de la matinée, et à l'étrange émotion qu'il avait ressentie pour si peu de chose.

C'était tout de même extraordinaire que cette petite soit devenue si vite une personne, et c'était vraiment choquant qu'elle danse toute nue dans la colline. Des bousquetiers auraient pu passer, ou un braconnier des Ombrées : une fille nue, ça donne des idées, forcément...

Il ne s'arrêta pas à Massacan, qu'il avait abandonné depuis deux années. Le vieux mûrier rêvait au clair de lune, indifférent et solitaire. Il revit soudain, sur le sentier, l'ombre de la petite Manon d'autrefois, qui suivait l'ânesse, en portant ses cruches... Il la vit comme si c'était vrai... Il s'arrêta, frotta ses yeux et dit à haute voix :

« O Ugolin, ça va pas mieux ? »

Puis en approchant des Romarins, il entendit la petite musique de l'harmonica : les notes frêles bruissaient dans les feuilles des oliviers...

Il dit encore :

« Cette fois, je deviens fada !... Ou plutôt, je suis soûl, c'est ça la vérité ! »

Sans allumer la lampe, il ferma la porte à clef, quitta ses souliers, et s'étendit sur son lit, les mains croisées sous sa nuque...

*
* *

Vers minuit, il y eut une grande réunion de chouettes et sans doute à propos d'un sujet d'intérêt commun, car par instants, plusieurs ululaient en même temps.

A travers la longue fente d'un volet, une barre de lune tirait un trait lumineux sur les carreaux bleus. Il avait la tête lourde, et un petit bourdon dans les oreilles.

Il dit à mi-voix :

« Il a forcé sur le vin pour me faire dire oui. Mais j'ai pas dit oui. La sœur d'Eliacin, je m'en fous. Les Soubeyran, je m'en fous. Ils sont tous crevés, les Soubeyran. Et le Papet aussi, crèvera, et moi aussi. Tout ça, c'est de la couillonnade. Finalement, on n'est jamais content de rien. »

Il bâilla à grand bruit, se tourna sur le côté et finit par s'endormir.

Il vit aussitôt danser la fille et la chevrette : mais dans son rêve, c'était la fille qui avait de petites cornes dorées, et qui volait, les bras étendus, comme un oiseau... Peu à peu, elle se rapprochait de lui. Il s'élança furieusement pour la saisir, un choc violent le réveilla : il était tombé de son lit.

Il proféra quelques jurons dans la nuit, puis il se releva, et à tâtons chercha des allumettes. L'éclat jaune de la lampe à pétrole fit remonter l'ombre jusqu'au plafond. Il s'étira, toussa, fit claquer la clef dans la serrure, et sortit, les pieds nus, sur la terrasse.

* *
*

Le chœur des chouettes s'était tu. La lune était énorme, et si brillante que les étoiles avaient reculé autour d'elle.

Les ombres des oliviers étaient noires, et dans les grandes plaques de lumière, au milieu du champ, les œillets rouges étaient violets, les blancs étaient bleus.

Les mains dans les poches, la tête baissée, il s'avança au milieu des fleurs. Tout à coup, il s'arrêta, leva la tête et répondit avec force :

« Pas du tout, non, pas du tout! Celui qui a tort, c'est celui qui se trompe le premier. Et qui est-ce qui a commencé? C'est toi. »

Il fit encore quelques pas, et reprit :

« Qu'est-ce que c'était cette idée de faire le paysan? Et qu'est-ce que tu aurais fait si moi j'avais voulu me mettre percepteur? Si j'étais venu te dire : « Allez zou! Payez-moi des impôts, autrement je fais vendre les meubles! » Qu'est-ce que tu aurais répondu? »

Il ricana, haussa les épaules, et revint à pas lents vers la maison.

....

« Le mauvais, c'est la source. Oui, mais quand je l'ai fait, je ne te connaissais pas... Et puis, j'ai bien réfléchi. Même avec la source, ça ne pouvait pas réussir. Tu aurais fait des coucourdes, oui, sûrement. Mais ton affaire de lapins, ça ne pouvait pas marcher. Je te l'ai dit de bonne amitié : tu n'as pas voulu m'écouter. »

Il entra dans l'ombre du grand olivier, et s'adossa contre le tronc.

« Pourquoi? Parce que dès qu'il y a cent lapins ensemble, ils crèvent du gros ventre ou de la cagagne. Et rappelle-toi que c'est vite fait! »

....

« Et la pointe du Saint-Esprit, ce n'est pas de ma faute! C'est comme ça depuis le temps de Jésus-Christ! »

....

« D'accord, d'accord. Oui, des fois je pense que j'aurais dû t'en parler. J'aurais pu te dire : « Allez, zou, faisons des œillets ensemble. » Mais tu n'aurais pas voulu. Toujours les livres, les satistiques. Mais oui, mais oui. »

....

« Je te l'ai dit, moi, de retourner en ville! Je te l'ai dit franchement. Et toi, tu m'as répondu : « Je sais où je vais! » Eh non, tu ne le savais pas, où tu allais... Tu allais au cimetière!... Tu aurais été cent fois mieux, le cul sur une bonne chaise, à ramasser l'argent des autres... Et ta petite, ça serait une vraie demoiselle, au lieu de danser toute nue dans la colline... A quoi ça ressemble? Et qu'est-ce qu'elle va devenir? Maintenant tu vois tout ça de là-haut... Tu dois comprendre que moi, c'était pour les œillets... Pas de méchanceté, non... J'avais rien contre toi, au contraire... Tu as bien vu que je ne leur ai jamais dit de partir... Si elles avaient voulu rester à la ferme, elles y seraient encore... Elles me feraient les bouquets, je leur donnerais des sous... Mais les femmes seules, c'est comme des chèvres sans chien : ça ne fait que des couillonnades... »

Il poussa un profond soupir, et dit :

« Enfin, tout ça, c'est un temps qui ne reviendra plus, et ça sert à rien d'en parler... Mais je peux quand même te dire que tu m'en as fait faire, du mauvais sang... »

Il se dirigea vers la maison, dont la porte ouverte laissait passer la lumière jaune de la lampe, et il murmura, la tête baissée :

« Et c'est peut-être pas fini... »

Un matin de mai, Ugolin descendit à la gare d'Aubagne pour prendre des caisses de boutures qu'Attilio lui envoyait. C'étaient des Almondo, des Aurore, des Gloire de Nice : espèces délicates, mais qui se vendaient aux plus hauts prix.

Il était en train d'ouvrir les caisses dans la remise, lorsque le Papet parut.

« Galinette, dit-il, le maire se plaint que tu ne viennes jamais plus au conseil municipal, et ce matin, ils ont décidé que tu étais chargé, avec Ange et Casimir, d'aller curer le bassin de la Perdrix, demain matin. »

Ce bassin, c'était celui qui recevait l'eau de la source, et en accumulait la nuit une réserve d'une centaine de mètres cubes. Il fallait le nettoyer tous les six mois, à cause du sable rougeâtre qui s'y déposait avec des aiguilles de pin et des feuilles mortes apportées par le vent.

« Curer le bassin ! dit Ugolin. C'est pas possible. Regarde les boutures que je viens de recevoir. C'est du beau, mais il ne faut pas les faire souffrir. Il faut les mettre en terre tout de suite et c'est un travail de trois jours. Pour le bassin je regrette, mais j'ai pas le temps.

— Écoute : nous allons commencer les boutures maintenant, et jusqu'à minuit s'il le faut. Demain matin, à quatre heures, nous continuerons. A huit heures tu iras au bassin, pendant que je travaillerai avec Délie, et à midi tu seras de retour...

— Tu crois que c'est si important, le bassin?

— Oui, parce que tu as trop bien réussi, et tu n'as pas le droit de refuser. C'est un travail gratuit, pour tout le monde. Un travail d'amitié. Tu ne l'as pas fait depuis au moins trois ans. Les Soubeyran y sont toujours allés à leur tour. Vas-y demain. »

*
* *

Ce jour-là, Manon avait abandonné ses chèvres sous la garde de Bicou, pour aller cueillir de la rue sur l'épaule de la Tête Ronde, qui était tout juste au-dessus de la gorge de la Perdrix. Au loin, très loin, brillait la mer étamée.

Comme elle s'était assise sous un pin oblique pour lier en bottes les tiges huileuses, elle entendit des voix qui montaient du fond du ravin, par une double échelle d'échos opposés, puis le son ferré d'une pelle dans du gravier : elle se coula sous les cades jusqu'au fond de la barre.

Dans le bassin vide, trois hommes, le torse nu, la pelle en main, en grattaient le fond, et lançaient par-dessus le bord une boue rougeâtre. Elle reconnut Pamphile, qui avait été l'un des quatre porteurs du cercueil de son père, puis Ange, le fontainier, dont elle ne savait pas le nom, mais qu'elle avait vu plusieurs fois sans qu'il s'en doutât poser des collets de crin pour les grives dans les oliviers abandonnés de la Badauque.

Le troisième avait sur la tête un chapeau de toile taché de boue, aux ailes ramollies qui pendaient sur ses oreilles.

Ces trois travailleurs faisaient la conversation avec un personnage qu'elle entrevoyait à travers la ramure d'un gros figuier, planté jadis par un oiseau près du bord du bassin : il lui sembla reconnaître la voix du chercheur d'or.

Elle recula, fit un détour, et s'installa dans une étroite cheminée, d'où elle put le voir tout entier. C'était bien lui. Il pétrissait une poignée de boue qu'il examina à travers sa loupe.

Pamphile, appuyé sur le manche de sa pelle, disait :

« Ça a un peu la couleur d'argile, mais ce n'est pas de l'argile : ça ne colle pas.

— C'est de la poudre de bauxite, dit l'expert. C'est une roche assez fragile, un minerai qui contient du fer et de l'aluminium... Je me demande d'où cette poudre peut venir...

— C'est la source qui l'amène après les gros orages, dit Ange... Sept ou huit heures après... Mais ça ne va pas jusqu'à la fontaine. Ça se dépose tout ici. »

L'homme au chapeau parla :

« Moi aussi, dit-il... Quand il a plu toute la nuit, le matin, vers dix heures, ma source commence à couler un peu rouge, et puis après, ça fait comme de la rouille sur les pierres... »

Le son de cette voix troubla la bergère; l'homme ôta son chapeau crasseux, et s'en servit pour essuyer la sueur qui coulait sur son visage : elle reconnut les rouges frisettes d'Ugolin.

*
* *

Depuis quatre ans, elle ne l'avait jamais revu, mais le personnage tenait une grande place dans le passé... Dès son enfance, il lui avait inspiré une aversion irraisonnée, mais depuis qu'il leur avait pris la ferme, cette aversion était devenue de la haine. Parfois, cependant, étendue sous un pin, lorsqu'elle ressuscitait les jours d'autrefois, elle se demandait si cette haine était clairement justifiée. Son père avait eu de l'amitié pour Ugolin, qui l'avait souvent aidé : sans qu'on lui eût rien demandé, il avait offert l'eau pure de son puits, il avait donné des tuiles dès le premier jour, il était venu labourer le champ. Plus tard, c'était encore lui qui avait trouvé l'argent dont ils avaient tant besoin ; dans les journées tragiques, c'est lui qui était allé chercher le docteur.

Mais finalement, c'était lui qui vivait sous ces tuiles, lui qui possédait le champ labouré ; l'argent qu'il avait prêté à son père, il avait fallu quitter la ferme pour le rendre et surtout c'était cet argent qui avait payé la poudre, et lancé au ciel la pierre tranchante qui avait tué le bien-aimé...

De plus, il avait trouvé la source !

C'était le comble de l'injustice, que cet imbécile agité de tics eût obtenu de la Providence l'eau jaillissante qu'elle avait si cruellement refusée au meilleur des hommes...

Parfois, cependant, elle se raisonnait.

Après tout, si la pluie n'était pas venue, si la pierre fatale était tombée, si son père n'avait pas trouvé la source, ce n'était pas la faute de ce pauvre paysan ; et s'il l'avait trouvée lui-même, que pouvait-elle lui reprocher ? Mais les raisons les plus probantes ne diminuaient pas sa méfiance et sa rancune, et elle était sûre que le profitable résultat de tant de bonnes actions en démontrait la perfidie.

*
* *

« C'est en effet de la rouille, dit le chercheur d'or, puisque c'est de l'oxyde de fer !

— Alors, dit Pamphile, ça ne peut pas faire de mal.

80

— Au contraire! s'écria Ugolin. Mon grand-père mettait toujours des clous à tremper dans la cruche d'eau pour boire! Tout le monde sait que la rouille, ça fortifie, parce que ça te met du fer dans les muscles!

— Et où se trouve-t-elle, votre source, demanda le chercheur d'or, par rapport à ce bassin?

— Comment ça, par rapport?

— Est-elle plus haut ou plus bas?

— C'est difficile à dire...

— A mon idée, dit Ange, le vallon des Romarins, c'est un peu plus haut.

Il est donc tout à fait probable que l'eau du village vient de ce vallon, et que la source d'Ugolin en est une résurgence, puisqu'elle traverse le même gisement de bauxite... Est-ce que l'on trouve de ces pierres rouges dans le pays?

— Des fois, dit Pamphile. Mais pas plus grosses qu'une noisette. »

Manon les connaissait, ces pierres... Elle les recherchait pour sa fronde, car elles étaient plus lourdes que les autres, on pouvait les lancer plus loin... Elle en trouvait souvent, au fond du vallon des Refresquières : mais elle savait qu'elles venaient de loin, avec les ruisseaux de la pluie.

Une cloche lointaine sonna. C'était celle des Bastides.

Ugolin compta les coups.

« Dix heures! dit-il.

— O coquin de sort! s'écria Ange. J'ai promis de remettre de l'eau pour midi au plus tard!

— Eh bien, quoi? dit Pamphile. A midi, nous aurons fini!

— Justement dit Ange, c'est ça qui m'inquiète. Parce qu'il faut une heure pour que le bassin se remplisse à la bonne hauteur, et que l'eau couvre le tuyau. Et puis, pour qu'elle arrive au village, il faut encore une petite demi-heure ! Allez zou ! Mettons-en un coup ! Té, Ugolin, attrape ce balai ! »

Le chercheur d'or se leva, et dit :

« Messieurs, votre compagnie m'est fort agréable, mais le devoir m'appelle au secrétariat de la mairie.

— Vous ne faites tout de même pas la classe le jeudi ? demanda Pamphile.

— Certes non ! Mais n'oubliez pas que l'instituteur est toujours le secrétaire de la mairie ! M. le maire m'attend à dix heures et demie pour la lecture et le commentaire du *Journal officiel !* »

Manon fut déçue. Ce n'était pas un chercheur d'or... C'était un instituteur, peut-être d'Aubagne, peut-être même du village... Pourtant, c'était tout de même quelqu'un. Et puis, il parlait de minerais avec une voix agréable...

Elle pensa soudain au couteau, qu'elle avait espéré garder, avec l'excuse de n'en avoir pas retrouvé le propriétaire : mais elle l'avait sous les yeux, et c'était l'instituteur... Elle recula pour n'être pas vue, se leva, et prit dans la musette des trésors sa belle trouvaille perdue. Elle baisa le nickel poli, lança le couteau derrière le jeune homme, dans une touffe de genêts et s'aplatit sous les messugues.

Le projectile froissa les ramures et tinta sur le gravier. Ugolin leva la tête.

« Vé ! dit-il. On nous lance des pierres !

— Ce n'est pas une pierre, déclara Pamphile. Ça a fait comme un petit éclair.

— Oyayaïe ! répliqua Ange. Si tu vois des éclairs à neuf heures du matin, tu as dû commencer le vin blanc de bonne heure !

— Sur la tombe de mes parents, dit solennellement le menuisier je te jure que je n'ai bu qu'une tasse de café avant de venir ici ! »

Cependant, l'instituteur fouillait les genêts.

Il s'arrêta, se pencha, ramassa quelque chose, et dit, stupéfait.

« C'est mon couteau !

— Ça par exemple ! dit Pamphile. Vous l'aviez perdu ?

— Je l'ai perdu dans la colline, il y a quatre ou cinq jours.

— Vous êtes venu par ici ?

— Certainement pas, car c'est la première fois que je vois ce vallon.

— Ça alors, c'est extraordinaire, dit Ugolin.

— En réfléchissant, dit l'instituteur, je dois l'avoir perdu en déjeunant près de la vieille bergerie, le jour où j'ai vu le troupeau sans berger...

— Alors, dit Pamphile, c'est un coup de la bergère. Elle vous a vu déjeuner, elle a trouvé le couteau, et elle vient de vous le rendre !

— Quoi, quoi ? dit Ugolin, tu veux dire Manon ?

— Oui, Manon du bossu, dit Pamphile. Qui veux-tu que ce soit ? »

L'instituteur leva la tête.

« Et vous croyez qu'elle est cachée là-haut ?

— Pensez-vous ! Elle a filé ! dit Pamphile.

— C'est bien dommage, dit l'instituteur, car j'aurais aimé la remercier ! »

Pamphile fit un clin d'œil malicieux.

« Eh oui, dit-il. Ça serait bien naturel. Un gentil remerciement, avec peut-être une petite bise ?

— Pour la bise, c'est déjà fait ! dit l'instituteur. Après ce que vous m'en avez dit l'autre soir, j'en ai rêvé, et ma foi, j'avoue que je lui ai donné quelques baisers !

— Et elle se laissait faire ? » dit brusquement Ugolin.

Pamphile éclata de rire, et l'instituteur répliqua gravement :

« Dans mes rêves, aucune femme ne m'a jamais résisté ! »

Manon sentit qu'elle rougissait ; elle recula, se leva, et prit la fuite.

*
* *

Cachée sous les branches retombantes du vieux figuier, et tenant ses genoux embrassés, elle pensait à cet instituteur qui n'était même pas un chercheur d'or, et qui avait parlé d'elle si légèrement.

Un seul homme, depuis sa naissance, avait baisé son front ou ses cheveux, et c'était son père. Ce jeune étranger, venu de la ville, ne doutait de rien !

Il avait parlé d'elle avec une désinvolture choquante, et il avait avoué aux autres ce rêve audacieux, ce qui en doublait l'inconvenance. D'ailleurs, cette histoire de rêve l'inquiétait un peu. Baptistine lui avait affirmé qu'il est très dangereux de s'aventurer dans les rêves des autres. Pendant que vous dormez, ils vous appellent, ils vous attirent, ils vous sortent l'esprit du corps, et quand vous êtes dans leur rêve, vous ne pouvez plus vous défendre : elle citait l'exemple d'une fille de son village, qu'un amoureux convoquait chaque nuit dans ses rêves, et finalement elle avait eu un bébé, sans savoir comment ni pourquoi. Manon n'y croyait pas vraiment : mais tout de même, ce garçon avait fait venir son ombre dans sa chambre, et il l'avait embrassée, en la serrant dans ses bras, et il allait peut-être recommencer le soir même... Mais elle fut tout à coup rassurée : il ne l'avait encore jamais vue ! Par conséquent, ce n'était pas elle, mais une créature qu'il avait imaginée d'après ce qu'on lui avait dit...

Donc, on parlait d'elle au village, et on en disait des choses à faire rêver un jeune instituteur : c'était la preuve qu'on en avait bien parlé. Mais qui donc ?

84

Peut-être ce Pamphile, qui n'avait pas l'air d'une brute comme les autres. Pourtant, ni celui-là, ni aucun autre ne l'avait rencontrée depuis la tragédie, alors qu'elle n'était qu'une enfant !

Elle finit par conclure que quelque chasseur du village, caché pour l'espère au perdreau, l'avait peut-être vue sans qu'elle s'en doutât, et tout à coup, elle pensa au jour de la baignade aux Refresquières, et à la fuite ondulante sous les genêts d'un espion qu'elle n'avait pu voir ; alors, toute rougissante, elle fit un petit éclat de rire, et cacha son visage dans ses mains.

*
* *

Pendant ce temps, Ugolin la pelle sur l'épaule redescendait vers le village, derrière Ange et Pamphile. Il pensait à l'insolence de cet instituteur qui avait prononcé des paroles indignes de sa fonction.

« En rêve, tout est facile... Moi aussi, des fois, je l'ai vue en rêve. Mais moi, je suis poli, je ne lui parle même pas... Tandis que lui, il s'imagine qu'il l'embrasse, et qu'elle ne dit rien ! Oh ! il a sûrement des idées sur elle... Il voudrait bien s'en amuser... En profitant qu'elle n'a plus son père... Il va falloir que je surveille ça... C'est un peu par ma faute qu'elle habite dans la colline... En souvenir du pauvre Monsieur Jean, c'est à moi de m'en occuper... »

HUIT jours plus tard, à dîner, sous la lampe, dans la vieille maison Soubeyran, le Papet dit :

« Galinette, depuis quelque temps, il me semble que tu perds ta bonne mine, et ça se pourrait que bientôt tu perdes aussi ton pantalon...

— C'est vrai que je n'ai plus guère d'appétit, dit Ugolin, et je crois que c'est à cause de ce poison qu'il faut que je pulvérise tous les soirs sur les œillets, pour les sauver de l'araignée rouge.

— Et pourquoi le soir?

— Parce que c'est un remède qui craint la lumière du jour. La lumière, ça le défait, ça l'escagasse, ça lui lève toute la méchanceté. C'est pour ça que souvent je me couche à minuit. »

Le Papet avala les pois chiches qu'il mastiquait depuis un bon moment, but un coup de vin blanc, et dit :

« Écoute, Galinette, puisqu'il faut que tu travailles si tard, ça ne t'arrange pas de venir soúper ici, parce que tu perds plus d'une heure. Voilà ce que nous allons faire : j'irai chez toi vers midi, et j'apporterai le manger pour nous deux. Je travaillerai avec toi l'après-midi, et je te laisserai ton souper. Comme ça tu pourras te coucher plus tôt... »

C'était vrai qu'Ugolin soignait ses œillets à la lanterne jusqu'à minuit; mais il mentait en disant que « le produit » craignait la lumière : en réalité, il travaillait la nuit pour remplacer les heures des matinées perdues, car il quittait les Romarins vers six heures, et n'y revenait qu'à midi. Il avait expliqué à Délie qu'il allait tous les matins travailler dans une vigne abandonnée qui appartenait au Papet : il espérait la remettre en fruits, mais il ne fallait surtout pas en parler au vieillard, afin de lui en faire la surprise au moment des vendanges.

En quittant sa paillasse, il se lavait soigneusement, buvait son café, mettait dans sa musette un bel oignon, accompagné d'un morceau de pain imprégné d'huile, et sortait dans le vent frais du matin.

Il allait d'abord visiter deux douzaines de pièges tendus sur les coteaux au-dessus des Romarins. Chaque jour, il prenait quelques merles, des grives, des culs-roussets, des darnagas, des pinsons d'Allemagne. Par crainte d'une rencontre avec les gendarmes, il cachait les oiseaux dans sa chemise et dans ses poches, puis il montait jusqu'au Plan de l'Aigle, et s'installait dans les genièvres, au bord de la barre, au-dessus de la Baume du Plantier.

Vers sept heures, Manon en sortait, allait ouvrir la cabane aux chèvres, et partait vers les plateaux ou les vallons, selon le temps.

Ugolin, la suivait de loin, avec la prudence d'un chasseur. Il attendait qu'elle fût à quelque distance : il se glissait alors sous les buissons de la garrigue, et faisait à son tour la visite des engins qu'elle avait retendus. Il les désamorçait, les garnissait avec les oiseaux morts qu'il avait apportés, et tout en riant de plaisir, il s'appliquait en artiste à restituer à ces cadavres les attitudes de l'agonie.

Après avoir soigneusement effacé les traces de son passage, il faisait un détour pour gagner sans être vu le plateau du jas de Baptiste qui dominait les Refresquières, où il savait qu'il la retrouverait.

Avant de gagner son poste d'observation, il plongeait sous une haute broussaille où s'enchevêtraient autour d'une roche vêtue de lierre, toutes les plantes de la colline... Il cachait d'abord sa tête rousse sous une épaisse couronne de lierre, enroulait autour de son cou une guirlande de clématites et serrait entre ses dents la racine d'une grosse touffe de thym.

Ainsi équipé, il rampait jusqu'au bord de l'à-pic : le menton posé dans la baouco, entre deux pierres, il la regardait vivre.

Elle passait des heures sur la roche plate, à l'ombre de la branche du sorbier bossu : elle lisait, elle rêvait, elle cousait des étoffes multicolores, ou peignait longuement ses cheveux... Tout à coup, elle se levait, lançait des pierres avec sa fronde ou dansait autour du sorbier en lui faisant des révérences. Parfois, elle appelait le chien noir, pour extraire patiemment de sa fourrure les chardons minuscules, les petites boules griffues, et les sournois « espigaous » qui se glissent dans les oreilles, et parfois même dans les narines... Quand la toilette de Bicou était finie, elle prenait entre ses deux mains les joues velues du chien délivré, et elle lui parlait, les yeux dans les yeux. Ugolin était trop loin pour entendre ce qu'elle disait. C'était certainement des secrets, et peut-être magiques, car les chiens noirs, et surtout ceux dont les yeux sont couverts de poils, n'ont jamais eu bonne réputation.

Il assistait d'ailleurs, presque tous les jours, à une autre cérémonie beaucoup plus surprenante. Vers onze heures, elle appelait la grosse chèvre blanche et trayait un peu de lait dans une assiette de fer-blanc qu'elle posait à côté d'elle sur la roche plate... Puis elle portait à ses lèvres le petit harmonica, et jouait un air ancien, toujours le même, une longue phrase aiguë et fragile, qui égratignait à peine le pur silence du vallon : alors, le grand « limbert » des Refresquières, le lézard vert ocellé d'or et de bleu, jaillissait d'un lointain fourré de ronces. Comme une traînée de lumière il accourait vers la musique, et plongeait son bec de corne dans le lait bleuté des garrigues.

Ce limbert était connu au village depuis des années à cause de sa taille, car il avait presque un mètre de long. On disait qu'il avait les mêmes yeux qu'un serpent, et qu'il fascinait les petits oiseaux qui tombaient tout crus dans sa gueule ouverte. Sa langue à deux pointes lappait le lait : mais quand l'harmonica se taisait, il levait vers Manon sa tête plate. Alors, elle lui parlait en riant, à voix basse; Ugolin, inquiet et charmé, regardait la longue bête étincelante qui écoutait la fille lumineuse, et il pensait : Les vieilles n'ont pas bien tort quand elles disent qu'elle est sorcière!

Mais un jour, il murmura, en riant de plaisir :

« Quand une sorcière est belle, eh bien, ça s'appelle une fée! »

Le seul livre qu'il possédât, c'était un recueil de Contes de Fées, dans une édition enfantine illustrée : cadeau de la grand-mère Soubeyran, qui avait gagné ce prix à l'école cinquante ans plus tôt. Il n'en restait qu'une liasse de feuilles, tachées de lunules rousses et de points noirs, et brodées sur les bords par le temps et les rats.

Il les étala sur la table, et regarda d'abord les images : des princesses, de jeunes seigneurs, des fées entourées de rayons...

A la lumière jaune de sa lampe, il relut lentement l'histoire de Riquet à la Houppe, puis celle de la Belle et la Bête.

La transformation de la Bête en Prince lui parut absurde mais l'inquiéta un peu : ce grand limbert qui accourait au son de l'harmonica, et qui la regardait si longtemps, immobile, c'était peut-être un prince puni, qu'elle délivrerait un jour par un baiser, et qui l'épouserait au son des cloches... Il se délivra de cette vision par un ricanement, et dit à haute voix :

« C'est des enfantillages... Et même au temps du roi Hérode, ça n'a jamais existé !... C'est comme le père Noël et pas plus. »

Il s'endormit assez tard, et fit un rêve atroce. Manon, souriante, parlait au limbert, et lui caressait la tête... Et tout à coup, il y eut une explosion dorée, mais sans aucun bruit : et à la place du limbert, il y avait un jeune homme brun, dans un costume bleu galonné d'or, qui saluait gracieusement la bergère : ce prince c'était l'instituteur, et Manon se jetait dans ses bras... Il sauta de son lit en criant de rage et, dans la nuit, en cherchant les allumettes, il renversa la lampe, dont le verre éclata gaiement entre ses pieds : il réussit enfin à allumer une bougie, et il baigna d'eau froide son visage et ses tempes. Enfin, il revint s'asseoir sur son lit, et poussa un long soupir.

« Si ça continue comme ça, je me demande comment ça va finir... Il m'a parlé de trois fous dans la famille. Je voudrais pas faire le quatrième. »

Bientôt, il prit l'habitude de parler tout seul, à haute voix... Dans la journée, c'est à elle qu'il s'adressait. Il s'excusait de ne pas être beau, mais vantait ses qualités de travailleur, sa ténacité, son astuce, sa fidélité à son seul amour. Il lui faisait visiter sa plantation, parlait à voix basse des louis d'or cachés sous la pierre de l'âtre, la deuxième à gauche de la première rangée du fond... La nuit, en pulvérisant le « produit », au son des chouettes, il parlait au bossu, et lui racontait la matinée de la petite.

« Premièrement, ce cochon d'instituteur n'est pas venu ; pourtant, je l'ai vu dans la colline, mais il montait du côté de la Tête Rouge, et il ramassait des pierres. Finalement, je crois que l'autre jour il a parlé pour rire, et que maintenant il n'y pense plus. Mais quand même, j'ai l'œil. Surtout le jeudi matin. Pas le dimanche, parce qu'il reste au village. Compte sur moi. La petite va très bien. Elle a de beaux mollets, un joli corsage, et elle rit souvent toute seule. Je ne te dis pas ça pour te faire plaisir, c'est la vérité. Ce matin, comme d'habitude, elle est allée sous le vieux sorbier. Elle a lu des livres, elle a joué de la petite musique, et elle a encore parlé à cc limbert, qui n'est pas une bête à fréquenter. Si on le savait au village, ça ferait mauvais effet. Mais enfin, elle est comme ça. Après, elle a dansé sur le rocher de la Tête Ronde. Toute habillée. Elle faisait tourner une espèce d'étoffe dorée. C'était très joli : l'épervier du Plan de la Chèvre est venu voir ce que c'était... Après, elle a ramassé du pèbre d'aï. Après... »

Il donnait mille détails insignifiants, pour revivre en parlant sa matinée.

Ces soliloques étaient agrémentés de hochements de tête, de haussements d'épaule, de clins d'yeux, et de diverses grimaces aggravées par le tic de ses paupières. Pourtant, il ne négligeait pas ses œillets. Tout au contraire, il travaillait comme un forcené : mais ce n'était plus par amour de l'or, et s'il voulait en gagner des montagnes, c'était pour l'amour de Manon.

Le samedi, elle ne sortait de la Baume que vers neuf heures, vêtue d'une robe sombre, sous un chapeau de paille orné d'un ruban, et grandie par des souliers... Sur le bât de l'ânesse, deux ou trois gros sacs tout ronds paraissaient légers, ils étaient gonflés de bottes d'herbes parfumées, dans lesquelles étaient cachées deux ou trois douzaines d'oiseaux morts. Ugolin savait qu'elle allait à Aubagne, mais il était toujours déçu par ce départ... Il la regardait s'éloigner, et descendre vers la foule des villes : alors, il errait dans les collines, sur les sentiers favoris de la bien-aimée, cherchant des traces de son passage : de petites branches brisées, l'empreinte dans le sable d'une semelle de corde, qu'il eût reconnue entre mille, car le talon en était à peine marqué... Puis il s'approchait de la dalle de pierre bleue, qu'il vénérait comme un autel : il la flairait, la caressait, la baisait dévotement... Autour de ce lieu sacré, il avait ramassé quelques reliques : un croûton de pain, un bout de ruban effiloché, et surtout une petite pelote de cheveux dorés qu'elle avait tirée de son peigne : mais pendant qu'il la pressait sur ses lèvres, il vit soudain le grand lézard : haussée sur ses courtes pattes, la bête sans oreilles le regardait fixement : effrayé par l'idée de quelque maléfice, il prit la fuite, mais de loin, il cria :

« Toi, un de ces quatre matins, d'un bon coup de fusil, je t'éparpille ! »

Pendant les deux premières semaines, le Papet crut à la fable du produit nocturne. Il venait tous les jours déjeuner avec Galinette, qu'il ne trouvait pas toujours à la ferme ; mais Ugolin lui expliqua que vers midi, il éprouvait le besoin de faire une petite promenade pour respirer de l'air pur, et nettoyer ses poumons, irrités par le « produit ».

Le vieillard approuva cette sage prudence, tout en déplorant l'indispensable nocivité de l'insecticide : mais il fut bientôt intrigué par le changement de caractère de son neveu, qui ne parlait presque plus, ne donnait que de vagues réponses aux questions les plus précises, et parpelégeait aussi vite qu'une étoile...

Il pensa : « Si c'est « le produit », moi je viendrai le passer, le « produit », mais il doit y avoir autre chose. J'ai dans l'idée qu'il a du souci. Et de quoi ? »

*
* *

Un beau matin, vers dix heures, il vint s'installer au poste d'observation qu'il avait abandonné depuis la mort de Monsieur Jean. Jusqu'à midi, il ne vit que Délie, qui arrivait du village, portant une meule de pain, et un torchon noué par ses quatre coins.

Il pensa : « Galinette s'est endormi. Tant mieux, il en a besoin. Mais maintenant, il faut le réveiller! »

Comme il se levait pour descendre à la ferme, Ugolin s'avança, pensif, sous la pinède. Une musette, et pas de fusil. Et tout habillé « de propre ».

« Alors, pensa-t-il, c'est qu'il est parti avant dix heures. Et où est-il allé? »

Il attendit un moment, puis feignit d'arriver, comme d'habitude, pour le déjeuner.

Il ne posa aucune question gênante, arrosa les œillets jusqu'à trois heures, puis se plaignit de ses rhumatismes, et déclara qu'il rentrait chez lui se reposer.

Enfin, par un détour, il revint à son poste, et surveilla longuement les faits et gestes de son neveu. Il le vit parler à des interlocuteurs invisibles sans pouvoir saisir un seul mot de ce qu'il disait, mais il fut effrayé par la vivacité et la variété de la pantomime qui acompagnait le soliloque : sans mot dire, il rentra chez lui, très inquiet sur l'état mental du pauvre Galinette. Le pire des malheurs allait-il frapper le dernier des Soubeyran?

Pendant quatre jours, il revint s'installer dès l'aurore dans son « agachon » : quatre fois, il le vit sortir à six heures du matin, « tout de propre », faire la tournée de ses pièges, et partir d'un pas rapide sur le sentier qui rejoignait, un peu plus loin, la route d'Aubagne... Les quatre après-midi furent semblables au premier : Ugolin ne cessait de parler...

Cependant, vers sept heures, quand Délie fut partie, le vieillard eut enfin une heureuse surprise. Il vit « le fada » lâcher sa pioche, se jeter à genoux, et lancer des baisers vers Aubagne. Alors, il sourit, secoua la tête; et comme Ugolin était allé s'asseoir sur une grosse pierre, contre un olivier, les poings aux tempes, il descendit tout droit vers lui, sans prendre la peine de se cacher. Le penseur, perdu dans son rêve, ne l'entendit même pas venir, et ne fut avisé de la présence du vieillard que par l'arrivée de son ombre, allongée par le soleil couchant.

Il leva la tête, comme éveillé en sursaut. Le Papet le regarda d'un air grave, et dit simplement :

« Qui est-ce ? »

Ugolin, ahuri, se leva, et répondit stupidement :

« C'est moi.

— Oui, c'est toi qui me dis des mensonges depuis un mois, et c'est toi qui es en train de devenir fada. Mais cette femme, qui c'est ? »

Ugolin balbutia :

« Cette femme ? Quelle femme ?

— Celle que tu vas voir tous les matins, à Aubagne !

— Je vais pas à Aubagne, dit Ugolin.

— Et alors, où est-ce que tu vas ? »

Mais l'autre ne répondit pas. Il regarda le sol, et fit craquer les jointures de ses doigts.

« Depuis trois jours, je te surveille. Oui, c'est mon droit, parce que c'est ma responsabilité. Tu pars le matin à six heures. Tu ramasses les oiseaux de tes pièges, et tu vas les porter à quelqu'un, puisque je n'en vois jamais à la maison. Je n'ai pas pu te suivre, à cause de mes douleurs, mais tu pars vers Aubagne ou vers Roquevaire... Et l'après-midi, quand tu es seul, tu parles, tu gesticules, tu fais des prières, tu envoies des baisers. Qui est-ce ? »

Ugolin se taisait toujours.

« Je ne te reproche pas d'être amoureux, reprit le vieillard, quoique je trouve que tu exagères, et que tu le prends du mauvais côté. Mais enfin, ça devait arriver, et quand ça vient tard, des fois, ça vient trop fort. Mais enfin, c'est naturel. Ce que je te reproche, c'est de m'en faire des mystères... »

Ugolin haussait les épaules, hochait la tête, mais se taisait longuement.

« Si tu ne veux pas me le dire, ça doit être quelque chose de pas bien propre. Ou alors, c'est une femme mariée? »

A ces mots, Ugolin, éclata d'un rire dément, trépigna, et cria :

« Voui! Voui! Elle est mariée avec un limbert! Hahaha! »

Il s'enfuit vers la maison, et le Papet, entendit claquer deux fois la serrure. Il en fut stupéfait, et murmura avec une grande inquiétude :

« Ça, c'est pas bon, non, c'est pas bon. »

Il se hâta vers la porte fermée, qu'il frappa de son bâton.

« Ouvre, imbécile!

— Non, j'ouvre pas, mais si tu veux, nous pouvons parler à travers la porte.

— Pourquoi?

— Parce que si je te vois pas, peut-être je te dirai quelque chose. »

Le Papet réfléchit un instant, et décréta :

« Tu es aussi couillon que ton pauvre père. Attends que j'aille chercher une chaise pour m'asseoir, parce que ma jambe me fait mal.

— Des chaises, il n'y en a pas, mais tu peux prendre une caisse vide dans l'écurie. »

Le Papet s'installa sur une caisse, face à la porte, les mains croisées sur sa canne.

« Qu'est-ce que tu veux me dire?

— Moi, je ne veux rien te dire, c'est toi qui me forces. Alors pose-moi des questions.

— Bon, d'abord, explique-moi pourquoi tu as parlé de ce limbert? C'est ça qui m'inquiète le plus.

— Je l'ai dit un peu pour rire... C'est parce qu'il y a un gros limbert que quand elle l'appelle, il vient boire du lait à ses pieds.

— Tu as vu ça à la foire?

— Non. Dans la colline.

— Alors, parce qu'elle sait faire venir un limbert, c'est ça qui t'a rendu fada?

— Non, non, dit Ugolin. Mais ça m'intrigue.

— Moi aussi, ça m'intrigue. Ça prouve que tu es aussi bête qu'un limbert. Et après?

— Après quoi?

— Eh bien, dis-moi qui c'est? »

Après un court silence, Ugolin répliqua fermement :

« Non, je ne te le dirai pas.

— Dis-moi au moins si c'est une fille de la ville.

— Oh! non. C'est tout le contraire.

— Tant mieux. Je la connais?

— Pour ainsi dire... non.

— Pourquoi, pour ainsi dire?

— Écoute, Papet, ne me pose pas de questions comme ça, parce que tu es trop malin, et au bout de quatre questions, tu auras compris sans que je m'en doute.

— Par conséquent, je la connais?

— Tu vois? tu vois? Tu sais que je ne veux pas te dire qui c'est, et tu me fais des questions de gendarme. Non, je ne veux pas te le dire!

— Et pourquoi?

— Parce que c'est mon secret. Mon premier secret d'Amour. Alors je me le garde.

— Bon, bon, dit le Papet. Garde-le-toi pour le moment. C'est avec elle que tu as rendez-vous le matin?

— Oui, mais elle ne le sait pas.

— Si tu me réponds par des devinettes, c'est plus la peine de continuer. Adieu. »

Le Papet se leva.

« Non, Papet, ne t'en va pas. J'aime te parler d'elle.

— Ça ne m'intéresse pas, puisque je ne sais pas qui c'est!

— Oui, mais moi je le sais. Alors, ça me plaît. »

Le Papet haussa les épaules, se rassit sur la caisse et demanda :

« Comment vient-elle à tes rendez-vous, puisque tu dis qu'elle ne le sait pas?

— Écoute : tous les matins, je sais où elle est, et j'y vais. Je la regarde de loin. Voilà la vérité. »

Le Papet réfléchit un instant, et dit :

« A quoi ça te sert?

— A me faire plaisir. Tous les matins, quand je la vois, c'est le plus beau jour de ma vie...

— Ayayaïe! dit le Papet, ça te passera avant que ça me revienne.

— Oh! non. Ça ne me passera jamais! Jamais! Au contraire! Ça sera toujours que plus fort! »

Le Papet réfléchissait, en bourrant sa pipe :

Ugolin demanda bêtement :

« Tu es parti?

— Non. Je bourre ma pipe. Alors, cette femme, tu veux te la marier?

— Oh! oui, je voudrais bien. Mais je crois qu'elle ne voudra pas.

— Pourquoi?

— Parce qu'elle est belle, et que moi, je suis vilain.

— Ça, ça ne veut rien dire. Il y en a qui se sont marié des Madones, et qui étaient aussi vilains que toi. Mais parlons un peu sérieusement. Est-ce qu'elle a du bien?

— Oh! non, dit Ugolin. Elle en a un petit peu, mais c'est pas grand-chose.

— Alors, elle trouvera pas un mari bien facilement. Est-ce qu'elle a une bonne santé?

— Ça oui, dit Ugolin. Elle a de beaux petits muscles. Tu comprends, ce n'est pas une jument! Non! Mais pour une femme, elle est forte, et bien fraîche!

— Est-ce qu'elle pourrait t'aider dans ton travail?

— Oh! ça, sûrement. Je l'ai vue piocher. Naturellement, je ne te dis pas qu'elle pourrait défoncer à cinquante. Mais pour biner les œillets, c'est un travail délicat et elle le ferait mieux que moi. Et puis, surtout, elle a de l'instruction.

— Et comment tu le sais?

— Elle est tout le temps à lire des livres. Des fois, une heure sans s'arrêter!

— Ça, c'est pas trop bon, Galinette. Une fille pauvre qui lit des livres, ça ne me plaît pas bien... Mais enfin, tu sais comme j'ai envie de te marier depuis longtemps... Ce genre que tu me dis, ça ne vaut pas ce que j'espérais. Mais enfin, je ne veux pas te forcer. De l'argent, quoique ça ne soit jamais inutile, nous en avons pour deux. Si elle est trop belle, ça pourra nous faire des ennuis, et puis, une femme trop belle, ce n'est pas bien vu, et ce n'est pas toujours bien sérieux... Il ne faudrait pas que ce soit une garce. Tu as dans l'idée qu'elle est honnête?

— Oh! Papet, ça j'en suis sûr. C'est la Sainte-Vierge sauvage. C'est difficile à expliquer, mais c'est comme ça. Si elle disait oui, ce serait une femme extraordinaire pour moi, et je serais heureux comme tu ne peux pas l'imaginer. Mais elle ne me voudra pas. »

Le Papet répliqua violemment :

« Une fille pauvre n'a jamais refusé un Soubeyran. Il faudrait qu'elle soit folle perdue.

— Toi, Papet, si elle disait oui, tu serais d'accord?

— Si ce que tu m'as dit est vrai, je serai d'accord, mais je ne peux pas te dire oui sans savoir qui c'est. Allez zou, grand imbécile, ouvre la porte, et dis-le-moi!

— Non, non! cria Ugolin. La porte, je l'ouvre pas. Il faut que je réfléchisse un peu.

— Prends ton temps », dit le Papet, et il alluma sa pipe.

Le soleil venait de plonger dans les nuages rouges du couchant, un grillon timide essayait sa grêle musique. Le Papet, en levant la tête, vit pendre à travers la treille deux courges d'Asie, déjà grosses comme des oranges, d'un joli vert piqué de points blancs.

Il pensait au Bossu chargé de sa jarre, et à tant d'inutiles efforts, lorsque Ugolin parla :

« Papet, je crois que je vais te le dire. Mais d'abord, tu vas me jurer sur les Soubeyran que dès que tu sauras son nom, tu ne me diras pas un seul mot, et que tu t'en iras tout de suite.

— Et pourquoi?

— Parce que je ne veux pas que tu m'en parles ce soir. D'abord, il faut que tu t'habitues... Demain, si tu veux, nous en parlerons. Nous en parlerons tout le temps. Mais ce soir, j'ai vergogne.

— O misère! dit le Papet, quelle andouille! Enfin, ça sera comme tu voudras.

— Jure! Jure sur tous les Soubeyran. »

Le Papet ôta la pipe de sa bouche, se leva, se découvrit, et jura solennellement.

« Bon, dit Ugolin. C'est juré. Maintenant, attends un peu que je me décide. »

Le Papet leva les yeux au ciel, haussa les épaules, et se rassit sur la caisse.

Il attendit au moins deux minutes; puis, il y eut un bruit de ferraille dans la porte.

« J'ouvre pas, dit Ugolin. J'enlève la clef. Approche ton oreille du trou de la serrure! »

Le Papet se courba, l'oreille tendue. Enfin, Ugolin chuchota :

« C'est Manon, la fille du bossu. »

Dans un grand silence, le vieillard se releva, tourna le dos à la porte muette, et partit vers le couchant.

Le lendemain, au déjeuner de midi, le Papet parla d'abord de la sécheresse, qui menaçait les vignes et les fruitiers du vallon : le village était en souci, car il n'avait pas plu depuis cinq semaines. Ugolin ne s'en était même pas aperçu.

« L'eau du ciel, dit-il, moi je la crains. On ne peut pas lui commander : c'est toujours trop ou pas assez. Tandis que la source, je la commande — et comme c'est de l'eau des neiges, elle coule plus fort en été qu'en hiver... Si par bonheur il arrive les grosses chaleurs, cette année je fais une fortune, parce que les œillets bien arrosés, plus il fait chaud, plus ils sont beaux !

— Les grosses chaleurs, tu peux y compter, dit le Papet. Les cigales sont en avance d'au moins deux semaines : ça veut dire que le soleil va boire la moitié du vin ! »

Ugolin haussa les épaules.

« Du vin, il en restera assez pour nous, et il n'en sera que meilleur ! »

Ils trinquèrent joyeusement, et attaquèrent le dessert : un petit panier de fraîches figues-fleurs... Alors, le Papet proposa :

« On en parle ?

— Oh ! voui, dit Ugolin.

— Bon », dit le Papet.

Il bourra sa pipe longuement, sans dire un mot. Ugolin attendait, tremblant d'impatience, il parpelégeait affreusement, et il louchait. Après ce temps de réflexion, le Papet se mit à rire, et dit :

« Hier au soir, tu as bien fait de me défendre de dire un seul mot, parce que je t'en aurais dit beaucoup, et qui t'auraient fait de la peine.

— Tu ne la veux pas ? dit Ugolin tout pâle.

— Laisse-moi parler; je t'ai dit « hier au soir »...
Eh bien, hier soir, j'ai pensé tout de suite : « Il est
fou, parce que cette petite a quinze ans, peut-être
seize. Seize ans, c'est bien jeune pour toi.

— Alors, tu dis non?

— Mais laisse-moi parler, nom de Dieu! C'est
bien jeune. Et peut-être que dans vingt ans, elle te
trouvera bien vieux, et elle aura quelque galant.

— Tu ne la connais pas! cria Ugolin... Une fille
comme elle, si par hasard elle me voulait...

— Une fille comme elle, c'est comme les autres
filles. Mais qu'est-ce que ça compte? Dans vingt ans,
les petits Soubeyran seront faits, et bien faits, parce
qu'elle est belle : c'est une bête des collines, et je suis
d'accord. »

Des larmes montèrent aux yeux d'Ugolin, et les
battements de ses paupières les projetèrent en éven-
tail sur la table.

« Et puis, dit le Papet, elle paraît plus que son âge.
Elle fait presque dix-huit ans.

— Alors, dit Ugolin surpris, tu l'as vue?

— Bien sûr.

— Quand? »

Le Papet sourit, et dit :

« Ce matin.

— Ça n'est pas possible parce que ce matin...

— Ce matin à cinq heures, dit le vieillard, j'étais
caché à la pointe du Saint-Esprit, parce que je savais
que c'est de ce côté que tu vas, et ça me donnait un
peu d'avance sur toi, parce que j'avais peur de ne pas
pouvoir te suivre. Et finalement, j'ai tout vu :
pendant que tu étais caché en haut de la barre, moi
j'étais sous le gros figuier, à côté de la ruine du jas!

— Malheureux, dit Ugolin, elle aurait pu te voir!

— Et après? Un bon vieux a bien le droit de
chercher du pèbre d'aï ou des champignons. En tout

cas, j'étais plus près que toi, et je l'ai bien vue. Tu ne sais pas à qui elle ressemble?

— A personne, dit Ugolin avec force.

— Tais-toi, fada. Elle ressemble à quelqu'un que tu n'as pas connu. »

Il ajouta pensif :

« C'est tout le portrait de sa grand-mère, Florette des Romarins, qui était née dans cette ferme... »

Il parut rêver un moment, puis dit brusquement :

« Quand est-ce que tu lui parleras?

— Je ne sais pas... Pour le moment, ça me suffit de la voir.

— Au fond, dit le Papet, tu as le temps. Mais fais bien attention qu'il n'en vienne pas un autre, qui sera peut-être plus beau que toi, et qui n'aura pas peur de parler : ce sont des choses qui arrivent... »

Il rêva encore un instant.

« Allez, zou, Galinette, aux œillets! »

UN matin, en visitant ses collets dès l'aurore, Ugolin y trouva la plus rare des captures : un beau petit lièvre à demi suffoqué, qu'il assomma d'un coup de poing à la naissance des oreilles.

« Cette fois-ci, dit-il, elle va être contente... Il fait un peu plus de trois livres, et il vaut facilement cinq francs ! »

*
* *

Il la suivit comme d'ordinaire : elle alla tout droit à la petite barre du sorbier, et il découvrit que ce jour-là, les pièges étaient tendus au fond du vallon et sur le coteau, tout près de son campement : il ne pouvait donc, sans être vu, faire après elle la visite des collets, pour la mise en scène habituelle, et lui livrer le précieux gibier.

Elle fit sa tournée mais le vent d'est avait soufflé toute la nuit, et il venait à peine de tomber : elle ne rapporta qu'une poignée d'oiseaux, et remonta vers la roche plate. Là, elle bourra sa musette d'herbe sèche, la plaça sur la pierre en guise d'oreiller, et s'endormit.

Il la regarda longtemps, bouleversé par ce spectacle, à cause d'une vieille berceuse, qui parlait du « sommeil de l'innocence ». Pour un peu, il en eût pleuré. Puis, il pensa tout à coup au lièvre : il fit un immense détour (à cause du chien) et parvint aux pièges, à moins de cent mètres de la dormeuse. Il pénétra sous le fourré, et dans le premier collet qu'il trouva, il glissa la tête aux longues oreilles, et serra le nœud coulant ; puis, autour du cadavre, il arracha quelques touffes d'herbes, griffa la terre de ses ongles, et remonta en escaladant péniblement une dangereuse cheminée jusqu'à son belvédère. Manon dormait toujours.

Il pensa :

« Aujourd'hui, tant pis pour le Papet, tant pis pour les œillets. Je resterai jusqu'à ce qu'elle aille aux pièges. Je veux voir ce qu'elle va faire quand elle trouvera la lièvre. De tout sûr, elle va danser ! »

Et il reprit sa contemplation adorante.

Mais au bout d'un quart d'heure, le chien noir, allongé auprès de sa maîtresse, le museau posé entre les pattes, se leva soudain : il tourna la tête vers le bas du vallon, et gronda faiblement. Manon se souleva sur un coude, puis sur sa paume, et regarda du même côté.

Alors parut l'instituteur : il remontait la gorge du Pas du Loup, la tête basse, attentif au moindre caillou.

En voyant s'approcher le jeune homme, Ugolin fut saisi d'une sorte d'angoisse, et il regardait tour à tour la fille et l'intrus.

« Si elle l'avait vu, pensait-il, elle serait déjà partie... »

Puis il murmura : « File, file, le voilà qui vient ! »

Cependant Manon, comme inconsciente du danger, rassemblait ses cheveux, et les nouait d'un ruban ; puis elle serra la ceinture de sa robe, ouvrit un livre, s'étendit sur la roche, et se mit à lire, une fleur de fenouil entre les dents.

L'instituteur ramassa un caillou, l'examina à travers sa loupe, puis le jeta, et regardant autour de lui, il vit les chèvres, puis Manon : alors, il fit un pas de côté, comme pour se dissimuler derrière la broussaille qui bordait le sentier, et s'avança sans le moindre bruit, sur la pointe des pieds.

Ce manège inquiéta grandement Ugolin.

Il chuchota :

« Malheureuse! Va-t'en vite! C'est un cochon! Il a dit qu'il te ferait des bises! »

En effet, ce misérable s'approchait en se cachant, il avait évidemment l'intention de la surprendre...

Il trembla de douleur et de rage, et dit à mi-voix : « Oh! mais. Elle se laissera pas faire comme ça! Et s'il veut l'embrasser de force, moi je descends! »

Manon avait entendu l'approche du jeune homme dès ses premiers pas dans la gorge, et le tintement du petit marteau l'avait avertie : celui qui marchait sur les cailloux du Pas du Loup, c'était l'insolent qui l'avait appelée dans ses rêves. Elle sentait brûler ses joues, mais elle feignait de lire, immobile, et comme perdue dans son livre.

Lorsqu'il surgit soudain des genièvres, elle leva la tête, et le regarda, sans montrer la moindre surprise... L'instituteur s'avança, souriant, portant à la hauteur de son visage un couteau brillant, de corne polie et d'acier.

« Mademoiselle, dit-il, je suis heureux de vous rencontrer, pour vous remercier de m'avoir rendu cet instrument. »

Ugolin n'avait pas compris les paroles, mais la vue du couteau le renseigna.

« Bon. Il lui dit merci. »

Manon s'était levée, mais ne fit aucune réponse.

« A la vérité, dit l'instituteur en venant vers elle, il

m'est tombé du ciel : mais les paysans qui étaient avec moi ont deviné votre présence, et m'en ont averti.

— Monsieur, dit Manon, je l'avais trouvé dans la colline, là-bas, sous le gros pin, près du jas.

— Mais comment avez-vous su qu'il m'appartenait?

— Je vous avais vu déjeuner sous l'arbre, un jour, à midi.

— Et moi, j'ai vu vos chèvres, votre chien, et surtout votre âne, qui voulait absolument manger du saucisson...

— C'est une ânesse, dit Manon. Elle a des caprices...

— Mais vous, où étiez-vous?

— Dans l'arbre. Tout en haut.

— Pourquoi? »

Elle haussa les épaules, mais ne répondit rien.

Ugolin regardait de toutes ses forces cette conversation qu'il n'entendait pas, et il sentait son cœur frapper contre ses côtes, parce qu'il voyait l'instituteur parler en souriant, tandis que Manon l'écoutait sans lever les yeux, et elle lissait entre ses doigts la tige de fenouil.

Le séducteur continuait :

« On m'a parlé de vous, et ce que l'on m'a dit est extrêmement intéressant...

— Je sais, répondit-elle. J'ai entendu la conversation à côté du bassin, avant de vous lancer le couteau. »

L'instituteur fut gêné, parce qu'il se rappela tout à coup la « bise », et dit très vite :

« J'étais intéressé surtout par cette poudre rouge qui forme un dépôt au fond du bassin, après les orages... J'ai la manie, je dirais presque la passion, de la minéralogie. Comme je suis instituteur au village, je voudrais constituer une petite collection des minéraux de ces collines, afin d'apprendre à mes élèves la composition des terrains où ils sont nés.

— C'est pour ça que vous avez un petit marteau et une loupe? Je croyais que vous étiez chercheur d'or.

— J'en chercherais, dit-il, si nous étions sur des terrains contenant des filons de quartz ou de schiste : ce n'est pas le cas.

— Ici, dit Manon, c'est du crétacé jurassique de la deuxième époque du quaternaire. »

L'instituteur ouvrit des yeux si grands qu'ils remontèrent ses sourcils.

« Vous êtes bien savante pour une bergère! »

Elle sourit.

« Oh! non... Je ne fais que répéter des paroles de mon père... Et souvent je lis les livres qu'il m'a laissés. Je n'y comprends pas grand-chose, mais c'est en souvenir de lui. Lui, il savait tout, absolument tout! »

Elle souriait toujours, mais des larmes brillèrent tout à coup dans ses yeux.

L'instituteur fut ému par la dignité de ce chagrin, et ne sut que dire : c'est pourquoi il fouilla dans sa musette, et en tira un second couteau, tout pareil au premier, et les fit tous les deux miroiter au soleil.

« Voilà son frère, dit-il.

— Vous en avez acheté un autre?

— Non!... Le jour même où j'ai acheté le premier, en rentrant à la maison pour déjeuner, j'ai trouvé celui-ci sous ma serviette : c'était un cadeau de ma mère pour la Saint-Bernard, que j'avais oubliée... Naturellement, j'ai poussé des cris de surprise, et je ne lui ai rien dit de mon achat, mais j'ai toujours peur qu'elle ne découvre le premier couteau et si vous l'acceptez, vous me délivrerez de ce petit souci. »

Ugolin était un peu rassuré par l'attitude des deux jeunes gens, qui restaient à trois pas l'un de l'autre, mais il trouvait que cette conversation durait bien longtemps, et quand il vit les deux couteaux, il pensa :

« Ça y est ! Il en a acheté un pour elle ! Un couteau qui vaut au moins sept francs ! Ça prouve qu'il a des idées sur elle, et pas seulement dans ses rêves ! Des bises ! Je t'en foutrai, moi, des bises ! »

Cependant, Manon regardait briller le beau présent que le jeune homme lui tendait en souriant.

Elle balbutia :

« Oh ! non. Merci... J'en ai un... J'ai le mien, n'est-ce pas... Et puis, il est trop beau pour moi !

— Pas du tout ! Un couteau de berger, ce n'est pas trop beau pour une bergère... Vous savez qu'il y a quatre lames, un tire-bouchon, un poinçon, une lime à ongles...

— Et même une petite paire de ciseaux, dit Manon en baissant les yeux. J'ai gardé le vôtre pendant plusieurs jours, et je m'en suis servi.

— Alors, vous ne pouvez plus vous en passer. Prenez-le.

— Oh ! non, merci, dit-elle... Ce n'est pas la peine... Merci. »

L'instituteur s'était rapproché d'elle, elle n'avait pas reculé ; il tendait toujours le couteau brillant, elle n'avait pas levé la tête, et lissait toujours le brin de fenouil.

Là-haut, sur le bord de la barre, Ugolin avancé en gargouille sous sa couronne de lierre serrait les dents sur la racine de thym, et les regardait à travers la touffe, dans un silence épouvantable.

Mais le chien noir, saisi d'une furie subite, plongea soudain dans le sentier qui conduisait aux pièges, en aboyant à s'étrangler. Manon se baissa, saisit son bâton, et courut à grands bonds derrière lui.

L'instituteur, surpris, la suivit et vit une buse rousse de grande taille suspendue à ses larges ailes frémissantes, à moins de dix mètres au-dessus d'un fourré. Le chien avait disparu sous les genièvres, Manon courait, le bâton levé, en criant des injures piémontaises.

Le bruit de la course, les abois du chien, les cris de la bergère intimidèrent l'oiseau de proie, qui amorça une montante spirale...

« C'est une voleuse, dit Manon. Elle surveille mes pièges mieux que moi, elle a déjà emporté un beau perdreau sous mon nez, et le piège avec! »

Tout en parlant, elle était entrée sous le fourré; au bout d'un instant sa main surgit à travers la sombre verdure, elle tenait par les oreilles un gros lapin roux.

« Voilà, ce qu'elle voulait, cette sale bête! Un lièvre! »

Elle remonta vers l'instituteur, toute rose d'émotion et de joie, le bras levé pour montrer la beauté de l'animal qu'elle tenait par les oreilles...

« C'est le premier que j'aie pris au collet! C'est parce qu'il est jeune... Quand ils sont plus gros, ils emportent tout! »

Ugolin fut heureux de la voir contente. Il se mit à rire sans bruit, puis il dit :

« C'est moi qui te l'offre, cette lièvre!... Oui, c'est moi, Ugolin! »

Il les vit remonter vers le sorbier.

L'instituteur parlait toujours, en montrant les deux couteaux...

« Mais non, murmura Ugolin, excédé, elle ne le veut pas, ton couteau! Ça fait deux fois qu'elle te dit non! »

En effet, Manon refusait encore de prendre celui qu'il lui tendait.

Alors, l'instituteur regarda sa montre, et dit :

« Une heure moins le quart! Ma classe commence à une heure et demie, et j'aurai à peine le temps de déjeuner... Eh bien, mademoiselle, je vous remercie encore une fois, mais puisque vous ne voulez pas me

110

débarrasser de cet instrument superflu, je le laisse sur cette pierre. Il fera certainement plaisir à quelqu'un ! »

Ugolin vit le geste, et murmura :

« Non, elle ne le prendra pas ! Non, non, non... »

L'instituteur descendit le sentier d'un pas rapide ; la bergère, le lièvre à la main, le regardait partir. Ugolin respira : elle avait refusé le cadeau du séducteur, tandis qu'elle était heureuse et fière à cause du lièvre. C'était, en somme, une victoire ; mais quand l'instituteur arriva au tournant du sentier qui plongeait entre de hautes bruyères, il se retourna, et fit, en levant la main, un petit signe d'adieu... Alors Manon cria :

« Je garde le couteau si vous acceptez le lièvre ! »

Ugolin parpelégea trois fois en entendant ces épouvantables paroles.

Le séducteur répondit :

« D'accord ! »

Elle fit tournoyer la bête rousse, et la lança avec tant d'adresse que l'instituteur l'eût reçue sur la poitrine, s'il ne l'avait saisie au vol.

Il cria « bravo et merci ! », puis il disparut.

Ugolin gémissait :

« Ma lièvre ! »

La fille ouvrait déjà, l'une après l'autre, les lames du couteau de berger.

*
* *

Il redescendit vers les Romarins, frappé au cœur, et tremblant d'inquiétude. Il s'arrêtait tous les dix pas pour parler à haute voix, et discuter avec lui-même l'importance et la signification de l'aventure.

« Premièrement, elle lui a rendu son couteau. C'est une chose qui ne se fait pas. Un couteau qu'on trouve, on le garde... Mais on peut dire que c'est parce qu'elle est honnête... C'est la faute de son père, qui lui a trop fait de morale... Et puis, comment elle a su que cet instituteur était au bassin ce jour-là? Ça m'a toujours intrigué. Mais finalement, c'était peut-être par hasard... Moi aussi j'y étais au bassin, et je ne peux pas dire pourquoi... Aujourd'hui, c'est bien plus bizarre... Oui, il l'a cherchée. La preuve, c'est qu'il avait acheté ce couteau pour le lui donner... Oui, parfaitement, il l'a cherchée et il l'a trouvée... Mais la bise, il ne l'a pas faite! Ah! non. Il a bien compris que ça ne réussirait pas... »

. . . .

Seulement, seulement, ils se sont parlé bien long-temps. Oui, mais c'était surtout lui qui parlait... C'est l'habitude des gens de la ville de parler tout le temps, et de faire les gracieux... Et le couteau, elle a dit « non » au moins deux fois. Ça prouve qu'elle est fière... Le malheur, le malheur, c'est le coup de la lièvre. Ça, c'est une catastrophe. Elle aime mieux son couteau que ma lièvre!

Il fit quelques pas, accablé, puis s'arrêta brusquement et l'index levé, il dit très vite :

« Pardon, monsieur Ugolin, pardon! Elle ne le savait pas, que c'était ma lièvre. Elle a cru qu'elle l'avait prise au collet! »

. . . .

Et puis, elle a fait ça parce qu'elle ne voulait pas accepter de cadeau! Et puis, c'est une bonne affaire : ce couteau coûte au moins dix francs, et la lièvre n'en vaut que cinq! Par conséquent, elle a bien fait!

Cependant, ces considérations, qui atténuaient son inquiétude, ne la supprimèrent pas, car le pire, c'était qu'ils s'étaient parlé longtemps, et qu'ils se parleraient peut-être encore. Cet instituteur n'allait pas en rester là. Il reviendrait certainement, sous prétexte de chercher des pierres (qui ne pouvaient servir à rien) et peut-être qu'à force de cadeaux, il finirait par se la gagner. Il résolut donc de ne plus perdre de temps, et de faire sa « déclaration » le plus tôt possible.

Dans la nuit, sur sa paillasse, il eut une longue conversation avec Monsieur Jean, qui lui parut malheureusement favorable à l'instituteur et l'accabla de reproches pour la regrettable affaire de la source... Cette attitude inamicale du fantôme le confirma dans sa résolution de commencer sa « cour » immédiatement, après avoir pris conseil du Papet : c'était un vieux coquin, qui en savait long sur les femmes... Mais par crainte de lui paraître ridicule, il décida de ne rien dire des manigances de l'instituteur.

LE lendemain, après le départ de Délie, ils déjeunèrent tous les deux dans la cuisine.

« Papet, comment on fait pour parler aux filles? »

Le vieillard plongeait dans la salière de petites fèves d'un vert tendre, et les croquait comme des friandises. Il sourit, fit un clin d'œil et dit :

« Alors, tu es décidé, finalement?

— Oui, oui, il faut que je commence le plus tôt possible, parce qu'elle va de temps en temps à Aubagne, et belle comme elle est, on finira par me la prendre... Alors, ça serait mieux de lui parler tout de suite. Mais tu sais que moi je n'ai pas l'habitude. Alors explique-moi un peu...

— Bon. Écoute-moi bien. D'abord, où c'est que ça va se passer?

— Dans la colline, naturellement. Je m'approcherai en faisant semblant de chercher des champignons ou des escargots... Comme si je ne la voyais pas... Et tout d'un coup je la vois, et je lui parle. Et qu'est-ce que je lui dis?

— Pas si vite! dit le Papet. D'abord, c'est pas bien de chercher des champignons ou des escargots. Ça fait pauvre. Quand on est riche, il faut le montrer. Le mieux, ça serait de faire semblant d'être à la chasse,

114

et avec un joli costume de chasseur. Oui. Il ne faut pas te présenter avec dix francs d'habits sur le dos. Un costume neuf, et que ça se voie!... Un vrai costume de chasse, avec des jambières en cuir jaune, et un chapeau en étoffe de la même couleur que le costume. Et surtout, des bretelles!

— Ça se voit pas, les bretelles!

— Malheureux! s'écria le Papet. Remarque un peu les gens riches : ils ont toujours des pantalons bien suspendus — tandis que les paysans, avec leur taillole, le cul de leurs brailles leur pendouille sur les jarrets... Tiens, Philoxène, pour faire les mariages, ou quand il va en ville, il met des bretelles... Et l'instituteur il en porte tous les jours! »

C'était un argument décisif.

« Et après?

— Après, une cravate de chasseur. Comme une espèce de foulard, pour te cacher la gargamelle... Alors là, tu auras l'air de quelqu'un! Et tout ça, nous allons le trouver à Aubagne, au Gai-Laboureur — pour pas trop cher... »

Ugolin se leva, pour prendre la marmite de la daube, qui mitonnait sur la braise, et remplit leurs assiettes. Pendant un moment, ils ne parlèrent pas. Ugolin réfléchissait en souriant.

« J'ai pensé à une chose, dit-il. Je me demande, fais bien attention, c'est pas encore décidé, je me demande si je vais pas me raser la moustache.

— Peut-être, dit le Papet... Ça dépend de la figure qu'on a... Mais des fois, la moustache ça plaît aux femmes... Il y en a deux que tu connais (et qui vont à la messe de sept heures tous les matins) qui fermaient les yeux pour me caresser la mienne! — (Ça, pensa Ugolin, ça serait trop beau... Elle ne me le fera jamais. C'est pas son genre; et puis, son père n'avait pas de moustaches et cet instituteur est tout rasé.)

— En tout cas, dit-il, on peut essayer... »

Ils mangèrent en silence, sans se presser, en échangeant de temps à autre un sourire, puis Ugolin dit timidement :

« Et un peu de parfumerie dans les cheveux, qu'est-ce que tu en penses ? »

Le Papet — qui sentait le renard — répondit :

« Je crois que ça leur plaît, si toi tu peux le supporter. Moi j'ai jamais pu. Ça m'entête... »

*
* *

Dès le lendemain, ils allèrent à Aubagne.

D'abord, ils rendirent visite au coiffeur : un vrai coiffeur, d'où ils sortirent méconnaissables. Le Papet regretta de s'être fait laver la tête, car cette opération lui révéla que ses cheveux étaient beaucoup plus blancs qu'il ne l'avait cru jusque-là ; mais il était fort content de sa moustache, dont l'artiste avait élégamment retroussé les pointes au petit fer. Celle d'Ugolin avait été sacrifiée, mais au profit de son nez qui paraissait deux fois plus long : comme il ne le voyait que de face, il ne remarqua pas cette aggravation de son profil : le Papet en fut un peu inquiet, mais ne dit rien.

Ils sortirent du Gai-Laboureur une heure plus tard : ils avaient fait des folies, car le vieillard n'avait pu résister à la vue d'un costume de velours bleu foncé, dont la beauté l'obligea à remplacer son vieux chapeau par un feutre noir à larges ailes ; quant à Ugolin, un peu raide dans son équipement tout neuf, il se regardait au passage dans les vitrines, et souriait en rougissant de fierté.

« Galinette, dit le Papet, avec un costume comme ça, tu peux te marier la fille du pape.

— Je trouve que ça me va bien, dit Ugolin... Si je me rencontrais j'oserais pas me parler. »

Manon à son habitude, montait le raidillon du ravin qui la conduisait au sorbier, lorsque la grande biquette blanche qui marchait en tête du troupeau s'arrêta net, et regarda, curieuse, le grand fourré de myrte que dominait un chêne vert à plusieurs troncs... Le chien s'élança, et gronda.

C'est sous ce couvert qu'elle avait tendu ses pièges ; elle pensa aussitôt que quelque bête de la sauvagine, comme une fouine ou une belette, était en train de dévorer ses captures. Elle s'élançait le bâton levé lorsque à travers un bruit de branches brisées un chasseur surgit devant elle : c'était un étranger de la ville qui portait une plume de perdrix piquée dans le ruban de son chapeau.

Elle recula, prête à fuir, tandis que le chien aboyait furieusement, en tournant autour de l'inconnu, qui paraissait troublé et dit d'une voix mal assurée :

« Pardon excuse si je vous dérange... Je suis après une lièvre que j'ai tirée là-haut sur le plateau et qui est sûrement blessée... »

Manon fut surprise par cette voix, mais pendant qu'elle cherchait encore à mettre un nom sur ce visage, la grimace d'un tic le crispa brusquement : elle reconnut Ugolin. Il s'avança contre le chien, qui reculait en aboyant, et dans un parpelégeant sourire, il dit sur un ton qu'il croyait citadin :

« Mais est-ce que par hasard, vous ne seriez pas la petite Manon, la fille du pauvre Monsieur Jean ? »

Il avait longuement préparé cette phrase et ce sourire, dont il espérait le plus heureux effet. Mais Manon ne répondait pas et regardait avec surprise le costume de chasse et les jambières fauves.

Il s'efforçait de se tenir très droit.

« Je vois, dit-il, que tu ne me reconnais pas, et c'est tout naturel parce que j'ai beaucoup changé. Je suis Ugolin, l'ami de ton pauvre père. »

De près, il la trouvait encore plus belle, mais quand elle levait les yeux vers lui, il ne pouvait soutenir son regard et il sentait battre son cœur : il fallait parler à tout prix.

« Et toi aussi, tu as changé... Tu es devenue une vraie demoiselle. Et il faut bien te regarder pour te reconnaître... »

Il parlait avec beaucoup de gentillesse, mais elle était mal à son aise, comme autrefois.

« Ça doit t'étonner que depuis si longtemps on ne se soit jamais rencontrés dans la colline. Mais c'est que maintenant, je n'ai plus le temps de chasser... C'est à cause des œillets... Tu le sais, que j'ai fait des plantations d'œillets ?

— Non, je ne le savais pas.

— On ne t'en a pas parlé à Aubagne ?

— Non.

— Pourtant, tout le monde en parle, parce que dans le pays, il n'y a que moi qui ai eu l'idée de faire des œillets. Et puis il n'y a pas que l'idée : il faut savoir... Et puis, il faut de la bonne terre, et beaucoup de travail. »

Elle répliqua vivement :

« Et une source.

— Eh oui, dit-il. C'est même le plus important.

— Je le sais.

— Et alors, figure-toi que j'ai très bien réussi... J'ai gagné de l'argent... Hum. Beaucoup d'argent... »

Manon regardait cet imbécile triomphal et ne doutait pas de sa réussite, qui aggravait l'échec de son père : le costume neuf évoquait la jaquette en loques, les souliers fauves insultaient le souvenir douloureux des pieds nus...

Il se rapprocha pour dire à voix basse :

« Et tout cet argent, c'est en pièces d'or, bien cachées... Ça je ne l'ai jamais dit à personne, mais à toi, je te le dis, parce que ça prouve que ton père avait raison... Dans deux ans, avec mes économies, ça me fera au moins cinquante mille francs! Qu'est-ce que tu en penses?

— Ça ne me regarde pas, dit Manon. Si vous êtes riche, tant mieux pour vous. »

Elle sauta légèrement hors du sentier, pour rejoindre ses chèvres à travers la broussaille.

Il la suivit tout en parlant.

« Écoute, ne t'en vas pas. Je veux te dire quelque chose d'important. Oui, une commission pour ta mère. »

Elle s'arrêta, surprise.

« C'est vrai que vous habitez au Plantier avec Baptistine?

— Oui. C'est tout ce qui nous reste, mais nous sommes chez nous.

— Eh bien, moi ça m'ennuie de penser que vous êtes là-haut trois femmes seules; même, ça me fait un peu honte. Pourtant, ce n'est pas de ma faute. Je vous avais dit de rester aux Romarins et puis c'est vous qui êtes parties sans explication. Mais quand même, des fois, ça me fait honte.

— Pourquoi? Ça ne vous regarde pas!

— D'accord, mais j'y pense souvent. Est-ce que ça ne te ferait pas plaisir de revenir aux Romarins? »

Elle répliqua brusquement.

« Avec vous ? »

Il répondit très vite, et presque humblement :

« Mais non, mais non! Moi j'ai toujours ma petite maison de Massacan, où je me plaisais bien, et je me sens pas bien chez moi aux Romarins, parce que c'est toujours la maison de Monsieur Jean, mais je suis forcé d'y rester à cause des œillets... C'est délicat, ça craint beaucoup, il leur faut de la compagnie... Si la maison était vide, les lapins me feraient du mal... Et puis, ça vaut cher, on viendrait peut-être m'en voler la nuit... Tandis que si tu étais là, avec ta mère et Baptistine, moi je retournerais à Massacan... Vous, vous profiteriez de la source et vous habiteriez au milieu des fleurs, que ta mère les aime tant... »

Encore une bonne action, encore une offre généreuse! Où voulait-il en venir? Malgré sa méfiance et sa répulsion, elle hésitait à répondre brutalement, et elle caressait la tête de son chien, qui se dressait contre sa robe pour lui lécher les mains, entre deux aboiements tournés vers l'intrus.

Enfin, elle répondit :

« Je vous remercie, mais je vous l'ai déjà dit : nous sommes très bien au Plantier, et les Romarins, pour nous, ce serait trop triste. Non, merci. »

Elle repartait.

« Manon, écoute : je sais bien pourquoi tu dis non. C'est parce que tu es fière. Tu ne veux jamais accepter les cadeaux... Déjà quand tu étais petite, si je t'apportais une poignée d'amandes, tu partais en courant... Écoute : pour la fierté, ça peut très bien s'arranger. Laisse-moi t'expliquer. »

Par curiosité pure, elle s'arrêta.

« Je te l'ai dit : mon travail, c'est les œillets. Mais ce n'est pas tout de défoncer et de planter : il faut aussi arroser, il faut cueillir, et puis faire des bouquets... Et ça, des femmes peuvent le faire. Alors toi, ta mère et Baptistine, ça m'aiderait beaucoup, et je vous paierais pas mal... »

Manon fut soulagée.

« Ah! bon, dit-elle en riant amèrement, je comprends! Vous avez besoin de domestiques? »

Il rugit, et répliqua vivement :

« Mais non! Mais non! Ne le prends pas comme ça! Moi en souvenir de ton père, je t'offre ta maison, et un petit travail, comme ça tu n'auras pas l'idée que je te fais la charité... Mais surtout, ce que je voudrais, ça serait de te sortir de la sauvagerie, et te rendre service en ami! »

Elle répliqua brutalement :

« Vous êtes très fort pour rendre des services, mais ça finit toujours par vous profiter! A force de rendre service à mon père, vous habitez dans notre maison, c'est vous qui avez trouvé la source, et c'est vous qui êtes devenu riche! Peut-être vous n'avez rien fait de mal, mais je crois que vos services nous portent malheur : alors, ne vous occupez pas de nous : nous n'avons besoin de personne, et surtout pas de vous! »

Elle lui tourna le dos, monta vers ses chèvres, et s'éloigna sous la barre, le long du coteau pierreux.

Il appela :

« Manon! Écoute, Manon... »

Elle ne se retourna même pas.

Le pauvre Ugolin en resta figé : il avait cru que le temps adoucirait cette aversion, qu'il jugeait injustifiée, puisque Manon n'avait jamais rien su de l'histoire de la source... Certes il n'avait pas espéré qu'elle allait lui tomber dans les bras : mais la proposition qu'il lui avait faite était merveilleusement avantageuse pour une pauvre bergère... Pourtant, elle l'avait refusée avec mépris, et elle avait dit qu'il était leur porte-malheur... Ça, c'était une catastrophe... Il en avait mal aux côtes, et des larmes dans les yeux.

Lorsqu'elle fut assez loin, elle se retourna pour

s'assurer qu'il ne l'avait pas suivie. Elle ne vit personne, et s'arrêta pour cueillir des menthes poivrées : il y en avait une longue file sous la barre.

La rencontre d'Ugolin ressuscitait tout le passé; non pas qu'elle l'eût oublié : mais la puissante joie de vivre de la jeunesse, dont la chair expulse si vite les corps étrangers, adoucit le contour des mauvais souvenirs, en obscurcit les cruelles couleurs, et finit par leur donner l'irréalité d'une histoire lue dans un livre.

La présence de cet homme, ses tics, le son de sa voix, avaient annulé l'effet bienfaisant de quatre années, en précisant le personnage, avec son volume et son poids, et le bruit de ses propres pas, sur les pierres roulantes des éboulis, c'était la marche de son père sous la jarre; elle se mit à courir...

Soudain, une voix déchirante cria deux fois son nom.

Elle s'arrêta, regarda derrière elle, puis leva la tête : elle le vit là-haut, penché au bord de l'à-pic contre le ciel.

Il criait :

« Manon! Ne cours pas! Écoute-moi une minute! Manon, c'est pas vrai! C'est pas pour te faire travailler! C'est parce que je t'aime! Manon, je t'aime! Je t'aime d'amour! »

Ces cris qu'il arrachait de sa poitrine rebondissaient d'échos en échos, et de l'autre côté du vallon les plaques de roche gémirent quatre fois « amour ».

La fille stupéfaite regardait ce pantin gesticulant. Elle en restait la bouche ouverte de surprise et de dégoût.

Il criait toujours :

« Manon! J'ai pas osé te le dire de près, mais j'en

suis malade! Ça m'étouffe! Et il y a longtemps que ça m'a pris! C'était aux Refresquières, après le gros orage! Je m'étais caché pour les perdreaux... Je t'ai vue quand tu te baignais dans les flaques de la pluie... Je t'ai regardée longtemps, tu étais belle. J'ai eu peur de faire un crime! Je suis parti sous les genêts, et toi tu m'as lancé des pierres! »

Manon réagit, indignée, et mit ses mains en porte-voix pour crier des injures en piémontais, car elle n'en savait pas d'autres; elle termina cette courte litanie en l'appelant d'une voix stridente « Vieux cochon », et reprit le sentier derrière ses chèvres. Ugolin, courant le long de la barre, hurlait :

« C'est pas vrai, je suis pas vieux! J'ai trente ans et cinquante mille francs l'année prochaine! Et puis c'est pas pour m'amuser! Je veux te marier! C'est ça les bons ménages! Et puis, de la famille, j'en ai pas! Personne à nourrir! Le grand-père est mort! La grand-mère est morte! Mon père s'est pendu quand j'étais petit, ma mère est partie de la grippe! Il reste que le Papet! C'est mon parrain le Papet! Il est riche, et il va tout me laisser, parce que je suis le dernier des Soubeyran! Et il est vieux, il va crever bientôt, le Papet. Nous aurons la grande maison au village! Et tous les œillets que j'ai faits pour toi! Oui, pour toi, nom de Dieu! parce que je t'aime! Je t'aime! »

Tout le vallon retentissait de ses gémissements, auxquels le chien répondait par des aboiements furieux. Manon, écœurée, reprit sa course, mais le malheureux la poursuivait, galopant au bord de la barre, et s'arrêtait de temps à autre pour reprendre ses proclamations.

« Manon! Tu seras comme une reine! Je te paierai deux femmes de ménage! Tu te lèveras quand tu voudras! Je te porterai le café au lit tous les matins, oui, nom de Dieu, parce que je t'aime! »

Mais au moment où il étendait les bras vers elle, en

gémissant « mon amour, mon amour... » sa voix s'arrêta brusquement dans un hoquet, il se plia en deux, en portant les mains à son estomac : il venait de recevoir en plein épigastre une pierre lancée par la fronde de la bergère, qui fuyait, légère, suivie des tintinnabulantes chèvres et du chien bondissant...

Le pauvre Ugolin cherchait à retrouver sa respiration : courbé en deux, il balançait son torse horizontal, et finit par tomber à genoux dans le thym.

Enfin, la douleur lui laissa quelques secondes de répit, et il dit d'une voix étranglée :

« C'est incroyable ce qu'elle est adroite ! »

Le spasme crispa de nouveau son plexus, et il restait à quatre pattes sur le gravier de la garrigue, quand son regard rencontra un silex presque rond, un petit œuf couleur de miel. C'était la pierre qui l'avait frappé. Il la ramassa, la baisa, la mit dans sa poche, et se leva : Manon avait disparu derrière un éperon de la barre, il n'entendait même plus les sonnailles... Il alla ramasser son fusil, et descendit — à petits pas — vers les Romarins.

IL trouva le Papet dans les boutures fort occupé à planter des tuteurs.

« Alors? Tu lui as parlé?

— Je ne l'ai pas vue aujourd'hui, répondit-il. Elle a dû aller à Aubagne, ou peut-être à Pichauris, porter du gibier.

— Si c'est pas aujourd'hui, ça sera demain.

— Ou même plus tard, dit Ugolin. Il vaut mieux que je m'habitue à ce costume...

— Tu es superbe! Tu sembles un chasseur de Marseille! Va vite te changer! »

Ils travaillèrent aux œillets, jusqu'au soir. Ugolin, tout en surveillant les rigoles d'arrosage, réfléchissait. Malgré la brutalité de la réponse de Manon, il reprenait peu à peu courage; il trouvait des explications consolatrices et se donnait des raisons d'espérer.

« Premièrement, c'est une sauvage, elle n'a pas l'habitude de parler aux gens... Deuxièmement, elle est toute neuve, c'est comme les chèvres la première fois qu'elles voient le bouc, elles en ont peur. C'est tout naturel. Et puis, ce costume est peut-être trop beau. Ça impressionne, et puis ça ne fait pas sérieux... Et puis, j'aurais pas dû lui dire que je l'avais vue se baigner : c'est ça qui l'a mise en colère. Ça l'a contrariée... C'est tout de ma faute, tout. »

Cependant, après son dîner solitaire, expédié en quelques bouchées, il resta longtemps assis, les coudes sur la table et les poings aux tempes. Il revoyait les larges yeux bleus de mer, la crinière d'or, les lèvres pulpeuses, et il murmura :

« C'est terrible, c'est terrible... Elle est trop belle, c'est terrible.. Si elle était moins belle, je l'aimerais autant, et ça serait plus facile... Et puis, il y a cet instituteur qui me donne du souci... Comment faire? Comment faire? »

*
* *

Les jours suivants, il constata qu'elle était devenue méfiante. Tout le long du chemin, elle poussait son chien dans les taillis, puis, avant de s'installer sous le sorbier, elle explorait longuement le paysage. Parce qu'il était tout en haut de la barre, aplati sous ses guirlandes et derrière la touffe de thym, elle ne pouvait le voir : mais elle sentait sûrement sa présence, car au moindre frémissement des broussailles d'alentour, elle faisait tourner sa fronde, et lançait de cruelles pierres qui frappaient au cœur le pauvre amoureux.

« Si seulement elle me permettait de lui parler! Je suis sûr que je lui changerais les idées... C'est ça qu'il faudrait : lui changer les idées. Mais comment? »

Une nuit, réveillé par un extraordinaire concert de chouettes, sous une lune rouge comme un œil crevé, il jugea le moment favorable à une cérémonie magique.

Ayant écrit sur un morceau de papier le nom de Manon il le plaça au milieu de la table, et l'entoura de ses reliques : le petit bout de ruban vert, la pelote de cheveux, un bouton de nacre, trois noyaux d'olive. Puis, il déterra sa précieuse marmite, et cerna le tout d'un rond épais de pièces d'or, comme pour emprisonner Manon dans sa richesse. Puis, afin de renforcer ce charme, il fit sept fois le tour de la table, les mains jointes, en invoquant la sainte Vierge, qui fut sans doute bien surprise par ces appels incongrus.

Lorsque les chouettes se turent, il remit son or dans la marmite, puis, au milieu des pièces glissantes, il enfouit la précieuse pelote de cheveux dorés, retendit le double fil de fer sur le couvercle, et replaça le tout sous la pierre de l'âtre. Il espérait que l'or dont les pouvoirs magiques sont bien connus agirait puissamment sur les cheveux captifs, qui enverraient des messages à la chevelure de la bien-aimée : alors, ça lui ferait pousser des idées dans la cervelle (surtout pendant qu'elle dormirait) et finalement, un beau matin, en ouvrant la porte, il la trouverait assise sur la marche...

Il prit ensuite le ruban, le regarda, le caressa, le baisa, puis se leva soudain pour ouvrir le tiroir du petit bahut : il y trouva du fil et une aiguille, qu'il ne fut pas facile d'enfiler. Alors, il ôta sa chemise, et s'installa, le torse nu, sur une chaise, tout près de la lampe, et commença à coudre le ruban vert sur son sein gauche. L'aiguille était épaisse, et le sang jaillit en gouttelettes. Les dents serrées, il tira sur le double fil rugueux, qui sciait sa chair. Quatre fois, il planta l'aiguille, et tira le fil. La cinquième, il ne perça que le ruban, et fit un nœud de couturière. Enfin, le visage blême, trempé de sueur et de larmes, il alla prendre au mur le morceau de miroir, et regarda le ruban vert taché de sang qui pendait sur sa toison rousse.

« Comme ça, dit-il, il sera toujours sur mon cœur. »

Puis il but un grand verre de vin, et alla s'étendre sur la paillasse, une main crispée sur son cœur brûlant.

C'est-à-dire que le pauvre Ugolin des Soubeyran était en train de devenir fou et qu'il maigrissait à vue d'œil.

Un après-midi, au fond du vallon des Refresquières, Manon, assise dans l'herbe sèche, regardait la carapace jaune d'un petit monstre préhistorique, qui avait planté ses griffes dans la tige d'une carotte sauvage. Le gros insecte resta parfaitement immobile, mais il se passait quelque chose à l'intérieur, car soudain son dos se fendit sur presque toute sa longueur, et une bête d'un vert tendre travailla longuement à s'extraire de cette prison. Elle était enveloppée d'ailes humides et fripées et elle grimpa lentement et maladroitement jusqu'au bout de la tige, où elle resta immobile sous le brûlant soleil de juillet. C'était une cigale. Son corps brunissait à vue d'œil, ses ailes se dépliaient et devenaient transparentes et rigides, comme du mica nervuré d'or.

Manon attendait le premier envol de la bestiole, lorsqu'elle vit au loin deux chasseurs qui descendaient le vallon. Le fusil à la bretelle, ils suivaient à flanc de coteau un sentier à peine visible; mais ils le quittèrent tout à coup et disparurent dans un épais fourré, qui longeait le pied de la barre... Elle attendit le bruit d'une détonation : mais rien ne troubla le silence, pas même le léger craquement des pierres sous leurs espadrilles. Elle fut un peu inquiète; dans ce fourré, elle avait tendu quatre précieux pièges à lapins : ces chasseurs venaient peut-être des Ombrées, et avec ces gens-là, on ne sait jamais. Elle abandonna la cigale, fit asseoir le chien, et prit un détour sur le plateau pour arriver au-dessus d'eux sans être vue.

Elle se glissa sous les cades jusqu'au bord de la barre ; à travers un térébinthe horizontal, qui s'élançait dans le vide, elle vit les deux hommes assis sous une yeuse ; ils cassaient la croûte de grand appétit.

Elle reconnut Pamphile, le menuisier qui avait fait le cercueil de son père.

Elle ne connaissait pas l'autre, qui était très petit avec une grosse tête, c'était Cabridan.

Tout en détachant la peau d'une tranche de saucisson le menuisier disait :

« Moi, les pièges des autres, je n'y touche jamais. Pour moi les pièges, c'est sacré. Surtout ceux-là. »

Elle fut étonnée de ce respect particulier.

« Pourquoi « ceux-là »? demanda l'autre.

— Parce que c'est ceux de la fille du bossu... Hier soir, j'étais caché là-haut, pour la couchée des grives, je l'ai vue tendre... »

Cabridan mastiquait longuement. Le menuisier se versa un verre de vin. Il but, s'essuya les lèvres d'un revers de main, et dit :

« Elle n'a plus que ça pour vivre : ça serait criminel de lui prendre ses pièges, après ce que nous lui avons fait...

— Quoi, quoi, quoi? dit l'autre, la bouche pleine, moi, je lui ai jamais rien fait... Et l'histoire de la boule, tu sais très bien que ce n'était pas ma faute!

— D'accord! dit Pamphile. Mais c'est pas de ça que je te parle.

— Et alors, de quoi?

— La source? Tu ne la connaissais pas, toi, la source des Romarins? Tu ne savais pas qu'elle existait depuis plus de cinquante ans?

— Moi, n'oublie pas que je suis plus jeune que vous autres.

— Tu ne l'avais jamais vue couler? »

Cabridan hésita avant de répondre.

« Peut-être une fois, quand j'étais petit. A la chasse avec mon père... Nous avions bu dans un petit ruisseau. Je crois que c'était celui-là.

— Comment tu crois? Il n'y en a jamais eu d'autres dans tout le pays? Et tu sais bien que c'est Ugolin qui l'a bouchée, avant l'arrivée du bossu.

— Je le sais, et je ne le sais pas, dit Cabridan. Moi, en tout cas, j'y suis pour rien. Et puis, le Papet nous avait dit qu'elle était perdue depuis longtemps...

— Perdue! ricana le menuisier. Pas perdue pour les Soubeyran! Ils ont eu vite fait de la sortir quand ils ont pu mettre la main sur la ferme... »

Maïon écoutait, glacée, ces paroles que son esprit enregistrait, mais qui ne touchaient pas encore son cœur, et elle doutait de leur sens : mais déjà des frissons couraient dans son dos, et elle respirait plus vite.

La conversation continuait à travers des mastications de pain et de saucisson.

Le menuisier reprit :

« Ça ne te faisait rien, à toi, de voir ce malheureux se crever pour rien?

— En tout cas, dit Cabridan, moi ça ne m'a jamais fait rigoler comme les autres... Moi, quand ils en parlaient je m'en allais parce que je préférais mieux ne pas y penser... Tu sais que je suis brave et honnête, mais le courage, j'en ai pas de reste. Et puis, il faut te dire qu'il y a cinq ans j'avais emprunté deux cents francs au Papet. Quand mes petites ont eu la rougeole... Je les lui rendais dix francs par dix francs. Et quand je ne pouvais pas, il me disait : « Ne te fais pas de mauvais sang, tu me les rendras quand tu pourras. » Alors, tu comprends bien que j'allais pas me mettre en travers des affaires des Soubeyran, pour une histoire que je n'étais pas bien sûr, et qui ne me regardait pas...

— Les Soubeyran, dit Pamphile, c'est des salauds. Et le vieux t'avait prêté cet argent pour que tu ne parles pas de la source. Et c'était bien calculé! »

Cabridan but son verre de vin, et attaqua timidement :

« Et toi, toi, pourquoi tu n'as rien dit? »

Le menuisier trancha plusieurs rondelles de saucissons, et dit :

« Moi, c'est à cause d'Amélie. Un jour, j'ai vu le bossu de loin, qui cherchait l'eau avec la baguette... J'ai cru qu'il allait la trouver, et ça m'aurait fait bien plaisir. Mais baste! Il n'y connaissait rien, et il est passé plusieurs fois à vingt mètres, et le lendemain, je l'ai vu creuser au mauvais endroit... Ça m'a tracassé toute la nuit, que cet homme soit obligé de marcher à pieds nus, avec sa jarre sur la bosse, et qu'il avait sous les pieds la plus belle source du pays... Alors, le matin, j'ai dit à Amélie :

« Nous sommes tous des criminels, et ça ne peut plus durer comme ça. Moi je vais lui dire. » O malheur! Elle m'a fait une scène terrible, que j'allais perdre le pain de mes enfants, que c'était honteux de s'occuper des affaires des autres, que les bossus ça porte malheur, que celui-là était de Crespin patin-couffin exétéra, et elle finit par me poursuivre jusque dans mon atelier, et elle continue à me faire sa litanie. Enfin, je lui promets de rien dire. Elle me fait : « Promettre, ce n'est pas suffisant. Jure sur ton établi. » Moi, de jurer, ça ne me gêne guère : ces choses-là, je n'y crois pas; j'allonge ma main au-dessus de l'établi, et je jure. Alors, elle me fait un œil glacial, et elle me dit : « Regarde un peu sur quoi tu as juré! » Elle soulève mon équerre plate, et elle me fait voir une photographie, qu'elle avait glissée dessous : c'était ma fille, en première communiante, avec son livre de messe à la main!

— Oyayaïe! dit Cabridan, là, elle t'avait bien embarqué!

— Eh oui! Oh elle est forte! Du coup, je n'ai rien pu dire, mais ça me tracassait quand même. Alors un matin, en allant à la chasse, j'ai emporté un petit pot de peinture noire, et près de la maison du bossu, au bord du chemin qui domine, j'ai peint deux flèches sur des pierres blanches, à vingt-cinq mètres une de l'autre.

— Pourquoi?

— Les deux flèches pointaient vers la source! Comme ça je n'avais pas parlé, et si le pauvre homme avait eu l'idée de viser avec les flèches, il aurait creusé au bon endroit, et en quatre coups de pioche, l'eau lui aurait sauté à la figure!

— Ce n'était pas facile à comprendre, dit Cabridan... Moi, j'aurais cru... »

Le menuisier mit brusquement son index devant sa bouche, ouvrit de grands yeux, et prêta l'oreille. On entendit caqueter une perdrix qui rassemblait sa famille... Avec mille précautions, ils se levèrent, prirent les fusils; à grands pas sur la pointe des pieds, la crosse sous le coude, ils se séparèrent, et disparurent dans les genêts.

Manon, glacée d'horreur, regardait quatre tranches de saucisson, rouges et blanches sur un lambeau de papier jaune, et cette bouteille oblique, appuyée contre une pierre. Deux coups de fusil l'éveillèrent. Elle partit au hasard sous les pinèdes.

Elle marcha longtemps. Le troupeau, rassemblé et dirigé par Bicou, la suivait à quelque distance... Lentement, la douleur prenait des forces, et serrait sa poitrine.

Ainsi, la longue peine de son père, ses efforts

héroïques de trois années, devenaient presque ridicules...

Le petit chasseur l'avait dit : « Il y en avait que ça faisait rigoler... » Ce n'était pas contre les forces aveugles de la nature, ou la cruauté du Destin qu'il s'était si longuement battu; mais contre la ruse et l'hypocrisie de paysans stupides, soutenus par le silence d'une coalition de misérables, dont l'âme était aussi crasseuse que les pieds. Ce n'était plus un héros vaincu, mais la pitoyable victime d'une monstrueuse farce, un infirme qui avait usé ses forces pour l'amusement de tout un village...

Elle marchait dans les lavandes, l'haleine courte, les dents serrées, les joues en feu, et l'esprit désert comme la garrigue... Sans l'avoir voulu, et comme conduite par ses jambes, elle se trouva tout à coup devant le sorbier. Alors, en criant comme une bête blessée, elle courut à lui, le serra dans ses bras, frotta sa joue égratignée contre la dure écorce, et elle put enfin pleurer.

Le soleil descendait derrière la Tête Rouge, la brise du soir montait vers les sommets; une perdrix appelait sur la barre... Ses chèvres broutaient autour d'elle, son chien debout lui léchait les mains.

Elle revoyait les jours heureux de leur misère, la mèche noire sur le front pâle, les beaux yeux qui riaient toujours, les grandes mains, les joues piquantes... Non, il n'avait pas été vaincu! C'était sa gloire de n'avoir pas compris la férocité de ces insectes. Cette âme noire d'Ugolin, il l'avait éclairée de sa propre lumière, et il n'avait pu deviner une hypocrisie qu'il ne pouvait pas concevoir. Mais elle-même, son instinct l'avait avertie : elle l'avait toujours su, que cet homme était l'ennemi... Elle revit avec horreur ses attitudes amicales, les trop nombreux petits cadeaux, l'aide inutile qu'il offrait sans cesse... Et pendant qu'il parlait, et qu'il déplorait la sécheresse, la source était là, dans sa tête, l'eau brillante coulait sous ses frisettes rousses, et cette brute assise devant un verre de vin blanc n'aurait eu qu'à dire trois mots pour faire un miracle. Maintenant, enrichi par son crime, il avait eu l'audace de lui crier son amour, et de lui proposer de le servir! Son chagrin fit place à une rage sourde et profonde, qui serra ses poings. Non, le misérable ne profiterait pas de son ignoble réussite. Elle prit sa course vers les Romarins.

*
* *

Elle ne savait pas ce qu'elle allait faire. En tout cas, revoir les lieux du crime, et préparer sa vengeance. Elle descendit sur la Garette, traversa le vallon du Plantier, escalada les barres du Saint-Esprit, pour atteindre la crête du coteau qui plongeait vers la maison de son enfance. Elle s'engagea sous l'épaisse pinède qui frémissait à la brise du soir, mais fut surprise lorsqu'elle constata que les grands pins ne descendaient plus jusqu'au champ.

Cependant, à la place des arbres dévorants que les « bousquetiers » avaient abattus, les cades, les genêts, les aubépines avaient pris une vigueur nouvelle : seuls maîtres des richesses du sol, ils formaient un fourré presque impénétrable, au-dessus de touffes épaisses de hautes herbes jaunes séchées par l'été. La serpe d'Ugolin n'était pas intervenue, parce que ces racines plongeantes ne pouvaient atteindre les vaseaux d'œillets.

Elle se glissa sous le hallier, et ne reconnut pas le champ, qui lui parut immense à cause du massacre des oliviers; mais la vue de la chère maison, sous les trois grands pins des chouettes qui étendaient leurs branches sur le toit, fit monter ses larmes.

Ugolin sortit de la remise, harnaché d'une sulfateuse et commença une lente promenade le long des rangées de boutures vertes, en projetant, au bout d'un tube de cuivre, de petits nuages bleutés.

Il paraissait morne, et accablé, et s'arrêtait de temps à autre, sans raison, la tête baissée. Elle pensait qu'il restait encore, dans une vieille boîte de biscuits, une douzaine de cartouches, et que le fusil de son père s'allongeait contre la paroi de la Baume, soutenu par deux chevilles de bois. Elle n'aurait qu'à venir un matin, avant l'aurore. Elle se cacherait dans le fourré, tout près de la maison, et dès qu'il en sortirait, elle le tirerait comme une bête puante. Elle n'avait encore jamais touché un fusil, mais elle aurait vite fait d'apprendre...

Lorsque Ugolin fut au bout du champ, elle rampa de nouveau sous la broussaille, et regagna la crête sans le moindre bruit.

Le soir tombait. A pas lents, elle suivait ses chèvres sur le chemin du bercail, mais elle arrêta à la Font de la Ser, pour baigner d'eau froide ses yeux rougis par les larmes, car elle avait décidé de ne pas révéler l'affreuse vérité à sa mère, ni à Baptistine : elle craignait d'amoindrir le prestige de la mémoire de son père, et d'autre part elle préférait agir seule. Elle s'efforça donc de contenir sa douleur et sa colère, se plaignit d'une migraine, et alla se coucher.

Là, les yeux clos, elle réfléchit longuement, et se dit tout à coup :

« Le fusil, c'est dangereux, je risque de le manquer. Et puis, les gendarmes viendront, parce qu'on verra qu'on l'a tué. Il y a bien mieux : le feu. »

Elle revit les hautes broussailles sur le coteau, l'herbe sèche buissonnante, le cercle fermé des pinèdes, les quatre grands oliviers devant la maison, les larges branches résineuses étalées sur le toit, qu'elles caressaient les jours de mistral...

Elle irait un soir se cacher là-bas, il rentrerait du

136

village, elle attendrait qu'il eût soufflé la lampe. Aux quatre coins, elle préparerait de petites meules d'herbes sèches, et vers une heure du matin, au plus profond du sommeil, elle y mettrait le feu... : alors, la danse rouge courrait sous la broussaille, puis les genêts et les cades flamberaient, puis les grands pins se tordraient les bras dans la fumée et s'enflammeraient d'un seul coup, comme des torches : le scorpion entouré de braises aurait le temps de se voir mourir.

Quand les gens du village viendraient, ce serait trop tard, et ce n'est que le lendemain que les pompiers des Ombrées trouveraient dans les ruines de la ferme effondrée, ou peut-être étendu près de la source, un corps noir et tordu comme une vieille souche d'olivier...

Un peu apaisée par cette vision, elle s'endormit au lever du jour.

* *
*

Le matin, elle ramena ses chèvres sur les barres du Saint-Esprit, et redescendit vers les Romarins.

Ugolin partait vers Massacan avec le mulet... Elle put faire le tour des pinèdes, pour s'assurer que l'incendie ne laisserait aucun passage au criminel. Elle constata que du côté du village, le fond du vallon était peu boisé, à cause du chemin : mais l'herbe sèche était très haute, et dans la broussaille, elle vit luire les feuilles vernies d'un bon nombre de térébinthes, qu'une étincelle enflamme, et qui brûlent longtemps... Elle pensa qu'ils suffiraient pour arrêter la fuite d'un homme affolé par les flammes et perdu dans la fumée.

Le soir même, sa mère endormie, elle quitta le Plantier, furtive, et sous une lune cornue, elle reprit pour la première fois l'horrible sentier à flanc de coteau, celui de la course de l'eau, et elle suivit les pas chancelants de son père accroché à la queue de l'ânesse. Elle arriva au reposoir, sous la branche secourable d'où pendait encore l'esse de fer... Elle le revit, essuyant son front, les yeux fermés... Elle s'agenouilla une minute, et repartit, blême et résolue, en serrant dans son poing la petite boîte d'allumettes.

* *
*

Dans les grands pins, derrière la maison, les chouettes se répondaient comme autrefois. Les fenêtres étaient noires... Ugolin était-il rentré? Elle attendit à peine quelques minutes : puis le bruit des souliers ferrés sur les pierres; un pas traînant, qui s'arrêtait de temps à autre, s'approchait, et une ombre traversa la plantation, lentement, la tête baissée et les mains dans les poches. Elle entendit la clef grincer dans la serrure, puis la chère plainte des gonds... Une lueur jaune illumina faiblement les vitres sales; au bout d'un moment, la fenêtre s'ouvrit, puis les volets de bois claquèrent, et l'espagnolette grogna comme aux soirs des temps heureux.

Aux fentes des volets la lumière brillait, avivée. Elle attendit un moment. Le frêle coassement d'une insolente grenouille proclamait cruellement la source... Alors, elle se leva, et prépara les petites meules d'herbe sèche d'où jaillirait la première flamme. Mais pendant qu'elle mettait en place la seconde, la lune se voila, puis disparut. Elle leva la tête : une épaisse nuée qui montait de la mer étouffait les étoiles l'une après l'autre. Cinq minutes plus tard, un lointain tonnerre roula longuement, et une large goutte d'eau frappa son front. Des larmes de rage montèrent à ses yeux...

La pluie, qui avait si longuement trahi son père, venait au secours de l'assassin. Elle dispersa le tas d'herbe, et prit sa course dans la nuit, sous l'orage.

Dans son lit, elle reprit courage : cette pluie soudaine était peut-être une grande chance pour elle. Elle s'était trop pressée : elle n'avait pas pensé qu'il valait mieux attendre un jour de mistral... Au moment du grand incendie de Pichauris, où deux pompiers avaient péri, cernés par les flammes, son père avait dit : « Quand il n'y a pas de vent, les pins brûlent presque sur place, et le feu ne progresse qu'en montant les coteaux. Mais quand souffle le mistral, l'incendie court de tous côtés, aussi vite qu'un cheval au galop! » Il était plus sage d'attendre les grands chevaux rouges du vent, et les longues flammes horizontales qui lancent les pignes résineuses comme des gerbes de comètes.

Il plut pendant deux longues journées, d'une pluie bienfaisante qui eût sauvé son père, et qui pénétrait profondément dans le sol... Manon, nerveuse, ne mangeait presque plus, ne dormait guère, et se réveillait entourée de flammes. Elle estima qu'il faudrait trois jours de soleil, ou deux jours de vent pour sécher les pinèdes : on était au début d'août, et rien n'était perdu : il ne fallait qu'un peu de patience.

Après les journées de pluie, consacrées à la récolte des escargots, le soleil reparut, et les collines fumantes verdoyèrent. Elle repartit avec ses bêtes le long des Refresquières, où les creux de la roche brillaient comme des miroirs. Au pied de la barre, sous les térébinthes, elle tendait ses pièges, sous l'œil attentif de son chien, lorsqu'il dressa les oreilles, et partit comme un trait. Un tout jeune chevreau, un petit mâle hasardeux, s'était éloigné du troupeau, et bondissait de roche en roche, dans les éboulis, en haut du coteau, sous la barre. Elle ne s'en inquiéta guère, sûre que Bicou allait le ramener par d'habiles manœuvres tournantes, et les menaces aboyées avec une férocité simulée; mais le tout petit bouc disparut soudain dans un fourré au pied de la barre. Bicou l'y suivit, puis Manon entendit des abois assourdis, suivis de gémissements qui exprimaient une véritable consternation. Elle s'élança aussitôt, traversa le fourré à son tour, et se trouva devant l'étroite ouverture d'une crevasse d'où sortaient les cris désolés de son chien.

Elle s'y glissa à son tour, à quatre pattes.

Au fond de l'étroit couloir, Bicou grattait le sol avec rage, pour agrandir un trou par lequel il n'avait pas pu passer. Quand il eut arraché la terre et la mousse, ses griffes grincèrent sur la roche. Manon saisit sa queue à deux mains, le tira en arrière, et plongea sa tête dans l'ouverture, dont l'étroitesse arrêta ses épaules : elle entendit des chevrotements désespérés, amplifiés et prolongés par l'écho d'une voûte. Elle pensa : « Une grotte! »

Alors, elle appela la petite bête perdue dans la nuit... « Bilibili »... De longs échos lui répondirent, puis des bêlements qui lui semblèrent plus lointains... Elle recula pour laisser passer la lumière, et examina les bords de l'orifice. Ce n'était pas de la roche vive, mais une pierre blanchâtre lisse, presque opaline, que la pointe du couteau raya.

Elle laissa le troupeau sous la garde du chien, et courut au Plantier. Sa mère et Baptistine étaient aux Ombrées, mais elle trouva des pommes de terre sous la cendre, un civet de lapin qui mitonnait au coin du feu, et un panier de figues... Elle déjeuna très vite, tout excitée par sa trouvaille : une grotte qu'elle ne connaissait pas, et où personne peut-être n'était jamais entré!

Il y avait sans doute des galeries qui allaient jusqu'aux Bastides, et des salles étincelantes de cristal de roche, comme on en voit dans le livre de géologie... Il n'y avait certainement pas de grosses bêtes, parce que l'entrée était trop étroite... Mais peut-être des serpents? En tout cas, ce ne pouvait être que des couleuvres, qui prennent la fuite à première vue; d'ailleurs Bicou savait les tuer d'un seul coup de dent, et sans qu'il fût possible de voir comment.

Elle repartit en mangeant des figues. Mais à la place de son bâton, elle portait une petite barre à mine, et dans sa musette, un marteau de maçon, trois bougies, des allumettes, et une pelote de ficelle dont elle comptait attacher un bout à l'entrée, pour retrouver son chemin dans les galeries...

Elle vit aussitôt que le chevreau vagabond avait rejoint le troupeau, mais que le fidèle gardien n'était pas à son poste... Elle s'approcha de l'ouverture, et appela : une meute de chiens lui répondit. En son absence, Bicou avait réussi à franchir l'entrée, mais n'avait pas pu en sortir...

Elle se mit à l'ouvrage. Ce ne fut pas un travail facile, car elle n'avait pas la place nécessaire à la course ronde du marteau. Par bonheur, le dépôt de calcaire n'adhérait pas fortement à la roche, et elle put en détacher quelques strates, en enfonçant la pointerolle dans des fentes à peine visibles.

Au bout d'une heure, elle réussit enfin à faire tomber une épaisse plaque blanche, et l'ouverture fut assez grande pour qu'elle pût y pénétrer en rampant. Mais avant de tenter la mystérieuse aventure, elle sortit à reculons de la crevasse pour examiner les alentours. Personne. Les chèvres paissaient au loin, paisiblement, autour de l'ânesse. Elle prêta longuement l'oreille, inspecta l'horizon, puis elle se glissa dans le trou. Agenouillée, elle alluma d'abord une bougie, puis avança résolument vers la voix du chien.

L'étroit boyau s'élargissait peu à peu, et déboucha soudain dans le vide : mais la bougie, tendue à bout de bras, éclaira un sol moussu, au bas d'une marche. Elle colla sa lumière sur une saillie de la roche. Le chien aboyait toujours ses appels, elle l'entendait courir... Elle appuya ses deux mains sur la mousse et rampa prudemment pour dégager son corps de l'étroit tunnel : elle put enfin se mettre debout, et reprit la petite flamme.

Non, ce n'était pas une cathédrale souterraine, mais une sorte de galerie de mine, ornée de chandelles de pierre rougeâtre ; les unes pendaient du plafond, les autres montaient du sol ; elle se glissa entre les stalagmites. Son chien la précédait, et parfois revenait vers elle pour lui dire quelque chose qu'elle ne comprenait pas.

Quand elle eut parcouru une dizaine de mètres, elle entendit un bruit, une sorte de murmure continu, qui venait du fond de la galerie, et elle sentit que le sol descendait sous ses pieds par une faible pente.

Enfin, la galerie déboucha dans une salle assez basse, sous une herse de stalactites.

Le murmure était plus fort ; c'était une chanson tintante et cristalline... Elle s'arrêta, éleva la petite flamme au-dessus de sa tête, et vit sur le sol, danser une étoile : comme elle se penchait, un visage monta vers elle, et c'était le sien.

Elle était au bord d'une nappe d'eau, une nappe ovale, qui avait bien dix pas de long. Elle n'était pas profonde : le chien la traversa sans perdre pied.

A droite, au pied du mur de roche, un ruisselet tombait d'une fente moussue, et plongeait sous la

142

nappe frémissante. A l'autre bout de l'ellipse, un petit tourbillon aspirait l'eau par un trou invisible.

Des larmes montèrent à ses yeux. C'était l'eau des collines, celle qui aurait pu sauver son père, et qui gaspillait sa richesse dans la roche stérile et la nuit souterraine...

A ras de la surface, dans la paroi opposée, la galerie plongeait dans la nuit : elle devait servir de déversoir quand le niveau montait : c'est pourquoi l'eau ne sortait jamais de la grotte, et la belle source était restée ignorée des hommes...

Elle entra pas à pas dans le miroir glacé des ombres où tremblaient les reflets inversés des stalactites. Sous ses pieds montèrent de petits nuages sombres. Elle plongea la main jusqu'au fond, et en remonta une poignée de sable, qui paraissait presque noir... Elle rampa dans le tunnel, jusqu'à la lumière du jour, et sur sa paume grande ouverte, le soleil enfin charitable illumina le sable rouge du bassin de la Perdrix.

ELLE revint le lendemain matin, un couteau scie pendu à sa ceinture et portant à la main un petit râteau sans manche... Dans le vallon, elle chercha longtemps une longue branche à peu près droite : on en trouve peu dans ces collines, où les arbres poussent à grand-peine des rameaux noués et bossus. Elle finit par choisir un jeune pin qui, pour surgir d'une haute broussaille, était monté directement à la rencontre de la lumière : elle l'ébrancha, régularisa les nœuds avec son couteau et réussit à monter sur ce manche le petit râteau qu'elle assujettit avec un clou. Puis, après avoir longuement surveillé les quatre horizons, elle se glissa dans la grotte secrète et colla quatre bougies sur les saillies de la paroi.

L'eau coulait toujours, limpide et musicale. Elle y plongea le râteau et gratta le fond de la flaque. Le nuage rouge monta aussitôt à la surface et s'étendit rapidement. Patiente, elle continua son action pendant plus de deux heures. Lorsque les dents de fer grincèrent contre la roche, elle gratta les berges et poussa la poudre rouge dans l'eau.

Vers midi, elle sortit enfin au soleil et elle alla enterrer le râteau sous le gravier d'un éboulis. Puis, elle déjeuna sous un pin, entourée de son troupeau.

Elle réfléchissait aux chances de son expérience. L'homme avait dit que l'eau du bassin rougissait légèrement après les gros orages. Mais combien de temps après? Elle essayait de se rappeler exactement ses paroles... Il lui sembla qu'il avait parlé de quelques heures. Sept ou huit heures? Elle ne put se souvenir du nombre exact, mais ce n'était certainement pas plus de huit heures... Après son déjeuner elle partit, avec ses chèvres, vers le bassin.

L'eau en était parfaitement claire; devant le tuyau d'arrivée qui sortait du mur à un pied du fond, elle pouvait voir un frémissement transparent... Sur le ciment gris, il restait encore des parcelles rouges; elle comprit qu'elles n'étaient pas venues récemment et qu'elle avaient échappé aux pelles et aux balais des nettoyeurs.

Elle explora du regard les environs, s'installa sous l'arbre où l'instituteur s'était assis, et ouvrit un livre.

Toutes les dix minutes, elle allait se pencher sur le miroir d'eau, mais pendant l'après-midi, la source resta impitoyablement pure. Vers six heures du soir, elle commença à désespérer.

« Non, pensait-elle, cette eau ne vient pas de là-haut... Ou alors, peut-être, je n'ai pas assez remué le fond... »

Comme elle ne savait que faire, elle se pencha vers l'eau glacée, but à longs traits, comme une chèvre et lava son visage. Puis, pendant qu'elle essayait de se coiffer en se mirant, elle vit jaillir au fond du bassin, une fusée rougeâtre qui s'épanouit en volute, monta lentement vers la surface, puis redescendit en tournoyant... En deux minutes, le nuage s'élargit jusqu'à toucher les deux parois. Alors, elle sut que la Providence lui accordait la ruine d'Ugolin, et la punition du village... Les œillets miraculeux allaient mourir comme les maïs et les courges, les riches potagers des Bastides sécheraient sur pied en quelques jours. Elle courut annoncer la nouvelle au sorbier, tremblante d'une émotion si farouche qu'elle éclatait de rire en pleurant...

Elle commença aussitôt ses préparatifs. Tout d'abord, elle monta sur les barres pour explorer le paysage : elle craignait en effet le passage inopiné d'un chasseur, ou la surveillance d'Ugolin. Puis, elle descendit avec l'ânesse dans un petit ravin des Refresquières où le ruissellement des pluies avait laissé une longue traînée d'argile bleue, et presque pure. Avec le précieux couteau, elle en découpa des pains, dont elle remplit les poches de sparterie, et fit deux voyages à la grotte. Enfin, elle remonta au Plantier, et elle fabriqua un petit sac avec un carré de juste replié et cousu à la façon des savetiers, avec un clou et une double ficelle : elle le remplit d'un ciment grumeleux, et sans doute éventé, mais encore capable de durcir dans l'eau.

« Qu'est-ce que tu veux faire? demanda Baptistine.

— Je te le dirai peut-être demain soir. »

Après le dîner, elle partit sous le clair de lune, avec son chien, le petit sac de ciment sur l'épaule. Elle marchait à l'ombre des barres, et s'arrêtait souvent pour écouter, tandis que Bicou, le museau pointé, flairait la brise... Elle le fit asseoir en sentinelle, devant l'entrée, lui fit quelques recommandations à voix basse, et pénétra dans le tunnel.

*
* *

Quatre bougies allumées, et ses vêtements noués au-dessus de sa ceinture, elle entra dans l'eau glacée, qui monta jusqu'à ses genoux, poussa le sac de ciment dans l'orifice de sortie, et le tassa avec le manche du râteau. Enfin, elle pétrit dans l'eau les pains d'argile, et les écrasa sur le sac et la roche qui l'entourait.

146

L'eau montait lentement, et quand elle eut fini son ouvrage, ses mains étaient gourdes, et elle ne sentait plus ses jambes : elle remonta péniblement sur la berge inondée, et dut s'accrocher aux saillies de la roche pour aller s'asseoir sur la marche du tunnel... Tout en frictionnant ses cuisses glacées, elle vit l'eau miroitante atteindre le seuil de la galerie opposée, le franchir tout à coup, en plonger sur la pente... Elle entendait le murmure d'une petite cascade qui emportait dans la nuit l'or d'Ugolin, et les récoltes de ses complices, et elle dit à mi-voix :

« Il y en a que ça faisait rigoler! »

Elle écouta longtemps ce bruit délicieux, puis elle reprit ses outils, souffla sur la flamme des bougies mourantes, et se glissa hors de la grotte... : le chien l'attendait; conscient de sa mission, il dressait l'oreille au moindre bruit. Alors, longuement, elle entassa des pierres dans la crevasse, de crainte qu'un lapin poursuivi ne cherchât un refuge dans la grotte, bientôt suivi par un chien puis par un chasseur. Enfin, à la lueur des étoiles, elle alla déraciner un térébinthe, et un gros genêt épineux, qu'elle planta devant l'entrée condamnée, puis, lourdement chargée de ses outils, et précédée par son gardien, elle remonta au Plantier.

Sa mère s'était endormie, un livre entre les mains, la lampe allumée. Le réveil sur la commode marquait minuit. Elle souffla sur la flamme jaune, se coucha, et refit ses comptes.

L'eau cesserait probablement d'arriver au bassin vers sept heures du matin. Mais la source des Romarins qui était un peu plus près de la grotte, serait sans doute tarie plus tôt, tandis que la fontaine du village, alimentée par la provision du bassin coulerait encore jusqu'à midi, et peut-être plus tard...

De toute façon, ce serait une grande et belle journée.

147

Elle avait d'abord eu l'intention d'aller se cacher sous la pinède des Romarins, pour assister à la surprise et au désespoir d'Ugolin, puis de traverser le village, sous prétexte d'une visite au cimetière, pour s'assurer de la mort de la fontaine. Mais elle pensa qu'il serait imprudent de s'approcher trop tôt des lieux du désastre, car tous ceux qui étaient au courant du crime qui avait tué son père, feraient peut-être un rapprochement qui la désignerait aux soupçons... Il valait mieux, pour être informée du résultat, envoyer au village la vieille Baptistine.

Épuisée, elle dormit profondément jusqu'au grand jour.

Baptistine trayait les chèvres devant la cabane.

« Ma belle, dit Manon, j'ai besoin de toi. Tout à l'heure, nous irons cueillir des fleurs dans la colline, et tu iras les porter au cimetière.

— Bon, dit la vieille. Justement, j'ai envie d'y aller. Je demande la clef au forgeron, et j'y vais un peu parler à mon Giuseppe, et à notre maître.

— Ensuite, tu feras les commissions. Deux gros pains, du sel, du poivre, trois côtelettes...

— Écris-le-moi sur le papier, dit la vieille. Je le montre au marchand, et il comprend. J'y vais tout de suite?

— Non. A onze heures. Je t'accompagnerai jusqu'aux barres du Saint-Esprit, avec les chèvres, et je t'attendrai. »

ALA terrasse du café de Philoxène, sur la place, les mécréants buvaient leur apéritif de midi. L'instituteur leur faisait une petite conférence sur un très vieux proverbe provençal qui dit, traduit en français :
« Vent de nuit
« Dure un pain cuit »,
c'est-à-dire « le temps de cuire un pain ».

« A mon avis, disait-il, il s'agit d'un faux sens caractérisé. Je crois que le véritable proverbe disait jadis :
« Ven de nuei,
« Duro pas ancuei »,
et par contraction : « pancuei ». Ce qui signifie : « Le vent qui se lève la nuit ne durera pas aujourd'hui. »

— Ça, c'est pas sûr ! dit le boulanger, qui se voyait chassé d'un proverbe.

— Eh bien, moi, dit M. Belloiseau, je crois que vous avez cent fois raison, car « dure un pain cuit » assignerait au vent de nuit une durée fixe, et limitée à moins d'une heure, alors qu'il se lève souvent avant minuit et tombe au lever du soleil ! Je dirai même plus, car... »

Non, M. Belloiseau n'eut pas le temps d'en dire plus, car une voix puissante lui coupa la parole. La vieille Baptistine, qui était passée une heure plus tôt pour demander la clef du cimetière à Casimir, venait de surgir au bout de la place : elle hurlait des injures et des malédictions. Des enfants la suivaient en riant, des femmes parurent sur les portes. La Piémontaise s'avança jusqu'à la terrasse. Elle criait toujours, d'une voix d'homme, et tout à coup, elle lança la lourde clef du cimetière à la tête de Casimir, qui l'esquiva par miracle, et une vitre du bar vola en éclats.

« Hé là! cria Philoxène, mais vous êtes folle ma pauvre vieille! Qu'est-ce que ça veut dire, de casser les vitres des gens? Surtout quand on n'a pas un franc pour payer les dégâts? »

Mais elle criait toujours, la figure convulsée de rage et mouillée de larmes, en montrant son poing à Casimir, qui expliqua rapidement le drame.

La veille, il avait été obligé de mettre le corps de Giuseppe à la fosse commune, parce que le trop peu généreux « atrapénoure » n'avait payé qu'une concession de deux ans, et qu'il fallait faire de la place pour la vieille Jeannette des Bouscarles, qui venait de recevoir les derniers sacrements.

« Je le lui ai expliqué tout à l'heure en lui donnant la clef, dit Casimir, mais elle ne l'a compris que maintenant... Écoutez-moi, Baptistine... »

Mais elle criait comme une bête, avec des geste de folle, si bien que trois chiens l'entouraient d'aboiements furieux, tandis que le fox-terrier de Philoxène, venu en traître par-derrière, lui arrachait un grand pan de sa robe... Elle le jeta au loin d'un coup de savate, monta deux marches de l'escalier de M. Belloiseau, et les bras levés, elle lança une malédiction solennelle.

« Crèvent les porcs! Crèvent les chèvres! Tombe l'olive! Sèchent les fèves! Les femmes stériles! Les hommes borgnes! Les vieux tout tordus! La grêle sur la vigne! La pépie au poulailler! Les rats dans la cave! Le feu dans la grange! Le tonnerre sur l'église! »

Cette terrible litanie, vaguement comprise, fit rire aux larmes les mécréants, et les enfants poussaient des cris de joie... Mais deux vieilles s'enfuirent épouvantées en faisant des signes de croix, la grosse Amélie parut à sa fenêtre, et cria désespérément :

« Attention! Faites-la taire! Elle nous jette le sort! »

Pamphile et le boulanger laissant jaillir l'index et le petit doigt de leurs poings fermés, les pointèrent à sept reprises vers la sorcière, en poussant le cri de conjuration!

« Hi... Hi... hiii... »

Mais elle criait toujours, effrayante, lorsque la bonne de M. le curé, experte en exorcismes, surgit un bol à la main : c'était de l'eau bénite, qu'elle lança courageusement au visage de l'exaltée. Alors, la Piémontaise réveillée fit un signe de croix, descendit des marches et cria :

« C'est la jettatura! Vous êtes tous perdus! »

Elle leur tourna le dos, et s'éloigna sous les huées.

*
* *

Manon, impatiente, et couchée dans l'herbe depuis une heure, attendait au milieu de ses chèvres broutantes le retour de son amie, sans perdre de vue le village.

Quoiqu'elle ne pût voir la place entourée de maisons, elle espérait que des gens allaient sortir des rues en criant, les bras au ciel, dans une agitation de fourmilière éventrée. Mais tout restait calme, sous le brûlant soleil de midi... Une idée l'inquiéta soudain : la galerie vers laquelle elle avait détourné le ruisselet allait peut-être rejoindre le même canal souterrain, et tout ce qu'elle avait fait n'avait servi à rien... C'était non seulement possible, mais probable — car l'eau suit les pentes, et la pente conduisait au bassin...

Elle en était là de ces réflexions découragées lorsqu'elle vit Baptistine sortir du village, suivie par des enfants qui poussaient des cris et des huées... La Piémontaise se retourna soudain vers eux, brandissant son bâton, et lança des cris si terribles qu'ils prirent la fuite, puis elle descendit le raidillon qui plongeait dans le vallon, et remonta vers Manon qui courut à sa rencontre.

« Qu'est-ce que tu as, Baptistine, ma belle? Qu'est-ce qu'ils t'ont fait? »

La Piémontaise voulut parler, ses lèvres tremblèrent, elle fondit en larmes... Manon l'embrassa, et la fit asseoir à l'abri d'une roche, sous un bouquet de pins. Alors Baptistine lui raconta son malheur, et l'accompagna de lamentations.

« Ils l'ont sorti de la belle boîte, parce qu'ils disent que ça tient trop de place... Et ils l'ont tout mélangé avec les autres, avec des gens qu'on ne connaît pas, et que peut-être ils ont des sales maladies... Et même dans ce trou, il y a Pépito, le bûcheron, un espagnol méchant comme la gale, que Giuseppe l'avait assommé deux fois, parce qu'il lui volait son vin dans le panier, et qu'il lui faisait des grimaces pour se moquer de lui, et puis vite il partait en courant... Et maintenant ça va recommencer toute l'éternité... Et au giudicio finale, comment il fera pour retrouver ses os, que ça se ressemble tous, et puis que personne peut reconnaître ses os, parce qu'on ne les a jamais vus, et ça sera facile de se tromper... Et maintenant qu'il est tout éparpillé, même moi je ne saurais pas le remettre ensemble. Et puis, à quoi ça sert de faire des prières pour lui, sur cette tombe. De tout sûr les autres lui en voleront la moitié! Mais ces gens du village, c'est une bande de porcs, et je leur ai fait la jettatura la plus mauvaise, et ça leur portera malheur. »

Manon la consola de son mieux, en lui disant que pour le giudicio finale, la Madone arrangerait tout, et qu'elle reverrait certainement son Giuseppe tout entier, puis elle lui demanda tout à coup :

« Et mon père ? Ils n'ont pas touché à sa tombe ?

— Je ne sais pas, dit Baptistine. J'étais tellement malheureuse que je n'ai pas bien regardé. Ils ont fait des trous de partout... »

Manon se leva, et prit sa course vers le village.

*
* *

Cependant, à la terrasse du bar, le groupe était renforcé par de nouveaux arrivants la grosse Amélie, les poings sur les hanches, la mère de l'instituteur, qui portait un cabas gonflé de légumes, Anglade qui revenait des champs, la pioche sur l'épaule, Cabridan debout entre deux cruches, et la vieille Sidonie.

Le Papet disait en ricanant :

« Tout ça, c'est des histoires de mémés.

— Tu verras, tu verras ! répliqua Sidonie... Moi j'ai connu la sorcière des Ombrées, qui pouvait faire crever un mulet ou une chèvre avec quatre mots ! »

Amélie cria :

« Et la Piémontaise en a dit plus de quatre ! Moi, je nous vois mal partis !

— En tout cas, dit Cabridan, ma femme revenait du jardin quand la vieille a jeté le sort, et quand elle est arrivée à la maison, le ragoût était tout brûlé, et la grand-mère était tombée dans l'escalier. Elle a une bosse au front comme la moitié d'une prune !

— Et selon vous, dit l'instituteur, ces deux malheurs domestiques sont les premiers résultats de la malédiction ?

— Je n'en suis pas bien sûr, mais quand même, je le crois un peu!

— Si ta grand-mère buvait de l'eau fraîche, dit le Papet...

— Vé, vé, vé, dit soudain Pamphile, qu'est-ce que je vois? »

L'instituteur suivit son regard : Manon, échevelée, arrivait en courant. Elle vit l'instituteur, et s'arrêta devant lui. Elle était blême, des perles de sueur brillaient sur son front et elle dit brusquement :

« Qu'est-ce qu'on a fait au cimetière? »

Philoxène répondit aussitôt :

« On a changé de place le pauvre bûcheron, parce qu'il n'avait pas de concession à perpétuité!

— Et... mon père?

— On n'y a pas touché, et on n'y touchera jamais! »

Elle ferma les yeux, respira profondément.

« Faites-la asseoir! cria Magali, vous ne voyez pas qu'elle va tomber? »

L'instituteur la tenait déjà aux épaules, mais elle s'était reprise, rougit et le repoussa doucement.

« Merci, dit-elle... Je vous remercie... Est-ce que je peux avoir la clef du cimetière?

— Bien sûr, dit Casimir.

— A condition, dit Philoxène, de ne pas venir ensuite casser une autre vitre, comme votre amie!

— Mais faites-lui boire quelque chose! disait Magali... Au moins un peu de café!

— Non, merci madame, dit Manon. Ce n'est pas la peine... merci... »

M. Belloiseau la regardait avec un très vif intérêt, et dit — en croyant chuchoter — : « Surprenante et adorable créature! »

Amélie se tourna vers Pamphile.

« Ça doit quand même te faire plaisir de le voir de près, ton oiseau doré! »

Pamphile, avec une férocité subite, répliqua :

« Toi, rentre à la maison tout de suite! Rentre, ou tais-toi, parce que tu vas recevoir une paire de gifles devant tout le monde! »

Amélie, les poings sur les hanches, hurla :

« A moi, une paire de gifles? A moi?

— Ceci devient intéressant », dit M. Belloiseau.

Mais cette plaisante scène fut brusquement interrompue par une voix désespérée qui appelait : « Papet! Papet! »

Ugolin arrivait au galop, couvert de boue, le visage défait, et hors d'haleine... A dix pas, il cria :

« Papet! La source! La source!... Elle s'est arrêtée!

— Qu'est-ce que tu racontes? dit le vieillard.

— Depuis ce matin, ça ne coule plus!...

— Plus du tout?

— Plus une goutte! »

Une sombre joie réchauffa le cœur de Manon. Ce visage bouleversé de tics, ces yeux hagards, ce pantalon raidi par la boue, c'était un bien beau spectacle... Il continuait haletant :

« Depuis neuf heures ce matin... J'ai creusé une tranchée, j'ai rentré des bâtons dans le trou... Rien, rien... Bonne mère, qu'est-ce qu'il faut faire?

— C'est capricieux, les sources! dit Pamphile. Surtout la tienne! Autrefois, elle coulait... Puis quand il est venu le monsieur de la ville, elle s'est arrêtée... Puis quand tu es venu, elle a coulé pour toi. Puis tout d'un coup, elle s'arrête. C'est son caractère... Mais ne te fais pas de mauvais sang : d'ici trois mois, elle reviendra!

— Mais malheureux, tous mes œillets sont en boutons! Des œillets de luxe, des spécialités!

— Il en a fait quinze mille! dit le Papet.

— Toute ma fortune, tout ce que j'ai gagné, je l'ai

mis là-dedans cette année! Et avec ce soleil, huit jours sans eau, tout est foutu! »

Alors on entendit la voix claire de Manon :

« Il vous reste la citerne!

— Elle me fera deux jours, mais pas plus! »

Dans son désarroi, il n'avait pas reconnu la voix, mais il la vit soudain et demeura un instant interdit.

« C'est toi? Eh bien, toi, tu le sais, qu'avec la citerne, on peut rien faire!

— Eh oui, dit Pamphile... Elle est bien placée pour le savoir.

— Rends-toi compte qu'il me faut huit mètres par jour! Si je ne les ai pas, dans cinq ou six jours, je suis ruiné! Et ce soleil! Regarde ce soleil! C'est le même que celui qui a fait mourir les coucourdes, et qui va brûler mes œillets! »

Il tomba à genoux, leva les bras au ciel, et gémit :

« O Bonne Mère! Bonne Mère!

— Ça suffit! dit brutalement le Papet. Lève-toi, imbécile! D'abord, peut-être que l'eau est déjà revenue pendant que nous parlons... Et si elle se fait attendre, il y a la fontaine. Avec deux mulets, et même quatre mulets s'il le faut, et quatre hommes, c'est possible de tenir le coup... Allons d'abord voir là-haut! »

Il se tourna vers Ange.

« Tu viens avec nous, fontainier?

— Je vais d'abord manger, dit Ange. C'est midi et demi! Je monterai après.

— Moi aussi, dit Cabridan.

— Passe d'abord chez moi, dit Anglade. Je te prêterai ma petite pompe... »

Une voix de femme appela soudain.

« Dites, vous autres, venez un peu voir! »

C'était Bérarde, la femme d'Anglade, qui avait placé sa cruche sous le bec de la fontaine.

« Qu'est-ce qu'il t'arrive? dit Anglade.

— Il m'arrive que la fontaine est pas bien en train : ça coule comme mon petit doigt!

— Pas possible! » dit Ange.

Il courut vers Bérarde, et presque tous le suivirent. Depuis des années, le tube de cuivre coulait à plein goulot, mais ce débit venait de se réduire à moins de la moitié.

Dans un grand silence, les hommes échangeaient des regards inquiets.

« Il ne faudrait pas qu'elle nous fasse le coup d'Ugolin! dit Anglade.

— C'est pas possible! dit Philoxène. Elle ne s'est jamais arrêtée depuis cinquante ans! »

Mais sous leurs yeux, le filet d'eau s'amincissait de minute en minute. Manon regardait tous ces gens qu'elle ne connaissait pas, ceux qui avaient gardé le secret de la source, et qui voyaient mourir la leur. Elle n'osait pas encore y croire. Ses jambes tremblaient; Magali la fit asseoir sur une chaise de la terrasse, tandis que tous se rapprochaient de la fontaine : dans le silence, elle entendait le bruit de l'eau qui tombait dans la cruche et tout à coup, un gargouillement étrange, puis le tuyau soupira longuement, et se tut.

Ugolin, hagard, cria :

« Celle-là aussi! Papet, nous sommes perdus! »

Ange, stupéfait, tétait le tuyau, et la voix stridente d'Amélie cria :

« Je vous l'avais dit, qu'elle nous jetait le sort! Vous avez bien ri, pas vrai? Et puis voilà ce qui nous arrive! Il n'y a qu'une chose à faire : c'est de remettre le bûcheron dans sa boîte, sans ça la fontaine ne coulera jamais plus!

— Et si elle ne veut pas nous lever le sort de bonne amitié, cria Sidonie, on lui fait boire un litre d'eau bénite, et on lui chauffe les pieds sur une bonne braise! »

Manon fut effrayée pour son amie. Ces sauvages étaient bien capables de se venger sur elle. Mais M. Belloiseau intervint.

« Mesdames, vous manquez de logique! dit-il.

— Qué logique? Après ce qu'elle nous a fait?

— Je veux dire, reprit le notaire, que si elle a des pouvoirs surnaturels, il serait bien imprudent de la torturer — et si elle n'en a aucun, comme je le crois, il vaut mieux chercher ailleurs la cause de cet accident.

— O fontainier, dit Philoxène, c'est toi que ça regarde! Qu'est-ce qu'il se passe?

— J'en sais pas plus que toi, dit Ange... C'est peut-être un crapaud qui bouche le tuyau, ou une couleuvre... En tout cas, je vais voir au bassin... »

Il partit au galop.

« A mon avis, dit l'instituteur, il ne s'agit pas d'un accident dans la conduite, puisque la source d'Ugolin, qui est située plus haut que le bassin, s'est arrêtée la première... Cet arrêt qui est certainement momentané est sans doute dû à la sécheresse...

— Je ne crois pas, dit Anglade qui arrivait. C'est vrai qu'il n'a pas plu depuis dix jours, et que nous avons un soleil de feu... Mais dix jours, ça nous est arrivé souvent, et jamais ça n'a arrêté l'eau! »

Le boulanger était consterné.

« Si ça dure huit jours, avec quoi je vais faire le pain?

— Et qu'est-ce qu'on va mettre dans le pastis? » dit Philoxène.

Le Papet entraîna Ugolin, frappé de stupeur, tandis que les enfants et les commères envahissaient la place, et que, suivi de sa servante, M. le curé arrivait à grands pas.

Les enfants, que la fontaine n'intéressait guère, vinrent regarder Manon, un peu effrayée par l'arrivée de tant de gens. Elle prit sur la table la clef du cimetière, et se leva. Elle était si pâle que Magali lui dit :

« Je crois que je ferais bien de vous accompagner.

— Je vous remercie, madame, j'ai l'habitude de vivre seule dans la colline...

— Je sais! dit Magali. C'est vous qui avez trouvé le couteau de mon fils, et qui le lui avez rendu... Je vous accompagne jusqu'au portail... »

Elles se mirent en route, Manon se taisait.

« J'adore ces collines, dit Magali. Parfois j'accompagne mon fils, le jeudi. Nous allons déjeuner sur la Tête Rouge, ou sous les barres du Saint-Esprit... Un jour, de loin, il m'a montré votre... habitation... Ce doit être merveilleux de vivre dans une ancienne bergerie — mais peut-être pas très commode?...

— On s'y habitue très bien. Nous avons une source dans la cuisine. Une source absolument pure, et glacée...

— Mon Dieu, dit Magali effrayée, est-ce qu'elle ne s'est pas arrêtée, elle aussi?

— Ce matin, elle coulait comme d'habitude... »

Deux paysans essoufflés qui montaient la côte à grands pas pressés s'avancèrent.

« Qu'est-ce qu'il se passe, madame Magali? L'eau n'arrive plus à notre bassin! Ange l'a coupée?

— Ma foi, dit Magali, je sais qu'il y a quelque chose à la fontaine, et qu'ils ont l'air assez inquiets...

— Malheur! dit le Polyte, ça serait pas le moment qu'elle nous manque! J'ai mille pieds de pommes d'amour, repiqués juste à la fin de juin... Ça serait la grande catastrophe... »

Ils s'élancèrent sur la pente montante... Elles arrivèrent devant le portail du cimetière.

« Alors, je vous laisse ici?

— Oui madame. Merci. Merci. »

Elle ouvrit la lourde grille, tandis que Magali reprenait le chemin du village; mais comme elle était curieuse, elle s'arrêta et revint sur ses pas, mais n'osa pas aller jusqu'au portail. Alors à travers la brume sonore des cigales, elle entendit une musique, celle d'un harmonica; mais l'air qu'il jouait, c'était une danse.

Elle s'approcha, et risqua un regard à travers la grille. Manon, agenouillée, lui tournait le dos, et la joyeuse petite musique étonnait le calme cimetière. Elle fit un pas en arrière, s'éloigna, s'arrêta de nouveau, et dit :

« Elle est bizarre, cette petite... Oui, très bizarre... Mais comme elle est jolie! »

En remontant aux collines, Manon retrouva la Piémontaise qui l'attendait en haut du Baou. Baptistine se mit à danser de joie à l'annonce de l'arrêt de la source... Puis elle voulut redescendre au village pour narguer ces « mangeurs de pois chiches », et au besoin consolider le « sort » par des malédictions nouvelles. Manon l'en détourna, en lui disant qu'ils étaient capables de lui rôtir les pieds, et qu'il vaudrait mieux ne pas se montrer pendant quelque temps.

Elle resta plusieurs jours dans les collines, gardant ses chèvres et ses pièges comme à l'ordinaire. Elle était fière du devoir accompli, et sûre de son bon droit, puisque c'était sans aucun doute la Providence qui lui avait révélé le secret de la source, mais elle se demandait si l'eau ne finirait pas par dissoudre le bouchon d'argile et de ciment si hâtivement mis en place, et d'autre part, il était possible que le nouveau parcours de l'eau souterraine allât, par un détour, rejoindre l'ancien... Matin et soir, elle se glissait sous la broussaille jusqu'au bord de la barre, au-dessus du bassin, pour s'assurer que l'eau n'était pas revenue : mais non ; elle voyait le rectangle de ciment blanchi par le soleil, et deux ou trois gamins chargés d'annoncer la résurrection de la source ; en attendant, ils faisaient la chasse aux limberts, cassaient entre deux pierres des amandes de pins pignons, ou grattaient le ventre d'une cigale pour la faire chanter.

*
* *

Au village, c'était un désastre.

Tous les matins, Philoxène téléphonait à la préfecture, qui avait promis d'envoyer un spécialiste du Génie rural, mais ce technicien tardait à venir, et la situation empirait chaque jour. Les beaux légumes des potagers séchaient sur pied, les puits étaient vides, sauf celui du Papet, qui en avait cadenassé le couvercle, et qui était encore en état de fournir deux litres d'eau par jour pour l'apéritif des mécréants.

Sur la placette, les femmes ricanaient en regardant le pauvre Ange : abruti de honte, il astiquait stupidement le tube de cuivre de la fontaine, comme s'il croyait que ce témoignage de sollicitude pouvait l'encourager à reprendre sa chanson.

Le joyeux boulanger avait résolu son problème par un abominable chantage, car il avait cyniquement déclaré :

« Si vous voulez du pain, apportez-moi de l'eau ! »

C'est pourquoi un paysan partait chaque matin, avec une petite caravane de trois ânes attachés l'un derrière l'autre, pour aller chercher « l'eau du pain » à la fontaine des Ombrées.

Les jumeaux d'Anglade, qui soignaient désespérément de belles planches de choux pommés, allaient tous les jours, avec deux mulets, jusqu'à Ruissatel. Quant au triste Ugolin, il faisait le va-et-vient entre les Romarins et les Quatre Saisons, avec trois charrettes chargées de tonneaux, car le Papet avait loué deux charretiers italiens avec leurs équipages.

Il partait dès l'aube ; toute la journée, sous le soleil dévorant, il marchait en tête du convoi, et le soir, quand les Piémontais demandaient grâce pour leurs bêtes, il faisait encore deux voyages, tirant à bout de bras le fantomatique mulet du Papet dont la progression douloureuse n'était vraiment qu'une chute en avant miraculeusement retardée à chaque pas... La nuit, il parlait au « pauvre M. Jean ».

« Va, va, je sais bien que c'est toi qui m'as coupé la source... C'est bien fait, je l'ai mérité. Mais tu sais bien que c'est pas pour moi que je travaille ! Tu sais bien que toutes ces fleurs, c'est pour elle, c'est pour lui gagner des sous ! Écoute, je te connais, tu es brave, tu es au Paradis. Tu vois bien que j'ai les pieds tellement gonflés que je peux plus me tirer les souliers, tu vois bien que le mulet va crever, et que si ça continue encore huit jours, les œillets sont perdus quand même... Allez, zou, au nom du Père, du Fils et du saint Esprit, rends-nous la source de ta fille, ainsi soit-il, amen, nom de Dieu ! »

*
* *

Un matin, vers sept heures, Manon vit monter vers le Plantier Casimir le forgeron, accompagné par la grosse Amélie et par Nathalie. C'était une délégation, qui venait demander à Baptistine de « retirer le sort », car la fontaine restait muette et l'angoisse gagnait le village.

Casimir assura que les « oss » de Giuseppe avaient été soigneusement récupérés, son cercueil remis à neuf, et que M. le curé allait dire une messe pour apaiser son âme, sans doute irritée par deux déménagements. Pendant que les femmes suppliaient la Piémontaise, Casimir fit un clin d'œil à Manon, et vint lui dire à voix basse qu'il ne croyait en aucune façon à ces diableries, mais que Baptistine ferait bien de descendre au village, et de les régaler de quelques simagrées rétroactives pour calmer les vieilles qui excitaient les mâles contre elle, il ajouta que le village faisait peine à voir, et il décrivit avec complaisance le calvaire du titubant Ugolin, qui « crèverait » probablement en même temps que ses œillets.

Dans l'espoir d'assister à un si plaisant spectacle Manon accompagna son amie aux Bastides.

*
* *

Giuseppe eut les honneurs d'une nouvelle cérémonie au cimetière : les mécréants mirent en doute son efficacité consolatrice, car Casimir leur avait confié qu'il n'était pas sûr que tous les « oss » récupérés fussent bien ceux du bûcheron, mais qu'en tout cas « le compte y était ». Après une messe expiatoire, Baptistine, devant la fontaine, fit le « contre-charme ».

Elle prévint d'abord l'assistance : l'eau ne coulera pas aujourd'hui, parce qu'il faut qu'elle revienne de très loin. Puis, elle enflamma une touffe de verveine sèche, et entama une litanie de bénédictions qui détruisaient une à une les malédictions antérieures. Cette opération magique fit un grand effet sur les femmes et les enfants, mais aucun sur la fontaine, ce qui confirma l'infaillibilité de la sorcière.

Manon avait hâte de monter jusqu'à l'aire, d'où elle aurait pu voir passer Ugolin et ses mulets ; mais l'instituteur l'arrêta au passage, avec un beau sourire d'ami, et lui dit :

« C'est vous que je cherche : on vous attend à la mairie. »

Elle fut surprise, et déjà inquiète. Que lui voulait-on?

L'instituteur continuait :

« Le maire a obtenu de la préfecture qu'on nous envoie un ingénieur du Génie rural, pour percer le mystère de la source. Ugolin l'a déjà conduit aux Romarins, parce que c'est là que la catastrophe a commencé. Mais il voudrait qu'on lui indique les points d'eau qui ne figurent pas sur ses cartes, et nous avons pensé à vous. Venez. »

Il l'entraîna vers la mairie.

« Pourquoi à moi?

— Parce qu'un jour, un vieux chercheur d'asperges, dans la colline, vous a appelée « la fille des Sources ».

Les craintes de Manon grandirent. Cet ingénieur allait lui poser des questions, et il faudrait lui répondre sans la moindre hésitation, et en le regardant bien en face. C'était certainement un savant; peut-être, par des calculs et des raisonnements, il allait découvrir le secret de la grotte; peut-être même était-elle marquée sur ses plans... Et alors, on trouverait les restes des bougies, et les empreintes de ses pas.

* * *

Le maire et le Génie rural examinaient une carte coloriée, étalée sur la grande table.

L'ingénieur était un jeune homme très noir de poil, aux lunettes cerclées d'or, et il portait une veste de chasse.

« Petite, dit Philoxène, regarde un peu ce plan. Les sources que nous connaissons sont marquées d'un rond bleu. Est-ce qu'il y en a d'autres? »

L'ingénieur poussa le document sous les yeux de Manon, puis du bout de son crayon, il lui montra la

Perdrix, le Plantier, et la Font du Berger : elle vit avec un grand soulagement que la grotte n'était pas signalée, et elle cita aussitôt quatre sources ignorées : Le Laurier, la Font de la Ser, la Niche et le Pétélin, mais elle ne sut pas bien les localiser sur le papier.

« En tout cas, dit l'instituteur, vous pourriez nous y conduire?

— Oui bien sûr. »

L'ingénieur se leva.

« Eh bien, nous vous suivons. »

* * *

En route, avec un très bel accent de Narbonne, il expliqua que la position des différents points d'eau pourrait peut-être lui révéler le trajet souterrain de la source tarie, et que ces recherches étaient une excellente occasion de compléter « l'orographie » de la région. Il déployait à chaque instant sa carte, y inscrivait des signes mystérieux après avoir longuement regardé le paysage. Pendant ce temps, Bernard posait à Manon mille questions.

« Depuis l'âge de huit ans, vous n'avez pas eu de petits camarades?

— Non. Mes camarades, c'est mon ânesse, mon chien, mes chèvres et puis Enzo et Giacomo. Ce sont des bûcherons piémontais, comme Baptistine.

— Et vous ne vous ennuyez pas, dans cette solitude?

— On n'est jamais seule dans la colline. Il y a tant de bêtes qu'on ne voit pas, et qui vous regardent... Et souvent des gens qu'on regarde, et qui ne vous voient pas...

— Comme moi, le premier jour.

— Oui, comme vous.

— Vous pensez rester toute votre vie dans la garrigue?

« — Je voudrais bien. Et puis, je dis ça maintenant, mais peut-être plus tard je changerai d'idée...

— Vous avez dix-sept ans ?

— Non, pas encore. Presque seize.

— J'aurais cru davantage...

— C'est sans doute la vie au grand air... La vie naturelle... Tenez, voilà la source du Laurier. »

Elle montra, sous un très vieux laurier tordu, une petite construction de pierre sèche couverte par une grande plaque de roche : il en sortait un très mince ruisselet, qui se perdait aussitôt dans la pierraille.

L'ingénieur s'approcha et trempa ses mains dans l'eau.

« Est-ce que c'est là son débit normal ?

— Oui. Il faut un gros orage pour qu'elle coule un peu plus fort. »

Il examina les alentours, et prit encore des notes.

L'instituteur ramassait des pierres, Manon cueillait des bouquets de pèbre d'aï, et l'on vit soudain arriver Bicou, courant plus vite qu'un lièvre, et qui fit d'extravagantes démonstrations de joie en retrouvant sa maîtresse bien-aimée, qu'il croyait perdue à jamais quand elle le quittait une heure. Puis, il se mit à fouiller les broussailles, à la recherche d'une couleuvre ou d'un mulot.

Pour aller à la Font de la Ser, une source goutte à goutte des Refresquières, ils passèrent non loin de la grotte du secret. Manon en détourna les yeux, et s'efforça d'attirer l'attention sur l'autre coteau du vallon, en disant que c'était là qu'elle gardait le plus souvent ses chèvres, parce que l'herbe y verdoyait longtemps, à cause d'une certaine humidité : mais Bicou, qui avait bonne mémoire, partit comme un trait vers la grotte, et appela sa maîtresse par des aboiements enthousiastes. Manon, inquiète, le rappela aussitôt.

« Ici ! Ici tout de suite ! »

Le chien revint au galop, l'entoura de quelques bonds joyeux, et tenta de l'entraîner vers l'endroit fatal en tirant le bas de sa robe. L'instituteur parut surpris.

« Ce chien veut nous montrer quelque chose, dit-il.

— Certainement, dit Manon. Un lézard vert, ou une gerboise... »

Mais Bicou était reparti, et il grattait le sol au pied du pételin postiche, devant l'entrée de la galerie... Manon, affolée, prit sa fronde dans sa musette, et lança dans sa direction une pierre ronde, aussi grosse qu'une pomme d'api. Elle voulait, comme d'habitude, le manquer de peu, pour l'effrayer mais elle était si effrayée elle-même qu'il reçut le projectile sur la tête. Il poussa un hurlement déchirant, et prit la fuite vers le Plantier, ululant de douloureuses protestations que les échos multipliaient ; Manon vit avec terreur qu'il ne courait pas droit devant lui, mais selon la diagonale de son corps.

L'instituteur la regarda, surpris.

« Vous êtes adroite, mais cruelle. J'ai entendu sonner son crâne...

— Tant pis pour lui, répliqua le savant. Il n'avait qu'à obéir.

— Je suis persuadé, dit l'instituteur...

— Tenez, dit Manon, voilà la Font de la Ser. »

*
* *

Ils finirent leur tournée vers midi. Au moment de se séparer, sur l'épaule de la Tête Ronde, Manon tendit au jeune homme le gros bouquet de pèbre d'aï, lié d'un brin de genêt.

« C'est pour votre mère, dit-elle. Le meilleur pèbre d'aï de tout le pays... Surtout dans le civet de lapin.

— Merci pour elle — et pour moi!... Demain matin, à la séance publique du Conseil municipal, notre savant fera son rapport sur la situation. Ne viendrez-vous pas?

— Peut-être. »

MON cher maire, dit l'ingénieur, je n'ai malheureusement rien d'agréable à dire à tous ces braves gens.

— C'est pour ça, répondit Philoxène, qu'il faut que ce soit vous qui le disiez. »

Ils étaient, avec l'instituteur, dans le cabinet du maire.

« Vous comprenez, reprit Philoxène, moi j'ai besoin de leurs voix pour être élu : alors, j'aime pas annoncer les mauvaises nouvelles. Tandis que vous, ça n'a pas d'importance. Vous n'avez qu'à leur dire votre rapport.

— Je l'ai fait pour mes chefs, c'est du langage technique : ils n'y comprendront rien.

— Tant mieux. Comme ça ils verront que c'est sérieux, et ils auront encore un peu d'espoir.

— Ils nous attendent depuis une demi-heure », dit l'instituteur.

Philoxène se leva.

« Allons-y! »

La grande salle était pleine d'une foule silencieuse, debout autour des barrières blanches qui protégeaient sur trois côtés la longue table. Les conseillers (le Papet, Anglade, Ugolin, Pamphile, Casimir, le boulanger, Ange et le boucher), les bras croisés, leurs coudes appuyés sur le tapis vert, attendaient immobiles.

Avec une certaine solennité, Philoxène fit asseoir le Génie rural près de lui, tandis que l'instituteur, secrétaire du Conseil, allait siéger au bout de la table, derrière une pile de registres et de dossiers. Il parcourut du regard les cinquante visages alignés au-dessus des barrières : presque tous les paysans étaient là, et il y avait aussi un bon nombre de femmes : la grosse Amélie, la Bérarde, Miette, et même Marinette, la bonne de M. le curé, que Philoxène considérait comme « l'espionne des Jésuites ». Bernard découvrit Manon au fond de la salle. Ses cheveux étaient serrés dans un foulard bleu, qui dessinait l'ovale de son visage. Elle était au premier rang, ses mains brunes posées sur la barrière blanche. Derrière elle, se dressait la haute silhouette de M. Belloiseau, sous un joli feutre gris perle. Il paraissait charmé de ce voisinage, et ses narines palpitaient.

Manon était grave et tendue. Elle craignait le rapport du savant. Ugolin la regardait de toutes ses forces, et le Papet ne la perdait pas des yeux.

Enfin, dans un silence lugubre, la sonnette du maire tinta, et il dit :

« La séance est ouverte. »

Quoiqu'il parlât d'abondance à la terrasse de son café, il était cependant incapable de prononcer un discours sur un sujet fixé d'avance : la vue de plusieurs personnes qui le regardaient en silence le paralysait. Il disait : « Ça m'embrouille les idées, ça me fait bégayer du cerveau. »

Enfin, il déclara :

« Voilà, j'ai réuni le conseil pour cette question de l'eau. »

Ugolin se leva brusquement, et dit avec force :

« Ce n'est pas une question, c'est une catastrophe! »

La foule accueillit cette vigoureuse mise au point par des murmures d'approbation... Ugolin regarda Manon avec un petit sourire de fierté, et se rassit.

« Parfaitement, dit Philoxène, c'est une catastrophe. Mais grâce à mes efforts personnels, et grâce à mon téléphone, j'ai pu appeler à notre secours le Génie rural. Et le Génie rural, le voilà! »

L'ingénieur salua de la tête, et prit la parole.

« Messieurs, j'ai étudié votre problème, et je ne puis mieux faire que de vous lire le rapport que j'ai établi cette nuit pour M. l'ingénieur en chef... »

Une rumeur d'espoir traversa l'assemblée.

« Je veux d'abord remercier la charmante bergère dont la collaboration nous fut très précieuse : en nous signalant quelques points d'eau ignorés, elle nous a permis de compléter l'orographie locale avec une parfaite précision. »

Ugolin se leva aussitôt et cria « Bravo! » tout en applaudissant : mais seuls l'instituteur et M. Belloiseau l'imitèrent discrètement tandis que Manon rougissait jusqu'aux oreilles.

« Voici maintenant mon rapport. »

Il avait tiré de sa serviette une petite liasse de feuillets, et en commença la lecture.

« La source de la Perdrix, qui alimentait jusqu'ici la fontaine du village, était la plus importante et la plus constante de la région. »

Cet imparfait qui reléguait la source dans le passé, ne fit pas très bonne impression.

« Elle sortait d'une fissure entre deux couches de calcaire qui appartiennent au crétacé supérieur. Il ne s'agit donc pas d'une source issue d'une diaclase, mais d'une résurgence du type vauclusien. »

Philoxène prit un air grave, regarda l'assistance, leva l'index, et dit :

172

« Ne confondons pas! »

L'ingénieur reprit en détachant les syllabes :

« Il n'y a pas de nappe phréatique, ni de frange capillaire, comme le prouve l'examen de la surface du sol supérieur, ou de la paroi. »

Le boulanger se pencha vers l'instituteur, et chuchota : « C'est un savant, c'est un vrai savant... »

La foule écoutait dans un grand silence inquiet, tandis que le vrai savant continuait :

« Il est donc clair que la couche perméable contenue entre deux couches imperméables, affleurait par sa tranche. L'eau glissait sur le toit de l'imperméable inférieur, mais contenue par le plafond de l'imperméable supérieur, elle se mettait sous pression, et formait ainsi une nappe captive qui alimentait le bassin par une résurgence, et le bassin lui-même alimentait la fontaine au moyen d'un tuyau de fonte qui amenait l'eau jusqu'au village par gravité. »

Ugolin, lugubre, murmura :

« Oh oui! C'est le cas de le dire! Quelle gravité! »

— Or, le 26 août dernier, la fontaine fut brusquement tarie, et le village se trouve totalement privé d'eau. Appelé par M. le maire, et mandaté par l'administration, nous avons recherché la cause ou les causes de ce déplorable accident. Tout d'abord, quelle était l'origine de cette eau? Nous avons par bonheur un très précieux document. »

Un frisson d'espoir courut sur la foule, tandis qu'il dépliait sur la table une grande carte en couleurs. Manon se dressa sur la pointe des pieds, mais elle ne vit rien d'autre que des plaques de vert, de rouge et de bleu.

Philoxène après avoir examiné le « très précieux document » fit deux hochements de tête et un sourire, qui donnèrent confiance à l'assemblée; Pamphile vint se pencher sur son épaule, et dit à haute voix :

« Ça devient intéressant ! »

L'instituteur regarda Manon, qui lui parut un peu inquiète, pendant que le Génie rural reprenait :

« Il s'agit d'une étude de M. l'ingénieur en chef, qui résume et précise de la façon la plus claire et la plus utile les expériences faites il y a cinq ans dans cette région. »

Personne ne comprit que ces éloges n'avaient d'autre but que de flatter la vanité du puissant chef à qui ce rapport s'adressait : il y eut un grand silence attentif et Ugolin prit la mine du chasseur qui attend le lapin à la sortie du trou.

« En effet, poursuivit le savant jeune homme, par les soins de nos services, toutes les sources de la chaîne de la Sainte-Baume furent colorées en vert au moyen de tétraoxylphtalophénone anhydride, plus connu sous le nom de fluorescéine. Ces expériences nous permirent de tracer de façon définitive la courbe isochronochromatique, qui, combinée avec la courbe isogradhydrotimétrique, nous donne une parfaite représentation de l'orographie du bassin hydro-géologique. »

Ces mots, aggravés par les r pétaradants de l'accent de Narbonne, étaient puissamment scientifiques, et ils firent un gros effet. Mais le Papet ricana, et dit tout haut :

« A la tienne, Étienne ! »

Tous les regards se tournèrent vers lui, mais l'ingénieur continuait :

« Or, une enquête sur place prouva que la source des Bastides Blanches n'avait pas été colorée par la fluorescéine.

— Ah ! s'écria soudain Philoxène, je me rappelle qu'un jour il est venu un barbu bien habillé, qui a passé toute la journée à la terrasse de mon café : il buvait des pastis : il en a bu douze. Et puis de temps en temps il se levait, il allait remplir un verre à la

174

fontaine; mais au lieu de boire, il regardait le soleil à travers l'eau, et puis il la jetait. Naturellement, je lui ai demandé ce qu'il faisait : il m'a dit qu'il vérifiait la couleur de l'eau, et que si par hasard elle coulait verte, il faudrait téléphoner à la préfecture poste 102.

— C'est mon bureau, dit l'ingénieur.

— Eh bien moi, avoua Philoxène, je l'ai pris pour un fada, et qu'à force de boire du pastis, il espérait d'en voir couler à la fontaine! »

L'ingénieur sourit, et répliqua :

« C'est grâce à ce « fada » que cette source ne figure pas sur le précieux graphique de M. l'ingénieur en chef, et que nous savons qu'il n'est pas possible de l'intégrer dans l'orographie de l'Huveaune, ou de l'un de ses affluents.

— Et à quoi ça nous avance? demanda le Papet.

— C'est un grand pas de fait! dit l'ingénieur. Puisque nous savons en toute certitude, que l'eau ne venait pas du voisinage, nous pouvons donc en conclure qu'elle venait de loin.

— Ça nous fait belle jambe! riposta le vieillard.

— Évidemment, cela ne résout pas votre problème, mais nous permet de le poser correctement, et de vous dire qu'il ne sera pas facile d'en trouver la solution! »

Le Papet ricana si fort qu'il en eut une quinte de toux; l'ingénieur lui lança un regard sévère, et reprit :

« Or, la longueur du trajet souterrain rend d'autant plus difficile la localisation de l'accident, qui peut être expliqué par quatre hypothèses différentes. »

A ce moment, Ugolin leva la main.

« Je demande la parole!

— C'est pas le moment, dit Philoxène.

— Ce que je veux dire, c'est court : moi je trouve qu'au lieu de parler si longtemps, il devrait d'abord nous remettre l'eau, et il nous expliquerait APRÈS!

— Cher monsieur, répliqua l'ingénieur, il me semble que vous me prenez pour le fontainier, qui n'a qu'à ouvrir les prises avec sa clef : vous allez voir qu'il n'en est rien. »

Il enchaîna :

« Première hypothèse : la sécheresse. Il est certain que notre région n'a pas été favorisée par les pluies. Il ne s'agit pas, à vrai dire, d'une sécheresse véritable, et votre source, depuis cinquante ans, en a supporté de bien pires. Toutefois, il est possible qu'une légère baisse des niveaux souterrains soit la cause de vos ennuis. En effet, comme la résurgence est cernée par des chaînes parallèles de dolomies dans la série jurassique, elle doit certainement les franchir par un système de siphons. Vous savez ce que c'est qu'un siphon ?

— Voui ! dit Ugolin. C'est comme quand on tire le vin avec un tuyau de caoutchouc...

— Exactement. Eh bien, il est probable qu'à la première pluie, le siphon ou les siphons se ré-amorceront, dès que le niveau du lac souterrain qui vous alimente sera remonté à sa cote habituelle. »

L'affirmation de l'existence de ce lac fut saluée par des murmures optimistes, et Philoxène, l'index levé, dit avec force :

« Un lac souterrain ! »

Puis il regarda sévèrement le Papet, et ajouta :

« Ceux qui discutent le progrès n'ont pas toujours raison ! »

Ugolin se leva, radieux, et tendit les bras vers l'ingénieur.

« Moi, si le progrès me remet l'eau, moi, le progrès, je l'embrasse ! En tout cas, dès que ma source coule, il y a cent francs pour le progrès ! Oui, cent francs ! Les voilà ! »

Et il déposa sur la table un billet plié en quatre.

La voix du Papet s'éleva de nouveau.

« Attends la suite! La suite des couillonnades! »

On entendit quelques rires, tandis que le Génie rural reprenait :

« Nous pouvons maintenant offrir trois autres explications de l'accident.

— Nous y sommes, cria Philoxène. Écoutez!

— Deuxième hypothèse : l'eau, par un phénomène naturel, a fini par user, en un point de son parcours, la couche imperméable inférieure, et elle a plongé Dieu sait jusqu'où, pour aller ressortir ailleurs, et peut-être même sous la mer. »

Il y eut un silence stupéfait, puis des murmures, et le Papet cria :

« Voilà un bon hypothèque! Il est drôle, votre hypothèque! »

Philoxène agita sa sonnette et cria :

« Mais attendez! Il a dit trois autres explications! Continuez, monsieur l'ingénieur...

— Troisième hypothèse. Le ruisseau souterrain, ayant percé son lit, tombe en ce moment dans une caverne, ou dans un système de cavernes imperméables. Lorsque ces cavités seront pleines, l'eau reprendra son ancien niveau, et la source coulera de nouveau.

— Ça, c'est déjà mieux! dit Philoxène. C'est acceptable!

— Et dans combien de jours? demanda Ugolin.

— Il est impossible de préciser dit l'ingénieur. Peut-être deux jours, peut-être deux ans.

— Peut-être cent ans! cria le Papet.

— Ce n'est pas exclu », répliqua froidement le savant.

Ugolin escamota promptement son billet de cent francs, tandis qu'un murmure d'indignation faisait frémir l'assistance; mais sans daigner l'entendre, le savant continua sa lecture.

« Quatrième hypothèse : un éboulement souterrain. Cet accident est d'autant plus probable que nous avons dans la région un certain nombre de puits de lignites, qui font sauter des mines lorsqu'il leur faut traverser un banc de roche. L'ébranlement causé par ces explosions peut se transmettre à de grandes distances, et a peut-être provoqué un tassement des couches molles ou instables, tassement qui a bouché le canal. »

Un murmure d'inquiétude de la foule fut dominé par quelques exclamations désolées.

« Ayayaïe! dit Pamphile, tandis qu'Anglade secouait la tête, en disant : « Sian pouli... » (Nous voilà jolis!)

— Eh bien, non! reprit l'ingénieur. Ne vous alarmez pas, car dans ce cas, nous avons un espoir.

— Écoutez! Écoutez bien! cria Philoxène.

— En effet, il est possible que ce bouchon soit composé de sable et de graviers, ou peut-être d'argile : dans ce cas, l'action d'une eau sous pression est capable de le traverser, de le déliter, ou de le fondre. Il est possible que cette opération s'accomplisse en un temps relativement court... »

Les visages s'éclairèrent, mais l'ingénieur ajouta, fort paisiblement :

« De six jours à un mois, car l'expérience prouve qu'après un mois, il devient déraisonnable d'espérer.

— Mais alors, cria Ugolin, qu'est-ce que nous allons devenir?

— Et le pain? » cria le boulanger.

Une rumeur grandissante monta de la foule.

« Mais enfin, dit l'ingénieur, vous avez bien des puits?

— Il n'y en a que trois dans le village, répondit le boulanger, et maintenant, ils sont à sec! Tous les jours, il faut faire des kilomètres pour l'eau du pain et de la soupe!

— Et les citernes? dit l'ingénieur. D'habitude, chaque maison a sa citerne!

— Bien sûr, dit Casimir, mais on ne s'en servait pas depuis bien longtemps. On en a fait des caves. Naturellement, on peut les remettre en service, mais s'il ne pleut pas? Et puis, pour l'arrosage, une citerne ça dure huit jours, et encore!

— Et alors, dit Ugolin, qu'est-ce que vous pouvez faire pour nous?

— Pour vos besoins domestiques, je peux vous envoyer de l'eau.

— Et pour mes œillets?

— Ne nous casse pas les pieds avec tes œillets, s'écria brutalement le boulanger. Tes œillets, c'est que de l'argent, et justement tu n'en as pas besoin.

— Et toi, ton pain, tu ne le fais pas payer? » cria le Papet.

Mais Philoxène agita sa sonnette, et décréta :

« Le pain d'abord. Les fleurs, c'est pour le cimetière : ça peut attendre. Continuez, monsieur l'ingénieur.

— Soit. Quelle est la population du village? »

L'instituteur ouvrit ses registres.

« Cent quarante-trois personnes, dit-il.

— Plus les bêtes! dit Anglade. Au moins douze mulets, et une vingtaine d'ânes!

— Et les cochons? dit le boucher, dans chaque famille, il y a au moins un cochon! »

Comme Nathalie éclatait de rire, il ajouta :

« Je veux dire à quatre pattes, avec de longues oreilles!

— Ça fait combien de cochons?

— Une cinquantaine », dit l'instituteur.

L'ingénieur, le crayon à la main, fit un petit calcul et annonça :

« Je puis vous envoyer cinq mille litres par jour. »

Ugolin nerveux se leva :

« Et mes œillets? Combien vous m'envoyez pour mes œillets? »

Alors Pamphile et Casimir, par une même inspiration, mirent leurs mains en porte-voix, et hurlèrent :

« MERDE! »

Le savant jugea cette réponse suffisante et poursuivit :

« Ce camion quotidien peut suffire à couvrir vos besoins les plus urgents, mais c'est un gros effort de mon administration, et il est douteux qu'elle le prolonge plus d'un mois.

— Et alors, si l'eau ne revient pas d'ici un mois, dit le Papet, qu'est-ce que vous pourrez faire pour nous? »

L'ingénieur répondit aimablement :

« Je pourrai vous faire mes condoléances, et vous conseiller d'aller cultiver la terre ailleurs. Il ne manque pas de villages dépeuplés, qui ont de l'eau en abondance, et qui seront heureux de vous accueillir. »

De violentes protestations s'élevèrent, et Philoxène déclara, avec une autorité souveraine :

« Non, monsieur, non. Le conseil municipal ne peut pas accepter ça.

— Je crois pouvoir vous affirmer, dit gravement le savant, que l'autorité des conseils municipaux sur les phénomènes souterrains peut être mesurée par un nombre voisin de zéro. »

Tandis que Philoxène ouvrait ses yeux tout grands, la voix du Papet retentit.

« Cinquième hypothèque! cria-t-il. Et celui-là, c'est le bon!

— Vous nous feriez grand plaisir en nous l'exposant! » répondit l'ingénieur.

Le Papet, s'appuyant des deux mains sur la table, s'était déjà levé.

« Monsieur le Génie a dit tout à l'heure qu'ils

avaient mis une poudre verte dans les sources. Et
bien, moi je dis que c'est cette poudre qui a fini par
se pastisser tout ensemble, ça a fait comme un
mortier, et c'est ça qui a bouché la fontaine ! »

Ces paroles absurdes parurent faire grand effet sur
les vieux paysans qui hochaient la tête, tandis que
l'instituteur haussait les épaules, et que M. Belloiseau
éclatait de rire.

Mais le Papet se tourna vers Bernard, et reprit
avec force :

« N'oubliez pas que c'est une poudre CHI-
MIQUE, et les chimiques, on sait ce que c'est ! »

L'ingénieur, avec un sourire narquois, répliqua :

« Tout justement NON, vous ne le savez pas, et
vous ignorez qu'il suffit d'une poignée de cette
poudre pour colorer une rivière sur plusieurs kilomètres !

— Allons donc ! cria le vieillard, quand on voit
combien il faut de Pernod pour faire venir vert un
verre d'eau, moi je dis qu'il en faudrait cinquante
tonneaux pour changer la couleur d'une rivière. »

L'ingénieur, tout en ramassant ses feuillets,
regarda Bernard en riant, et dit :

« Malgré l'intérêt de cette discussion scientifique,
je crois qu'il est temps de me retirer pour aller
m'occuper de votre camion. »

Pendant qu'il refermait sa serviette, le Papet
trépignait sous la table, et criait.

« J'en étais sûr ! Je le savais que ça finirait comme
ça ! Lui, c'est un menteur, le maire c'est un couillon,
et moi je me régale ! C'est ça l'administration ! La
voilà, l'administration ! »

L'ingénieur, avec une sérénité parfaite, répliqua :

« Monsieur, j'ai l'honneur de vous informer que
l'administration vous emmerde. Le camion viendra
après-demain dimanche. Mesdames et messieurs, je
vous salue. »

Cependant, un petit garçon, debout sur la fenêtre, qui avait écouté la discussion l'oreille collée contre une vitre, criait :

« C'est l'homme de la ville qui a bouché la source avec un camion de poudre verte ! »

C'est pourquoi deux douzaines d'enfants accompagnèrent son départ de cris et de huées, et le suivirent jusqu'au boulevard, où une intervention foudroyante de M. le curé les dispersa.

LA foule sortit en silence : les uns, la tête basse, d'autres en courant, pour aller visiter leurs champs; Ugolin et le Papet étaient partis les premiers, suivis d'Anglade et de Casimir. Il ne resta plus autour de la table que Philoxène, l'instituteur, le boulanger et le boucher : ils essayaient de tirer des conclusions rassurantes du terrible rapport qu'ils venaient d'entendre.

Manon traversait à pas lents la cour de la Mairie, lorsque M. Belloiseau la rejoignit et lui dit sur le ton le plus galant :

« Eh bien, mademoiselle, j'ai l'impression que ce savant jeune homme, malgré votre aide, n'en sait pas plus que nous, et n'est pas en état de nous tirer d'affaire! Heureusement, il nous reste M. le Curé! »

Et comme elle le regardait avec surprise :

« Oui. Sa fidèle servante disait tout à l'heure aux commères qu'il sait le secret de la source, et qu'il va le révéler dimanche matin dans son sermon.

— Et comment le sait-il?

— Ma foi, dit M. Belloiseau, la servante prétend qu'elle l'a entendu préparer le sermon dans sa chambre, et qu'il disait avec force : « Qui a bouché la source? Eh bien, moi, je le sais, et je vais vous le dire! » Entre nous, je suppose... »

Mais M. Belloiseau ne supposa pas plus loin, et dit sur le ton d'une curiosité inquiète :

« Qu'est-ce que c'est que ça ? »

Eliacin, la grande brute qui exploitait une petite ferme des collines, descendait à grands pas vers la Mairie : il venait de renverser au passage la vieille Phrasie, sans daigner se retourner pour répondre à des injures méritées.

Un gros bâton de cade à la main, le feutre noir rabattu sur les yeux, il passa près d'eux sans les regarder, et marcha vers la salle du conseil. Il y entra en coup de vent, et referma brutalement la porte, dont les vitres tremblèrent : on entendit aussitôt sa voix puissante et rugueuse. Manon courut vers la fenêtre fermée, suivie de M. Belloiseau, pour essayer d'entendre et de voir.

Eliacin, les poings sur les hanches, criait dans la figure de Philoxène :

« Qui c'est, le président du Syndicat de l'eau ? C'est pas moi, c'est toi ! »

Bernard, le boulanger et le boucher se levèrent aussitôt, et mirent, eux aussi, les poings sur les hanches.

Avec un grand calme, et une parfaite dignité, Philoxène répliqua :

« Je suis le président de l'Eau parce que je suis le maire, et je suis le maire parce que j'ai le téléphone. »

Alors Eliacin tira de sa poche une feuille de papier, qu'il brandit sous les yeux de l'instituteur :

« Et ça ? Qu'est-ce que ça veut dire, ça ? »

L'instituteur répondit froidement :

« Je constate que c'est la quittance de votre abonnement à l'eau.

— Parfaitement ! cria le géant. Cinquante-deux francs, et le timbre ! Vous les avez bien pris, mes sous ? Alors, où elle est cette eau que j'ai payée ?

— Eliacin, dit l'instituteur, soyez raisonnable! Notre source ne coule plus, pour le moment... »

Claudius le boucher déclara sur un ton péremptoire :

« Si tu étais venu ce matin, l'ingénieur t'aurait expliqué l'orographique. »

Philoxène, l'index levé, affirma :

« Tu dois tenir compte de l'orographique. »

Mais Eliacin répliqua brutalement :

« Moi je ne tiens compte de rien, et surtout pas de ça! Ah! Si vous m'aviez dit : « Nous faisons un syndicat de l'eau, mais c'est tout juste pour te prendre tes sous », alors, mes sous, je les aurais gardés, et ma petite prairie, je l'aurais pas faite. Mais maintenant, elle est superbe, et il y a deux vaches dessus... Alors, j'ai payé l'eau, je veux mon eau.

— Écoute, dit Philoxène, un camion citerne va venir tous les jours, jusqu'à ce que la fontaine coule. Tu n'as qu'à descendre avec ton mulet et deux tonneaux, je te ferai donner cent cinquante litres par jour...

Premièrement, j'ai pas de mulet. Deuxièmement, cent cinquante litres c'est bon pour un bistrot, pas pour une prairie. Troisièmement, j'ai payé de l'eau de source, et pas de l'eau de camion!

— A mon avis, dit l'instituteur, l'eau de camion provient sûrement d'une source.

— Pas de la mienne! cria Eliacin. J'ai payé l'eau, je veux mon eau!

— Ne crie pas si fort, dit Philoxène. Tu te fatigues, tu nous fatigues, et ça ne sert à rien.

— O Bonne Mère! » gémit Eliacin.

Il ferma les yeux; des images passèrent sous son crâne épais, il leva les bras au ciel, et beugla désespérément.

« Et mes aubergines! Deux cents aubergines qui venaient si bien, et qu'elles sont déjà découragées...

Et six cents pieds de pommes d'amour, déjà grosses comme le poing, vertes elles sont, vertes elles resteront ? Ah ! non ! Non ! Ça n'est pas possible ! »

Des larmes coulèrent sur son visage. L'instituteur se leva.

« Eliacin, dit-il, vous devriez bien comprendre que nous sommes aussi désolés que vous... Mais c'est un malheur général, c'est un cas de force majeure... »

L'autre cria furieusement :

« Moi aussi, je suis majeur ! Et c'est pour ça que je veux mon eau ! »

Le menuisier cria à son tour :

« Mais puisque la source ne coule plus, où veux-tu que nous la prenions ?

— Prenez-la où vous voudrez, mais faites-la sortir de mon tuyau ! Et puis toi, ça ne te regarde pas. Tu as beau-z-être conseiller municipal, moi je n'ai pas voté pour toi. Alors, ne te mêle pas de cette affaire, que tu pourrais recevoir un coup de bâton sur la gueule !

— De quoi ? De quoi ? » s'écria Pamphile.

Il était bon, mais coléreux, et il saisit aussitôt un maillet du jeu de croquet, tandis que Philoxène s'avançait en rugissant :

« Mais finalement, tu nous emmerdes ! Où tu te crois, parpagnat des collines ?

— Chez les voleurs d'eau ! » hurla le « parpagnat ».

Puis saisi d'une rage subite, d'un coup de gourdin, il fit voler en éclat le buste de plâtre de la République, et leva son arme sur le menuisier, qui venait de grimper sur la table ; Philoxène retint le gourdin par-derrière, ce qui permit à Pamphile de placer un bon coup de maillet sur le chapeau d'Eliacin : il n'en fut étourdi que deux secondes, car il portait sur ses épaules un crâne de Néanderthal, mais Philoxène eut le temps de croiser ses bras sous

186

le menton du forcené : malgré le poids du maire, suspendu dans son dos, la brute se jeta sur la table, et étreignit les mollets de Pamphile, qui s'effondra, mais s'agrippa farouchement à l'épaisse crinière. Tandis que les trois hommes se débattaient, avec des halètements et des grognements de rage, le boulanger bondit à son tour sur la table : en s'accrochant d'une main à la suspension, il sauta sur la nuque du barbare, et trépigna comme un vendangeur dans la cuve... Pour tenter de séparer les combattants, l'instituteur fit trois pas sur le tapis vert, et plongea dans la mêlée : mais la table, qui n'en pouvait plus, crépita, craqua, et s'effondra dans un bruit de désastre.

Au-dehors Manon et M. Belloiseau qui distinguaient assez mal, à cause de la vitre sale, les images de cette épopée, en entendaient fort bien le fracas.

« Quel carnage! dit le notaire, il faut appeler du secours! »

Manon cria :

« Venez vite! Ils se battent! »

Ange le fontainier, qui passait sur le chemin, descendit dans la cour du cercle, et s'avança comme à la promenade, en disant :

« Vous croyez que c'est sérieux? »

Les jumeaux d'Anglade s'approchèrent à leur tour...

Un vacarme de chaises brisées et de cris rauques retentit encore, et soudain un encrier traversa une tintante vitre; alors, M. Belloiseau, d'un pas décidé, marcha vers la porte. Mais elle s'ouvrit brusquement : Eliacin parut, les cheveux hérissés, une joue enflée, le nez rouge et la bave aux lèvres, il portait à la main une manche de son veston.

« Voyons, mon ami, dit M. Belloiseau, est-ce raisonnable? »

Ce qui suivit le fut encore moins, car le monstre,

saisissant les ailes du chapeau gris perle, les tira violemment vers le bas, et le visage du bienveillant moraliste en fut caché jusqu'au menton.

A ce moment, les quatre joueurs de croquet parurent sur la porte, leurs maillets à la main.

Eliacin se tourna vers eux, et hurla :

« Si demain je n'ai pas mon eau, je viendrai foutre le feu à la baraque !

— Je te conseille, répliqua le maire, d'apporter une allumette plus longue que le manche de ce maillet ! »

Eliacin haussa furieusement les épaules ; puis il bouscula les jumeaux, gifla au passage le fontainier stupéfait, et traversant les curieux — qui reculaient à bonne distance — il remonta vers la colline à grands pas, sa manche à la main.

CE dimanche matin, l'esplanade était encombrée de mulets et d'ânes, chargés de tonneaux et de bidons, et au pied du parapet, il y avait toute une exposition de cruches, d'arrosoirs et de seaux. Ils attendaient l'arrivée du camion citerne.

Leurs propriétaires étaient réunis sur la placette, tous endimanchés, à cause de la messe, dont le premier coup venait de sonner au clocher.

Ils étaient assemblés en petits groupes, et parlaient entre eux, presque à voix basse, de la catastrophe.

C'était le sixième jour de la sécheresse, les petits bassins étaient vides, et le ciel refusait de remplir les citernes réparées.

Autour de la fontaine muette, il y avait un grand cercle attentif. Les jeunes gens soufflaient dans le tuyau; Ange le fontainier, le dos appuyé contre le vieux mûrier, faisait tourner entre ses doigts sa clef en forme de T, et secouait la tête, sans regarder personne, accablé de honte.

Cependant, à la terrasse du café, Philoxène, debout, servait ses acolytes : Pamphile, le boulanger, Claudius le boucher, et Casimir. Ils paraissaient soucieux, comme tout le monde, mais buvaient déjà l'apéritif.

Bientôt, monsieur « l'essituteur » arriva, accompagné du Génie rural, qui venait surveiller la distribution de l'eau : son passage à travers la foule avait provoqué une sorte de rumeur inaudible, parce qu'il avait prédit que la fontaine ne coulerait peut-être plus jamais, et cette prédiction paraissait presque équivalente à la malédiction de Baptistine. Puis, on vit M. Belloiseau descendre l'escalier extérieur de sa terrasse, sous son chapeau de panama, dans un costume gris clair, et fumant déjà un cigare. Il traversa la foule, saluant au passage d'un signe de tête, pour aller s'asseoir avec les mécréants, qui lui firent place après de vigoureuses poignées de main.

Comme le second coup de la messe sonnait, les femmes commencèrent à entrer dans l'église. On vit alors arriver Ugolin dans son beau costume de chasseur, et le Papet étroitement habillé du dimanche. Ils s'arrêtèrent au passage devant la terrasse.

« O vous autres, dit le Papet, vous ne venez pas à la messe ? Le curé va parler de la fontaine.

— Et alors ? dit Philoxène, nous aussi nous en parlons. »

Le Génie rural ouvrit de grands yeux.

« Je ne crois pas beaucoup, dit-il, à l'efficacité d'un sermon pour réamorcer un siphon. »

C'est alors qu'au détour de la petite rue qui conduisait à la placette, Manon parut. Dans une jolie robe provençale, chaussée de cuir fauve, sa crinière d'or serrée dans une mantille de dentelle bleue, elle avait l'air d'une demoiselle de la ville. L'instituteur le crut en effet, mais Ugolin la reconnut.

Elle approchait, les yeux baissés, avec une grâce naturelle et presque dansante. Ugolin toussota, et parpelégea trois fois de suite. Oubliant les œillets et la source, il la regardait, et les battements de son cœur lançaient des traits de feu dans l'abcès gonflé sous le ruban vert.

En passant devant la terrasse, elle leva rapidement les yeux, et un fugitif sourire, à peine esquissé, passa sur ses lèvres.

« Vé vé vé, dit Pamphile. A qui est-ce qu'elle a souri ? »

Et il fit un clin d'œil vers l'instituteur.

« C'est à moi, cria Philoxène. Pas vrai, monsieur l'instituteur ? »

Elle entra dans l'église.

« Alors, demanda soudain Bernard, est-ce qu'on y va ?

— Oui, on y va, répondit Philoxène. Parce que je crois qu'aujourd'hui, ça nous intéressera. Allez, zou !

— Si on y va, dit Pamphile, il vaut mieux attendre le sermon, autrement on va se farcir toute la messe.

— Une messe, répliqua le Papet, ça n'a jamais fait de mal à personne. Et puis, si nous attendons encore un peu, tous les hommes seront rentrés, et il n'y aura plus une seule place.

— Allez, zou », dit le boulanger.

Il se leva.

« Attendez, dit Philoxène. Il ne faut pas qu'ils se doutent que nous allons à l'église, parce qu'ils partiraient tous comme des lièvres, et ça va faire une bousculade. Laissez vos chapeaux sur la table, et suivez-moi. »

Les fidèles qui, selon l'usage, attendaient par petits groupes que les femmes fussent entrées, en achevant une cigarette, virent les mécréants se lever et traverser la place à grands pas pressés, comme s'ils partaient pour une affaire urgente. Quelques-uns voulurent les suivre, pour voir de quoi il s'agissait. Mais comme Philoxène passait devant le porche, il fit brusquement un à-droite, et toute la bande pénétra dans l'église.

Les bancs des femmes étaient tous occupés, et Manon était allée s'asseoir à la seule place libre, juste sous la chaire.

Ugolin la vit, et s'avança jusqu'au premier rang du côté des hommes, devant l'harmonium, pour être près d'elle. Le Papet le suivit en maugréant, tandis que Philoxène entraînait les autres vers l'escalier qui montait à la galerie. Ils s'installèrent et on les vit tous les cinq penchés au bord de la rampe, comme au spectacle.

Cependant, dès que la messe commença, M. Belloiseau leur fit prendre une attitude plus respectueuse, et ils suivirent le service divin avec une correction acceptable, si ce n'est qu'ils se levaient et s'asseyaient avec un peu de retard.

Enfin, M. le curé se retourna vers l'assistance avant de monter en chaire : il parut surpris et charmé à la vue de tant de paroissiens, et sourit en regardant la brochette de mécréants.

Quand il eut gagné sa place, il attaqua son sermon d'une voix claire, et sur un ton familier.

« Mes frères, je suis bien content. Oui, bien content de vous voir tous réunis dans notre chère petite église. Il y a toute la paroisse et je vois même un petit groupe de gens très intelligents — trop peut-être — qui d'habitude passent le temps de la sainte messe à la terrasse d'un café, je ne dirai pas quel café, d'autant plus qu'il n'y en a qu'un — et je ne nommerai pas ces personnes, puisque tout le monde les regarde — ce qui devrait les remplir de confusion — si l'endurcissement de leur cœur ne les portait pas à rigoler. »

Toutes les têtes se retournèrent, pour regarder les

mécréants qui riaient en effet, mais d'un rire un peu gêné.

Après un court silence, le curé reprit, sur un ton plus grave :

« Enfin ils sont venus : eh bien, qu'ils soient les bienvenus ! Et je veux même leur apprendre que la messe d'aujourd'hui, je l'ai dite à leur intention.

« Donc, je suis très heureux de voir tant de monde. Mais d'un autre côté, je suis désolé, navré, furieux ; et je vais vous dire pourquoi.

« Quand j'étais jeune (mon père était paysan comme vous dans un petit hameau près de Sisteron), nous avions un cousin qui s'appelait Adolphin. Il habitait un autre village pas très éloigné du nôtre, et pourtant, il ne venait jamais nous voir, ni pour les fêtes, ni pour les naissances, même pas pour les morts. Mais de temps en temps (à peu près une fois par an) j'entendais mon père qui disait : « Tiens, voilà l'Adolphin qui s'amène ! Il doit avoir besoin de quelque chose ! »

« L'Adolphin montait le sentier, tout habillé des dimanches. Il nous faisait des amitiés, des compliments, et il parlait de la famille à vous mettre les larmes aux yeux. Et puis, au moment de partir, quand il avait embrassé tout le monde, il disait : « A propos, Félicien, tu n'aurais pas une charrue de reste ? J'ai cassé la mienne sur une souche d'olivier. » Une autre fois c'était un fagot de sarments pour ses greffes — parce que mon père faisait un vin fameux — ou alors, son cheval avait des coliques, et il fallait lui prêter le mulet. Mon père ne refusait jamais, mais je l'ai souvent entendu dire : « L'Adolphin, c'est pas un beau caractère ! »

Il se pencha sur le bord de la chaire, promena son regard sur l'assistance, et dit avec force :

« Eh bien mes amis, ce que vous faites aujourd'hui au Bon Dieu, c'est le coup de l'Adolphin ! Il ne vous voit presque jamais, et brusquement vous arrivez tous, les mains jointes, le regard ému, tout estransinés de foi et de repentir. Allez, allez, bande d'Adolphins! Il ne faut pas vous imaginer que le Bon Dieu soit plus naïf que mon pauvre père, et qu'il ne vous comprenne pas jusqu'au fin fond de votre petite malice! Il sait très bien, le Bon Dieu, qu'il y en a pas mal ici qui ne sont pas venus pour lui offrir un repentir sincère, ou pour prier pour le repos de leurs morts, ou pour faire un pas dans la voie de leur salut éternel!... Il sait bien que vous êtes là parce que la source ne coule plus! »

Beaucoup de paroissiens baissèrent la tête, comme au moment de l'élévation. Les uns par confusion, d'autres pour cacher un sourire.

M. le curé les regarda un instant, tout en tirant de sa manche un mouchoir blanc comme la neige, dont il essuya son front. Puis il reprit sur un ton un peu sarcastique, et en tournant ses regards de divers côtés :

« Il y en a qui sont inquiets pour le jardin, d'autres pour la prairie, d'autres pour les cochons, d'autres parce qu'ils ne savent plus quoi mettre dans leur pastis! Ces prières que vous avez la prétention de Lui faire entendre, ce sont des prières pour les haricots, des oraisons pour les tomates, des Alleluia pour les topinambours, des hosannah pour les coucourdes! Allez, tout ça, c'est des prières adolphines : ça ne peut pas monter au ciel, parce que ça n'a pas plus d'ailes qu'un dindon plumé! »

Dans le silence qui suivit, on entendit la voix de M. Belloiseau, qui ne s'entendait pas lui-même. Elle disait : « Éloquence familière, dont ils se foutent totalement. »

M. le curé ne comprit sans doute que la première partie de cette intervention, car il fit un petit sourire un peu confus, et reprit, sur le ton d'une conversation :

« Maintenant, cette source, il faut que je vous en parle sérieusement. Je vous avoue que depuis hier, je ne pense qu'à ça, et que je me pose sans cesse la même question : cette eau si pure, si abondante, et si constante jusqu'ici, pourquoi s'est-elle tarie, et dans le moment de notre besoin ? A la demande de M. le maire, dont le téléphone une fois de plus, a fait merveille (il regarda Philoxène, qui sourit à son tour, et parut flatté) l'État nous a envoyé un jeune ingénieur, qui est certainement un savant. (Le Génie rural fit un petit « hum » de modestie.) On a réuni le conseil municipal, et je sais très bien tout ce qui s'y est dit. Ce technicien a commencé par ensuquer tout le monde avec des mots d'un kilomètre. Ensuite, avec beaucoup de science, il a dit que peut-être l'eau reviendrait, et que peut-être elle ne reviendrait pas. Et il a conseillé de charger les meubles sur les charrettes, et d'aller s'installer ailleurs... Pas plus ! »

En secouant la tête d'un air de reproche, il regarda fixement le Génie rural, qui écarta ses paumes ouvertes dans un geste d'impuissance et de résignation, puis avec une émotion véritable, mais savamment contenue et dirigée, il entama un couplet pathétique :

« Abandonner ces maisons où vous êtes nés, déserter des champs où vos pères et vos grands-pères ont enterré tant de courage et de patience, quitter cette église, où vous êtes venus pour la première fois dans les bras de votre parrain, et où vous reviendrez tous un jour, pour votre dernière messe — oui, tous, là, là, devant l'autel, sur deux tréteaux — tous ! Parce qu'au moment de paraître devant le grand juge vous êtes plus adolphins que jamais ; et notre petit cimetière, où vous avez plus d'amis qu'au village, et où vous irez dormir un jour dans la paix du Seigneur, au chant des cigales qui sucent la gomme transparente sur les abricotiers penchés au bord du mur... Oui, c'est tout ça qu'il veut qu'on abandonne parce que sa science misérable ne trouve aucun moyen de nous sauver. Eh bien, moi, ce savant, je ne le crois pas, parce que je me méfie des ingénieurs. Ce sont des gens qui piochent tout le temps, et qui ne plantent que des pylônes. Celui-là n'a parlé que de couches d'argile, de siphons qui se désamorcent, de camions qui coûtent cher. Bref, il n'a parlé que de la matière et il ne pouvait pas faire autrement, puisqu'il ne connaît que ça! »

Encore une fois, le Génie rural fit son geste d'impuissance, tandis que l'instituteur ricanait en silence.

« Mais moi, continua l'orateur, j'ai regardé notre malheur d'un point de vue beaucoup plus haut; et il m'a semblé que pour l'expliquer, et pour obtenir que l'eau nous soit rendue, il fallait aller plus loin que les choses visibles; car dans ce monde créé par le Tout-Puissant, tout a un sens, et tout se tient, et pas une cigale ne chante sans la permission de Dieu. Alors, ce qu'il faut essayer de comprendre, et ce qu'il faut trouver, ce n'est pas l'accident matériel qui a tari notre belle source, mais c'est la raison pour laquelle Dieu l'a permis, et peut-être l'a voulu. »

Après ces paroles solennelles, il fit reparaître le mouchoir, et essuya son front.

Toute la paroisse écoutait dans un silence vraiment religieux, sauf Eliacin, qui était assis au premier rang : en se retournant pour explorer la foule, il avait enfin « repéré » le menuisier, là-haut, dans la galerie, et il lui lançait des regards chargés de menaces, auxquels l'autre répondait par des haussements d'épaules, entrecoupés de coups de menton insultants.

Enfin, M. le curé reprit sa harangue.

« J'ai lu autrefois, dans un ouvrage profane — une tragédie grecque — l'histoire de la malheureuse ville de Thèbes qui fut frappée d'une peste dévorante parce que son roi avait commis des crimes, et je me suis posé la question : y aurait-il parmi nous un criminel ? Ce n'est pas tout à fait impossible : les plus grands crimes ne sont pas ceux que l'on voit dans les journaux... Beaucoup restent ignorés de la justice des hommes, mais le Bon Dieu les connaît tous. »

C'est à ce moment que Manon tourna la tête vers Ugolin, qui ne l'avait pas quittée des yeux. Elle le regardait, à son tour, immobile, glacée, comme si elle attendait quelque chose. Il baissa la tête, et poussa son bras contre celui du Papet... Le vieillard, qui écoutait le prêche les yeux fermés, les ouvrit aussitôt, et rencontra les yeux de la fille. Il essaya de sourire. Mais elle le regardait sans le voir, et leva soudain la tête vers la voix de M. le curé. Il disait, pathétique :

« C'est à ce criminel inconnu, s'il existe, que je veux d'abord m'adresser, et je veux lui dire : « Mon frère, il n'est pas de faute qui ne puisse être pardonnée, pas de crime qui ne puisse être racheté. Le repentir sincère efface tout, et Notre Seigneur Jésus-Christ a dit lui-même cette parole surprenante : « Il y aura plus de place au Paradis pour un pécheur repenti que pour cent justes ! » Quelle que soit ta faute, si grande que soit ton offense, essaie de la réparer, et repens-toi : tu seras sauvé, et notre source coulera plus belle qu'avant ! »

Ugolin poussa deux fois son coude dans le flanc du Papet, qui ne répondit rien. Puis il leva la tête, pour voir si le prêtre le regardait. Non. Il essuyait encore son front et ses joues, et il reprit :

« Maintenant (je vous dis les choses comme elles me viennent) il me semble, à la réflexion, que le Juste Dieu des chrétiens — le nôtre — ne punirait pas tant de gens à cause du crime d'un seul. Alors, si nous n'avons pas un grand criminel, c'est que nous nous contentons peut-être de plusieurs coupables. Je ne veux pas dire des assassins : je veux dire des pécheurs qui ont commis, ensemble ou séparément, un certain nombre de mauvaises actions. »

Ugolin, rassuré, respira profondément, mais les paroissiens se regardaient les uns les autres, car chacun avait quelques peccadilles à reprocher à ses voisins. Eliacin, profitant de l'agitation générale, se retourna une fois de plus vers le menuisier, et portant sa main à sa gorge, lui promit de l'étrangler.

« C'est pourquoi, poursuivit le curé, je vous demande à tous de faire votre examen de conscience. Mais pas un examen à la va-vite, assis au bord du lit, en se tirant les souliers; non, à genoux! C'est plus commode pour réfléchir. Et puis, vous vous poserez des questions. « Est-ce que j'ai fait le mal? Où? Quand? Comment? Pourquoi? » Et vous regarderez de près, de bien près, avec des lunettes bien propres, comme la grand-mère qui cherche les poux du petit. Et quand vous aurez fini toute la revue, alors vous offrirez à Dieu votre repentir; et pour lui prouver votre sincérité, vous viendrez vous confesser. S'il y en a qui ont vergogne — bien souvent c'est la mauvaise honte qui paralyse les bons sentiments — ils n'auront qu'à passer par la sacristie, ou même par le jardin, avec un paquet sous le bras, comme s'ils m'apportaient une douzaine d'œufs (et entre parenthèses, si vous me l'apportez, je la prendrai, car j'en ai grand besoin) : ou alors, avec des outils, comme si vous veniez faire un travail chez moi. (Justement, la pile est bouchée, et Mariette y a enfoncé un jonc de trois mètres que je n'arrive plus à sortir.)

« Je vous confesserai sans solennité, car une bonne confession peut très bien commencer par un verre de vin blanc. Ce qui compte, mes frères, c'est la sincérité, c'est le repentir : il faut regarder ses fautes bien en face, et demander pardon à Dieu : il n'aime rien tant que pardonner.

« Et maintenant — à mesure que je parle il me vient des idées, ce qui fait que je vais en changer encore une fois — peut-être que parmi nous il n'y a pas de vrais coupables; je veux dire des gens qui aient vraiment commis une mauvaise action. Mais est-ce qu'il y en a beaucoup qui en aient fait de bonnes? »

A ces mots, Philoxène, d'un air sarcastique, murmura : « Ça dépend ce qu'il appelle une bonne action. » Quant à Ugolin, il se tourna vers l'oreille du Papet, et chuchota : « Tu lui as prêté quatre mille francs. » Ange, qui était debout au fond de la nef, prit pour lui une brève pantomime d'Eliacin, et lui répondit par une terrible grimace : la langue entre ses dents, il retroussa sa babine, en louchant de son mieux.

« Voilà, disait M. le curé, voilà peut-être le grand point : mes très chers frères, vous n'êtes pas des frères. Je vous ai vus travailler, rire et plaisanter; mais je n'ai jamais vu l'un d'entre vous aller piocher, pour le plaisir, la vigne abandonnée de la veuve ou de l'orphelin... En revanche, mon prédécesseur, le bon abbé Signole, m'a raconté l'épouvantable affaire de la Bastide Fendue, que je veux vous rappeler aujourd'hui. »

Ici, il prit le ton d'un conteur, et l'on vit bien qu'il s'adressait plus particulièrement à M. l'instituteur, à M. Belloiseau et au Génie rural qui sans doute ne connaissaient pas l'histoire.

« Un beau jour, il est venu de la ville (naturellement) un agent immobilier (encore pire que les ingénieurs). Il avait acheté une ruine, au pied de la montée. On l'appelait la Bastide Fendue parce qu'il y avait des crevasses dans les murs assez grandes pour passer le bras. Il y a mis un toit, il a bouché les

199

crevasses avec du plâtre et il a fait un joli crépi par-dessus. Un retraité de la ville l'a achetée bien cher, et l'a appelée villa Monplaisir. L'abbé Signole arrivait ici — il n'était pas au courant, n'est-ce pas — et il se demandait pourquoi lorsqu'on parlait de la villa Monplaisir, tout le monde riait, et surtout les maçons.

« Un beau jour, le retraité, qui avait la folie des grandeurs, a imaginé de prendre des bains. Il a acheté une pompe pour la citerne, des tuyaux, une baignoire et il a voulu faire installer une grande caisse à eau dans le grenier. Les maçons y sont allés, en rigolant plus que jamais. Ils ont installé la caisse à eau, un bac en ciment qui contenait plus de mille litres, et ils ont dit au retraité qu'il fallait que ça sèche, et qu'ils ne conseillaient pas de remplir ce bac avant le surlendemain, à quatre heures de l'après-midi.

« Ce jour-là, tout le village était descendu sur la route, et ils regardaient la villa Monplaisir comme s'ils étaient au cirque. Le retraité avait déjà mis la pompe en marche, et il fumait sa pipe à la fenêtre du premier étage, avec un air de se demander ce que tous ces gens lui voulaient. Il ne l'a jamais su, parce que, à quatre heures et demie, Monplaisir lui est tombée sur la tête, et on l'a enterré le lendemain. »

Sur cette conclusion, beaucoup de paroissiens ne purent s'empêcher de rire au souvenir d'une si plaisante farce, parce que le retraité écrabouillé n'était qu'un « étranger de la ville », et qu'au surplus, un retraité est en général un orphelin, et souvent un veuf, qui regarde travailler les autres, et qui mange l'argent des impôts.

Les mécréants ne purent retenir une hilarité scandalisée, et M. le curé, les bras au ciel, cria :

« Et ça les fait rire! Seigneur, je vous demande grâce pour eux, car ils ne savent pas ce qu'ils font! »

Il se pencha au bord de la chaire, et cria :

« Vous êtes TOUS responsables de la mort de ce brave homme! Les premiers coupables, ce sont 'entrepreneur et les maçons. Mais tous ceux qui *savaient* et qui n'ont pas prévenu cet homme, sont peut-être plus coupables qu'eux... Ces maçons ont voulu travailler deux jours de plus, l'entrepreneur désirait gagner un peu plus d'argent... Ce n'est pas une excuse, mais c'était un motif. Tandis que vous, quelle était la raison qui vous a fermé la bouche? Je n'en trouve pas d'autre qu'une férocité naturelle : ce n'est pas un curé qu'il vous faut, c'est un mission-naire! »

Il y avait un grand silence, et presque tous regardaient leurs souliers. La voix du prêtre faisait sonner la voûte, et les vieilles étaient devenues si petites que le dossier de leurs chaises ne laissait voir que de maigres chignons.

Un grand coup de mouchoir, puis la voix s'éleva de nouveau :

« Vous le retrouverez, ce retraité! Pas ici, mais au ciel. Et ce n'est pas sa pauvre âme que vous verrez, parce que j'espère qu'elle est en Paradis, en train de fumer des nuages dans une pipe de diamant... Ce que vous verrez, ce sera son corps, dans la balance de saint Pierre, et du mauvais côté de la balance. Et vous savez, ça pèse lourd, le cadavre d'un pauvre vieux, tout picoté d'éclats de rire, comme si les poules avaient commencé à le manger... Pensez-y, et repentez-vous, puisque vous en avez le temps... »

Il y eut quelques protestations chuchotées.

« Je sais bien que je vous étonne, et vous êtes en train de vous dire : « Mais ce n'est pas moi qui ai fait cette cuve! Ce n'est pas moi qui ai touché de l'argent! Moi, je ne m'occupe pas des affaires des autres : par conséquent, on n'a rien à me repro-cher! » Eh bien, détrompez-vous! Les affaires des autres, il faut s'en occuper pour les aider, et ça s'appelle la charité chrétienne. Car voyez-vous, pour être aimés de Dieu, il ne suffit pas de ne pas faire le mal; la vertu, ce n'est pas de se taire, de fermer les yeux, de ne pas bouger. La vertu c'est d'agir, c'est de faire le Bien. On n'en a pas tellement l'occasion. C'est pourquoi, lorsqu'il se présente une bonne action, toute prête, en état de marche, juste devant votre nez, c'est que le Bon Dieu vous l'offre. Celui qui ne saute pas sur le marchepied et qui s'en va les mains dans les poches, c'est un pauvre fada qui a manqué le train. Vous êtes beaucoup dans ce cas, j'ai le regret de vous le dire, et c'est peut-être ce manque de générosité, ce manque de fraternité, ce manque de charité, qui vous coûtent si cher aujourd'hui.

« Vous savez ce qu'il fait, le fontainier, quand on ne paie pas l'eau? Il vient avec sa grande clef, et il vous ferme la prise. C'est pour ça que vous payez régulièrement à la mairie. Mais qu'est-ce qu'on paie à la mairie? On paie pour le tuyau, pour la soudure, pour le fontainier; mais l'eau, ce n'est pas la mairie qui l'a faite; c'est à Dieu qu'il faut la payer, avec des actions de grâce, des prières, de bonnes actions. Vous devez avoir une assez grosse facture en retard, et c'est pour ça que l'administration céleste vous a fermé le robinet.

« Mais il ne suffit pas de se lamenter : il faut faire quelque chose : je vous propose, pour dimanche, une procession, pour obtenir l'intervention de notre grand saint Dominique, dont les fidèles ne cultivent guère la très précieuse amitié : il ne voit même pas trois cierges par mois! Pourtant, j'ai confiance en sa bonté : il a fait, pendant sa vie terrestre, plusieurs miracles, pensez à ce qu'il peut faire aujourd'hui, du haut du ciel!

« Après-demain, nous le mettrons sur le pavois et nous le porterons à travers notre misère, je veux dire nos champs assoiffés et poudreux... J'espère que la vue de nos récoltes languissantes, si douloureuse pour nous, ne le sera pas moins pour lui, et qu'il intercédera en notre faveur, comme il l'a toujours fait, auprès de Notre Seigneur. Je charge donc les Enfants de Marie, ainsi que les Pénitents gris, de préparer le pavois de saint Dominique, les cierges, les costumes, et les bouquets.

« Ainsi nous irons tous, sous les bannières de la paroisse, le long de nos champs qui meurent de soif. Et quand vous serez dans le cortège, qu'on n'entendra plus que la cloche lointaine, le chant des cigales, et le bruit de nos pas, alors, humblement et sincèrement, vous élèverez vos âmes vers Dieu. Car ce ne sont pas les bannières qui font la force d'une procession, ce sont les cœurs purs ; et même il y a quelque chose qui est encore plus précieux qu'un cœur pur : ce sont les cœurs purifiés... Et si seulement quelques-uns d'entre vous (ça serait trop beau si je pouvais compter sur tout le monde) si quelques-uns d'entre vous prennent avec eux-mêmes l'engagement solennel de faire au moins une bonne action, ou de réparer le mal qu'ils ont pu faire, alors moi, je suis sûr que le Grand Fontainier, qui vous a coupé l'eau, n'attend que votre repentir pour vous la rendre. »

Une dernière fois, M. le curé épongea la sueur de son front, et descendit de la chaire. Alors sous les doigts de Mme Clarisse, l'harmonium attaqua un psaume, et les voix aigrelettes des maigriottes enfants de Marie, s'élevèrent, humanisées par tant de sournoise innocence. Les voix suppliantes des vieilles les agrémentèrent aussitôt de trémolos involontaires dont le timbre cristallin révélait l'absence d'hormones et la crainte inexplicable de la bienfaisante mort. Alors, le baryton de M. le curé, un peu épais, mais cartésien, remit de l'ordre dans la divagante mélodie, puissamment soutenu par les mugissements liturgiques d'Eliacin.

Une grande paix descendit sur la paroisse, et les mécréants surpris, écoutaient immobiles, lorsqu'on entendit crier la porte, et une voix inconnue hurla :

« Le camion citerne est arrivé! »

Cent chaises grincèrent sur les carreaux, et les fidèles se ruèrent dans une panique d'incendie.

POURTANT, il n'y eut pas de bagarre à la distribution de l'eau : tous étaient trop inquiets, et comme
subitement rapprochés par le malheur commun... Il y
eut seulement un murmure quand on vit arriver deux
gros tonneaux sur une charrette... Celui-là avait des
prétentions, mais on lui fit place avec respect quand
on vit que c'était le boulanger.

Cependant Ugolin et le Papet se tenaient à l'écart :
deux cruches d'eau n'eussent pas sauvé deux plants
d'œillets, et d'autre part on savait qu'ils avaient des
puits : leur attitude signifiait qu'ils laissaient géné-
reusement aux autres leur part de l'eau de camion,
mais qu'il ne faudrait rien leur demander de plus.

Le sermon avait profondément ému Ugolin.

Il chuchota :

« Papet, il n'a parlé que de ça, et il m'a regardé
trois fois. »

Le vieillard était lui-même inquiet et tourmenté,
mais il refusa de l'admettre.

« Allons donc! dit-il. C'est parce que tu as la bêtise
d'y penser tout le temps que tu crois qu'on en parle!
Moi, tout ça, je l'ai oublié. Et puis, qu'est-ce que tu
veux qu'il sache, ce curé? Il n'y a pas un an qu'il est
arrivé.

205

— Oui, mais peut-être quelqu'un lui a parlé en confession... »

Le Papet se tut un instant, puis il avoua :

« C'est pas impossible qu'Anglade... Celui-là, il est tellement bigot qu'il est bien capable de confesser les péchés des autres. Mais finalement, qu'est-ce que ça peut nous faire? »

Ils montaient vers le café de Philoxène.

« Ce qui m'inquiète, dit le Papet, c'est la petite...

— Moi aussi, dit Ugolin.

— Elle ne t'a pas fait bonne figure.

— Ça c'est vrai. Elle m'a regardé deux fois, et d'une façon qui m'a fait peine... Elle avait l'air de me dire « le criminel c'est toi.:. ».

— C'est encore de l'imagination, répliqua le Papet. Elle non plus, elle ne sait rien... Elle est peut-être jalouse de la source, mais rien de plus.

— Alors, pourquoi tu m'as dit qu'elle t'inquiète? »

Le vieillard hésita un moment, puis il avoua :

« Parce que j'ai dans l'idée qu'elle ne te voudra pas.

— Et pourquoi?

— Je sais pas. C'est une impression... »

Ugolin ne répondit rien. Il regardait Manon, qui sortait à pas lents de l'église. Elle le vit, et détourna les yeux pour sourire à la mère de l'instituteur qui venait du camion, en portant un arrosoir et une cruche dont les becs lançaient de petits jets d'eau à chaque pas. Au passage, Manon saisit l'arrosoir malgré les protestations de Magali, et elles s'éloignèrent ensemble.

Ugolin eut un pincement au cœur, sous le ruban humide collé à sa peau brûlante.

« Ça, c'est encore pas bon pour moi, dit-il.

— Pourquoi?

206

— J'ai vu l'instituteur lui parler dans la colline.

— Quand ?

— Le mois passé.

— Tu ne me l'as pas dit.

— Ça me faisait vergogne.

— Ça m'étonnerait pas qu'il ait l'idée de s'en amuser... Toi, tu ferais bien de la demander le plus tôt possible... »

Ils arrivaient à la terrasse, où les mécréants, après une retraite en bon ordre, s'étaient déjà installés, et parlaient du sermon, en regardant passer des ânes chargés de bidons, et des femmes aux bras allongés par le poids des seaux et des cruches... Des hommes auprès de la fontaine entouraient Ange et le fontainier des Ombrées, qui était venu offrir son assistance de technicien : ses capacités se bornaient d'ailleurs à répéter : « C'est la question de la sécheresse, s'il ne pleut pas d'ici huit jours, ça sera la même chose chez nous. » Les autres l'écoutaient, mornes ou nerveux : le vieux Médéric d'un air stupide et la bouche ouverte. Jonas et Josias se rongeaient les ongles, tandis que le pauvre Ange, les mains dans les poches, et les yeux baissés, grattait le sol du bout de son soulier.

C'est alors que les mécréants virent arriver Eliacin. Sous un chapeau de feutre noir, il suivait un âne chargé de deux bidons, et portait lui-même deux cruches. Il vint tout droit vers la terrasse, et tandis que l'âne suivait le chemin familier du retour, son maître s'arrêta à trois pas des buveurs, posa les cruches sur le sol, planta ses gros poings sur ses hanches, et regarda le groupe d'un air de défi. Anglade, qui passait, s'arrêta pour voir la suite des événements. Puis, deux commères, une vieille, et des enfants accoururent. Eliacin regardait fixement le groupe, dont les visages étaient tournés vers lui.

Alors Philoxène, immobile, ferma l'œil gauche,

ouvrit l'autre immensément, et fit saillir une bosse dans sa joue droite avec la pointe de sa langue, tandis que Casimir, le coude appuyé sur la table, mettait sa main à angle droit sur son avant-bras, comme une tête de canard; puis repliant l'index et l'annulaire de part et d'autre du majeur, il pointa ce doigt rigide vers la face d'Eliacin. Celui-ci ne savait pas que ce geste insultant avait déjà été décrit par Juvénal, mais il en connaissait la signification, qui exigeait une réponse. Il cracha donc avec force vers les pieds de la table.

Alors, le boulanger prit le « siphon » d'eau de seltz, et dirigea le jet sur les souliers de l'ennemi, pendant que Pamphile, la langue entre les dents, soufflait une méprisante pétarade. Les curieux, déjà plus nombreux, éclatèrent de rire. Alors, Eliacin frappa un grand coup. Il leur tourna le dos, leva la jambe, et lança dans leur direction une pétarade véritable, qui eût fait honneur à un éléphant. Puis il leur fit face de nouveau, saisit le bord de son feutre, salua largement, reprit ses cruches, et partit gaiement au petit trot sur les traces de son âne... Les mécréants le poursuivirent d'injures diverses, telles que « cochon », « porcas », et « cago ei braio », mais il ne daigna pas se retourner.

***

Les porteurs d'eau continuaient à défiler, lugubres, trébuchants sur des souliers mouillés. Philoxène ne put supporter plus longtemps ce spectacle.

« Messieurs dit-il, pour nous remettre de toutes ces émotions, je vous propose de boire un grand apéritif, mais comme tous ces gens font des gueules terribles, allons nous installer, l'un après l'autre et d'un air triste, dans ma salle à manger.

— Cette délicatesse de sentiments m'enchante! dit M. Belloiseau.

— Ce n'est pas par délicatesse, répliqua le maire. C'est pour ne pas choquer l'électeur!

— Eh bien, moi, dit Bernard, j'ai mieux à vous offrir! Malgré la catastrophe, c'est aujourd'hui mon anniversaire et (je le dis à voix basse) un joyeux apéritif nous attend dans la cour de l'école. Suivez-moi.

— Nous aussi? demanda Pamphile.

— Vous aussi, dit Bernard. Et voilà le Papet et son neveu qui arrivent à point pour nous accompagner...

— Chez vous? » dit Ugolin.

Il tremblait d'émotion, en pensant :

« Elle y est peut-être encore. Et qu'est-ce qu'ils vont se dire devant tout le monde?

— Oui, dit Bernard, à l'école. Allons-y. »

Philoxène murmura :

« Un peu de tristesse, s'il vous plaît. N'oubliez pas que nous n'avons plus d'eau. »

En route, ils recueillirent Claudius le boucher, puis Cabridan, qui ne venait guère aux réunions quotidiennes, parce qu'il était trop pauvre pour payer son apéritif. L'instituteur le prit par le bras, et l'entraîna. Les vieilles, en voyant passer leur petit cortège, en conclurent qu'ils allaient tenir une réunion pour parler du sermon et de la fontaine.

Comme Bernard ouvrait la porte du jardin, il se trouva en face de Manon, qui sortait.

« Ah! non, dit-il, non! Aujourd'hui, vous allez boire avec nous! »

Ugolin charmé se pencha vers le Papet, chuchota :

« Il lui dit « vous », et fit un clin d'œil joyeux.

Mais Manon, effrayée par l'arrivée de tous ces hommes voulait fuir : Bernard barra le passage en riant, lui saisit le poignet, et le pauvre Ugolin le vit conduire la bien-aimée jusqu'à la longue table chargée de verres et de bouteilles sous l'ombre fraîche des acacias. Cependant Magali faisait grand accueil à tout le monde, puis les invités s'installèrent sur les chaises ou sur le parapet qui bordait le paysage.

« Alors, ce sermon, qu'est-ce que vous en pensez, vous autres? demanda Magali.

— Qu'est-ce que vous voulez qu'on en pense? répondit le Papet... Tout ça c'est jamais que des mots...

— Ce sont des mots, mais qui avaient un sens mystérieux, dit Bernard. Bien entendu, je ne crois pas que la fontaine ait été tarie par une intervention divine...

— Pour ça, dit sa mère on sait bien que tu es un mécréant, et c'est tant pis pour toi.

— Je ne m'en porte pas plus mal, reprit Bernard ; cependant, ce prêtre avait l'air de faire allusion à un crime qu'il connaît, et dont il ne peut pas parler clairement, sans doute parce qu'il l'a appris par une confession.

— Et quel crime? dit le Papet. Si quelqu'un avait fait un crime au village, ça se saurait. »

Pamphile, assis sur le parapet les jambes pendantes entre Casimir et le boucher, donnait de petits coups de talon contre le mur, et regardait le sol. Sans lever les yeux, il dit :

« C'est pas toujours à coups de couteau ou de revolver!

— Pour moi, dit Bernard, ce discours s'adressait à quelqu'un... »

Le Papet le regarda dans les yeux, et demanda brutalement :

« Et à qui?

— Oui à qui? insista Ugolin.

— Moi, dit le boulanger, il m'a semblé qu'il regardait souvent Ugolin... »

Pamphile affecta de rire, et enchaîna :

« Surtout quand il a parlé de ce roi qui avait la peste et qui la foutait à tout le monde!

— Quoi quoi quoi? s'écria Ugolin, tu ne vas pas dire que j'ai la peste, non?

— Ce ne sont pas des choses à répéter! dit sévèrement le Papet. Même en plaisantant! Et d'abord, il a parlé à nous tous. Oui parfaitement, je l'ai bien noté. Il a dit « Le Bon Dieu ne punirait pas tout le monde pour le crime d'un seul homme. » C'est ça qu'il a dit. Et puis il a raconté la Bastide Fendue, et il a dit que tout le monde était responsable — parce qu'ils auraient pu parler, et *qu'ils n'ont rien dit.* »

Il les regarda à la ronde, l'un après l'autre, et Bernard fut étonné de les voir fuir ce regard, tandis que Pamphile, désolé, baissait la tête et ouvrait les bras, qu'il laissa retomber.

Philoxène lui-même parut gêné quelques secondes, saisit tout à coup une bouteille qu'il se mit à déboucher, et dit en riant :

« Moi, tout ce qui m'a frappé dans ce sermon, c'est qu'il a profité de la catastrophe pour réclamer une douzaine d'œufs, et qu'on vienne déboucher son tuyau! »

Puis il remplit les verres dans un grand silence, leva le sien et dit gaiement :

« A votre santé, monsieur Bernard. »

A ce moment, la porte lointaine s'ouvrit, et Anglade parut, son chapeau à la main.

Il s'avança, humble et souriant.

« Ho ho! cria Philoxène, tu as senti l'odeur du pastis?

« — Oh! que non! dit Anglade, madame Magali, excusez-moi : et croyez bien que je ne m'invite pas!

— Mais on vous invite! dit Bernard. Venez vite vous asseoir!

— Je vous remercie, monsieur l'instituteur, mais ce n'est pas la peine... Avec ce qui se passe, je n'ai pas beaucoup envie de boire un coup... Ce n'est pas pour le pastis, que je suis venu : c'est pour l'eau. Les enfants m'ont dit que la petite bergère était ici, et c'est à elle que je veux parler parce que j'ai quelque chose d'important à lui dire. »

Manon, surprise, pâlit.

« A moi?

— Oui, à toi, parce que toi, si tu veux, tu peux nous rendre l'eau. »

Elle fut brusquement effrayée : ce vieillard savait la vérité, et il allait la dire devant tous. Elle balbutia :

« Moi? Mais comment?

— En venant à la procession, dimanche. Est-ce que tu viendras? »

Elle rougit, et tout à coup, malgré elle, elle dit brusquement :

« Non. »

Le ton de sa réponse surprit tout le monde et Anglade parut accablé...

« Alors, dit-il, la fontaine ne coulera jamais plus.

— Et pourquoi? demanda Philoxène, tu crois que c'est déjà une sainte? »

Bernard s'était tourné vers Anglade.

« Vous attachez donc tant d'importance à sa présence? »

Le vieux paysan parut gêné. Il hésita, hocha la tête plusieurs fois, et dit enfin :

« Vous comprenez, elle a perdu son père... Elle ne l'a plus pour la protéger... Et dans ces cas-là, souvent, le Bon Dieu s'en charge... La prière d'une orpheline, ça monte au ciel comme une alouette, et

212

Notre Seigneur Jésus-Christ l'écoute volontiers chanter... Nous autres, c'est visible qu'il nous a punis, et M. le curé l'a dit en toutes lettres... Mais elle, elle est innocente, et même plus... Si elle vient prier pour nous, nous sommes sauvés. »

Il avait parlé avec une conviction profonde, et il attendait, en faisant tourner lentement son chapeau devant sa poitrine plate.

Ugolin se leva, et dit très vite :

« Oui, oui, Manon, il faut que tu viennes... Il faut que tu sauves nos œillets... »

Une colère subite serra les poings de la fille. Sans penser à ce qu'elle faisait, elle se leva, fit trois pas, s'arrêta, revint vers sa place, puis passa derrière sa chaise, ses deux mains crispées sur le dossier, et elle regardait Ugolin dans les yeux. Elle était blême. On crut qu'elle allait parler, mais elle se ravisa, et se tut.

« Petite, dit Philoxène, moi je sais très bien que cette procession ça sera une cagade, et que pour ressusciter la source, il vaudrait mieux un immense tire-bouchon... Mais Anglade croit que ça réussira, et je dois te dire qu'il n'est pas le seul au village : fais-leur plaisir! Si tu ne viens pas, ils croiront que c'est par ta faute que la procession a foiré! »

Magali s'était approchée de Manon, et elle posa sa belle main sur l'épaule de la bergère.

« Est-ce que tu as une bonne raison pour ne pas y aller? »

Pour la première fois depuis la mort de son père, la jeune fille se sentait protégée par la présence de Bernard, par la main maternelle posée sur son épaule, et par le beau regard de Pamphile, l'ami secret des flèches noires. Elle retrouva son calme et dit clairement :

« Je ne veux pas prier pour l'eau des criminels qui ont volé celle de mon père. »

Pamphile ne put se contenir, et cria : « Bravo! »

Tous baissaient la tête, mais Bernard et M. Belloiseau ouvraient des yeux surpris, tandis que le Papet rougissait. Ugolin, qui la regardait de toutes ses forces, souriait de la voir si belle, et n'avait pas compris les mots.

« Qu'est-ce que ça veut dire? s'écria Magali.

— Je ne comprends pas! » dit Bernard.

Manon les montra du doigt.

« Eux, ils comprennent. Regardez-les! Ils savent tous de quoi je parle, et pourquoi Dieu les a punis.

— Peut-être, dit Bernard. Mais moi, je ne le sais pas! »

Magali, effarée, demanda :

« Alors, le criminel inconnu, tu le connais?

— Il y en a deux, dit Manon. Les voilà. »

Elle les montrait du doigt.

Ugolin, effrayé, tourna un orage de tics vers le Papet, dont les yeux brillaient de fureur, et dont le visage était blanc; mais il haussa les épaules, ricana, et se hâta de parler :

« Je devine à peu près de quoi il s'agit! Il faut vous dire, madame, que mon neveu, qui a eu l'idée de faire des œillets gagne beaucoup d'argent depuis trois ans... Naturellement ça fait parler au village, et naturellement on n'en dit pas du bien... Il y a des mensonges et des racontages... Je ne sais pas quelles méchancetés on a pu dire à la petite, mais elle y a cru volontiers, parce qu'Ugolin est devenu riche là où son père s'était ruiné... Voilà la vérité vraie!

— Oyayaïe! » dit Pamphile à mi-voix.

Mais le vieil hypocrite ne broncha pas, et ajouta d'un air navré :

« Bien entendu, c'est injuste que son père n'ait pas réussi et c'est bien vrai qu'il n'a pas eu de chance, mais ce n'est pas de notre faute. Voilà tout ce que j'ai à dire. Et en plus, si c'est pour nous traiter de criminels qu'on nous a fait venir ici, merci bien pour

214

l'invitation, mais j'aime mieux rentrer chez moi. Allez, zou, Galinette, viens boire à la maison! »

Il se tourna vers la porte.

« Papet, dit soudain M. Belloiseau, cette retraite précipitée ne plaide pas en votre faveur. On pourrait penser...

— Je me fous de ce qu'on peut penser, dit le Papet. Moi, j'ai ma conscience pour moi. Alors, tu viens, Galinette?

— Non. Pas tout de suite. Je veux qu'elle dise ce qu'elle me reproche parce que je sais le moyen de tout arranger! »

Bernard était surpris par ce dialogue, et par l'attitude gênée des assistants. M. Belloiseau se pencha vers lui, et crut chuchoter.

« Je subodore, dit-il à haute voix, quelque sordide histoire paysanne...

— Et vous avez raison! répliqua Pamphile.

— Je voudrais bien savoir, dit Bernard, comment ils ont fait pour voler l'eau de votre père? »

Le Papet répondit aussitôt violemment :

« C'est de la pure imagination! C'est vrai que son père a manqué d'eau toute sa vie, et c'est peut-être ça qui l'a ruiné. Comme c'était un homme très intelligent, il a deviné qu'il y avait une source dans son terrain. Il l'a cherchée longtemps, et il l'aurait sûrement trouvée s'il n'était pas mort d'un accident... Alors, mon neveu et moi, quand nous avons vu des femmes seules, nous avons acheté ce petit bien... un peu parce qu'il nous plaisait, il faut dire la vérité, un peu aussi pour leur rendre service. et alors, nous avons cherché cette source et nous avons eu de la chance : nous l'avons trouvée. C'est ça qu'elle appelle lui voler son eau! »

Il ajouta avec une grande amertume :

« Faï de ben à Bertrand, ti lou rendra en caguant! Allez, viens Galinette... »

M. Belloiseau se leva et avec l'autorité d'un président de tribunal, il dit :

« Attendez un peu. Nous sommes tout prêts à vous rendre justice. Jeune bergère, est-ce ainsi que les choses se sont passées? »

Manon, d'une voix vibrante d'indignation, cria :

« Ce n'est pas vrai! Il ment! La vérité, c'est que la source existait depuis toujours! Quand le propriétaire est mort, ils ont cru que la ferme allait être vendue aux enchères, et ils ont bouché la source, voilà la vérité! »

Magali, surprise, demanda :

« Et pourquoi auraient-ils fait ça?

— Oui, pourquoi? s'écria hypocritement le Papet. Viens Galinette. »

Mais M. Belloiseau ricana, et répondit à Magali :

« Parce que sans eau, cette ferme ne valait rien, et ils l'auraient eue pour un morceau de pain!

— Et alors, dit Manon, mon père n'a jamais su que nous avions une source devant notre porte. Pendant trois ans, il est allé chercher l'eau au Plantier, et il est mort à la peine par la faute de ces assassins. »

Ugolin fit un pas en avant, et il allait parler, mais le Papet le repoussa brutalement et s'écria :

« Ça, c'est ce qu'on appelle des « calonies! » Oui des « calonies ». La source, tu m'as vu la chercher avec la montre! Dis la vérité! Tu étais avec ta mère, et tu avais une coucourde dans les bras... Avec la montre! »

Il tira sa montre, suspendue à une chaînette d'argent, la balança comme un sourcier, et il proclama, en promenant son regard sur l'assistance :

« Je l'ai trouvée avec la montre!

— En moins d'une heure! » dit Manon.

M. Belloiseau fit un petit ricanement et dressa son index, annonciateur d'une réponse foudroyante.

« Je crois, je crois que la source aurait pu vous dire ce que Dieu lui-même dit à Pascal : « Tu ne me chercherais pas, si tu ne m'avais pas déjà trouvée ! »

Cette magnifique citation, et si bien placée, lui valut un joyeux sourire de l'instituteur, mais elle plongea les Bastidiens dans un abîme de perplexité, car Pascal, c'était le fontainier des Quatre-Saisons.

« Je me fous de Pascal, répliqua furieusement le Papet. Je ne l'ai rencontré qu'une fois, et il m'a parlé d'une façon que je lui ai foutu deux gifles ! Oh ! vous pouvez rire, c'est la vérité. Et alors, voilà ce qui arrive : ce qu'elle a vu, elle ne le croit pas et ce qu'elle n'a pas vu, elle le croit ! Qui est-ce qui nous a vus boucher la source ? »

Un grand silence lui répondit, et il répéta triomphalement.

« Qui nous a vus boucher cette source ? »

Mais cette fois, une voix rauque et puissante s'éleva :

« Moi, je vous ai vus ! »

C'était Éliacin. Venu aux nouvelles, il n'avait pas osé entrer, mais il était monté sur une pierre, pour s'accouder sur la crête du mur de clôture, et il répéta :

« Moi, je vous ai vus tous les deux !

— Menteur ! cria le Papet.

— Voilà qui devient intéressant, dit M. Belloiseau.

— Et qu'est-ce que tu peux avoir vu, pauvre idiot ? »

Le vieillard se tourna vers Bernard.

« Il n'a jamais su reconnaître sa main droite de sa main gauche ! Au régiment, ils le lui avaient écrit sur les mains : mais comme il ne sait pas lire, il n'y a jamais rien compris et ils ont fini par le renvoyer ! »

Éliacin se mit à rire, et sauta dans la cour.

« Et bien content ! dit-il. C'était pas facile, mais ça

a réussi! Le major se doutait de quelque chose, puisqu'un jour il me dit...

— Ceci ne nous intéresse pas aujourd'hui, dit M. Belloiseau, nous voudrions savoir ce que vous avez vu!

— Oui, dit le Papet, qu'est-ce que tu as vu en rêve?

— Je rêve JAMAIS, répliqua Éliacin. Ça s'est passé il y a cinq ou six ans.

— Vous voyez! cria le Papet, il ne sait même pas la date!

— C'était peut-être quinze jours après la mort de Pique-Bouffigue. J'étais monté aux Romarins pour les perdreaux... La source ne coulait plus...

— Par conséquent, elle était déjà bouchée! dit le Papet.

— Pas complètement... Il y avait une petite flaque d'eau dans la broussaille, au bord du champ, et les perdreaux venaient y boire, depuis que la ferme était vide... Alors, un matin, à la petite pointe du jour, je monte dans le grenier...

— Et comment tu as fait pour entrer? dit brusquement Ugolin, la porte était fermée à clef! »

Un peu gêné, il expliqua :

« Avec la lame d'un couteau-scie, à travers une fente du volet j'avais soulevé le crochet.

— C'est du propre de cambrioler la maison d'un mort! cria le Papet. Ce que tu racontes, ça intéresserait les gendarmes!

— La question n'est pas là, dit Bernard. Et ensuite?

— Et ensuite, il y avait deux petits fenestrons, juste sous la gouttière : c'est Pique-Bouffigue qui les avait faits pour tirer les grives... Alors je m'installe sur une vieille chaise et qu'est-ce que je vois venir? Ces deux-là, avec des outils! »

Le Papet ricana.

« Il s'est endormi sur la chaise, et voilà son rêve qui commence. »

Mais Éliacin continuait :

« Je croyais qu'ils allaient passer, mais pas du tout ! Ils s'arrêtent sur le coteau d'en face à vingt-cinq mètres de la maison. Ils regardent bien de tous les côtés, le Papet monte se cacher sur la petite barre, et Ugolin se met à piocher avec un petit béchard. Je me suis dit : « Ils mettent des pièges à lapins, et ils ont peur des gendarmes. »

— Eh bien, dit le Papet, pour une fois tu as pensé quelque chose de raisonnable... Oui, ça nous arrive souvent de mettre des pièges à lapins. Et toi, tu n'en mets jamais ? »

Il s'adressa à M. Belloiseau.

« Il faut creuser un trou, n'est-ce pas pour placer un piège à lapins ! C'est ça qu'il a vu, cet imbécile... Allez, zou, Galinette, on s'en va. »

Il se dirigea vers la porte, mais Ugolin ne le suivit pas. Il s'était levé, le visage pourpre, et cria :

« Non, non, moi aussi j'ai quelque chose à dire !

— Après, après, dit M. Belloiseau. Éliacin, vous n'avez pas encore parlé de la source.

— Ça vient, ça vient ! Alors, comme il creusait toujours, je me suis pensé que peut-être ils avaient acheté ce petit bien, et qu'ils cherchaient la source... Et j'étais furieux, parce que ma matinée était perdue... J'osais pas sortir, parce que j'étais dans mon tort, d'avoir ouvert cette fenêtre... Pour prendre patience, j'ai mangé le pain et le fromage que j'avais apportés... Et l'autre creusait toujours, et le Papet surveillait toujours... Et tout d'un coup, le pied de ma chaise craque...

— Et c'est ça qui t'a réveillé, dit le Papet, et tu as vu qu'il n'y avait personne.

— Et j'ai vu que tu as eu peur, et j'ai entendu Ugolin qui t'a dit : « C'est pas un fantôme, c'est les

rats! Ils sont gros comme des lapins! » Et il s'est
remis à piocher, et tout d'un coup, l'eau l'a fait sortir
du trou... Alors, vous avez préparé du mortier, et
puis un morceau de bois rond, et puis vous l'avez
bouchée, et puis vous avez remis la terre, et puis vous
êtes partis, et les perdreaux ne sont pas venus... Voilà
ce que j'ai vu et je le dis...

— Vous auriez pu le dire plus tôt à mon père.

— Qu'est-ce que vous voulez, dit le colosse, c'était
pas mes affaires... Mais maintenant, je sais que le
criminel de M. le curé, c'est eux... Le Bon Dieu a
voulu les punir; seulement pour leur couper l'eau, il
a été forcé de couper la nôtre... Du coup, ma prairie
est sèche comme du raphia, mes aubergines vont
crever et alors maintenant, c'est mes affaires...

— Voici un témoin bien catégorique, dit M. Belloiseau... Qu'en pensent les accusés?

— Je pense qu'il a rêvé, dit le Papet. Et puis, un
seul témoin ça ne compte pas.

— C'est exact! Il en faut au moins deux!

— Il y en a un autre », dit Manon.

Le Papet, incrédule, demanda :

« Et qui c'est l'autre?

— La source. »

Le vieillard parut surpris par cette réponse inatten-
due, mais M. Belloiseau en fut charmé.

« C'est ma foi soutenable! En tout cas, c'est un
argument qui ferait impression sur le tribunal! »

Les yeux du Papet lancèrent des flammes.

« Quel tribunal? Qui est-ce qui parle d'un tribunal?

— C'est moi! dit M. Belloiseau. On pourrait
soutenir que vous avez sciemment déprécié cette
propriété, que vous avez imposé au propriétaire des
efforts qui l'ont épuisé, qu'il en est mort, et que vous
avez ensuite racheté ce bien à bas prix, malgré
l'existence d'une mineure, qui pourrait en réclamer la

restitution, sans parler d'une indemnité importante! »

Ugolin n'avait pas quitté des yeux sa bien-aimée, qui ne l'avait pas regardé une seule fois, et il paraissait ne rien entendre : mais il se leva tout à coup, et après un éclat de rire de fou, il cria :

« Une indanité! Sainte Vierge, une indanité! Mais vous ne savez pas que je veux tout lui donner, la source, les œillets, la ferme, et tout l'héritage des Soubeyran, les terres, la maison, le trésor, mon nom et ma vie? »

Il s'avança vers elle.

« Tu le sais, toi, je te l'ai dit dans la colline! Écoute, écoutez vous autres! Une supposition que ce soit vrai, tout ce qu'ils disent contre moi... Ce n'est pas vrai, mais je fais une supposition... Imagine-toi, imaginez-vous, que cette ferme, je la voulais depuis des années pour y faire des œillets et la chance a voulu que je réussisse. Alors, j'étais heureux, je ne pensais plus à rien, qu'à mes fleurs et à mon argent... Et puis tout d'un coup je te vois, et ça m'arrive que je t'aime, d'une façon que c'est pas possible de le dire... Tout le temps je te vois, tout le temps je te parle... Le sommeil, ça me l'a tué, quand je mange, ça n'a plus de goût. Si tu ne me veux pas, ou je meurs ou je deviens fou...

— Tais-toi, imbécile, dit le Papet, tais-toi, viens. »

Il voulut le prendre aux épaules, mais Ugolin le repoussa brutalement, et revint, haletant, vers Manon...

« Réfléchis un peu, réfléchis... Tu ne crois pas que ça ferait un mélange terrible : tout le regret du mal que je t'ai fait, et tout le plaisir du bien que je veux te faire? Tu ne vois pas comment je travaillerais pour toi? Je sais bien que je suis vilain, mais je suis brave et toi tu es belle pour deux... Et dans les petits que tu nous feras si par hasard il y en avait un qui soit...

comme son père, moi ce serait mon préféré, mon caganis, mon plus joli, et je lui demanderais pardon tous les jours, à genoux devant son berceau... »

Il s'était agenouillé devant elle, il lui tendait les bras, de grosses larmes roulaient sur ses joues, et il gémissait :

« Manon... Mon amour... Mon amour... »

Effrayée, et écœurée, elle se leva et passa derrière la chaise de l'instituteur. Comme il s'avançait à genoux vers elle, Bernard le retint par l'épaule, tandis que Manon murmurait.

« C'est horrible... Faites-le partir... »

Pamphile s'était levé, lui aussi.

« Allez, zou, ne fais pas le fada ! Lève-toi, vaï ! »

Ugolin bondit sur ses pieds, le repoussa sans le regarder.

« Manon, dit-il, Manon, réfléchis...

— Allons, dit sèchement Bernard, après le crime que vous venez d'avouer, ces déclarations sont indécentes.

— Il n'a rien avoué du tout ! cria le Papet.

— Il a avoué devant témoins ! cria Bernard.

— C'est pas vrai ! C'est pas vrai ! cria Ugolin. J'ai dit que c'était une supposition... Vous n'en faites jamais, vous, des suppositions ? Et puis qu'est-ce que c'est, cet instituteur qui est arrivé d'avant-hier, et qui va lui parler dans la colline ? Lui, pardi, il se la veut pour s'amuser ! Si elle avait pas de beaux tétés, il ne parlerait pas contre moi ! Et l'autre imbécile, le grand couillon qui a tout vu, et qui pleure pour ses aubergines ! Et les autres qui ne disent rien ! Manon, ton père est mort, il n'a plus de soucis. Moi, j'en ai. Il a vu sécher ses coucourdes, et ça fait pleurer tout le monde. Et moi, au même endroit, je vais voir crever mes œillets, et je vais mourir d'amour pour toi, et ça fera de la peine à personne ! »

Le Papet, de la porte, cria :

« Viens, Galinette. Viens à la maison ! ›

Ugolin tourna brusquement vers lui sa face grima-çante et trempée de larmes.

« Non, non. Tout est de ta faute ! C'est toi qui m'as fait tout perdre ! Si j'avais su ! Si j'avais su... »

Il cacha sa figure dans ses mains. Le Papet vint vers lui.

« Écoute Galinette... »

Mais il fit un brusque retrait, sauta par-dessus le parapet, tomba sur ses pieds cinq mètres plus bas, dans les genêts, et prit la fuite. Ils le virent courir comme un fou à travers les kermès de la pente, et disparaître sous la pinède.

Le Papet revint au milieu du groupe.

« Eh bien, moi, je reste. Puisque tout le monde ici est contre lui, moi je reste pour le défendre.

— C'est difficile, dit Bernard, et il faudrait d'abord vous défendre vous-même !

— Mais monsieur l'instituteur, laissez-moi vous expliquer ! Vous avez bien vu que cette petite l'a rendu fou ! Je ne dis pas qu'elle l'a fait exprès, mais c'est comme ça ! Il ne sait plus ce qu'il dit, il ne sait plus ce qu'il fait ! Avant-hier, la muette nous a fait des champignons sur le gril, un délice. Le soir, il n'a pas voulu manger et il me dit : « J'ai un peu mal à l'estomac. Les escargots de midi, j'en ai trop mangé, et maintenant, ils me reprochent. » Alors, tout ce qu'il peut dire et rien, c'est la même chose ! Cette histoire de source, ça ne tient pas debout ! »

Il regarda tour à tour les Bastidiens d'un air qui exigeait d'eux un témoignage favorable, et s'écria :

« Il n'y a jamais eu de source aux Romarins. Une petite flaque peut-être — mais la vraie source, c'est moi qui l'ai trouvée ! Allons, zou, vous autres, vous êtes des Bastides, comme moi. Dites-le qu'il n'y a jamais eu de source ! »

Tous restaient silencieux, mais échangeaient des

regards incertains. Seul, Eliacin, les mains dans les poches, haussa les épaules, et il allait parler lorsque le Papet s'écria solennellement :

« Faites bien attention! Si vous saviez qu'il y avait une source, *vous ne l'avez pas dit* au bossu, et c'est vous qui êtes responsables de sa mort!

— Salaud! murmura Pamphile. Vieux salaud! »

Manon, les dents serrées, regardait tour à tour ces hommes dont aucun n'osait parler. Bernard rompit le silence.

« Voyons, monsieur le maire, dit-il, vous la connaissiez, vous, cette source? »

Philoxène, hésitant et gêné, répondit :

« Vous savez, moi, je ne suis pas trop porté sur les collines... Je ne vais à la chasse que par hasard, pour accompagner un ami. Les Romarins, c'est loin...

— Vous n'aviez pas entendu parler de la source?

— Entendu parler? Ça oui, bien sûr... J'avais entendu dire que Pique-Bouffigue avait une source, et qu'il ne s'en servait pas depuis longtemps. J'avais compris qu'elle était morte.

— Et vous autres, reprit Bernard, vous ne saviez rien? »

Ils échangèrent des regards inquiets, sous les yeux étincelants du Papet. Ce fut encore Pamphile qui se décida.

« Bien sûr qu'on savait... Tout le monde le savait!

— Moi, dit Casimir, quand j'étais petit, mon père m'y envoyait souvent chercher une cruche d'eau pour tremper des haches ou des lames de rabot... C'était pas un gros ruisseau... Pas plus gros que mon poignet, mais ça coulait vite; et sur les bords, ça faisait flotter de gros fils blancs, qui étaient des racines de romarins...

— Et vous, Anglade, vous, vous le saviez?

— Malheureusement oui... Le père de Pique-Bouffigue, Camoins le Gros, faisait des légumes avec

224

cette eau... Il en portait de pleines charrettes au marché...

— Et vous saviez aussi qu'un homme se tuait à transporter de l'eau, avec sa femme et ses enfants?

— Tout le monde le savait, dit Pamphile. De l'aire, on les voyait passer et repasser, avec des bidons et des cruches...

— A la fin, il courait, dit Cabridan... On croyait qu'il allait tomber... Mais moi, j'étais trop pauvre pour m'occuper des affaires des autres. »

Bernard fut indigné.

« Finalement, vous le saviez tous, et pas un seul n'a eu le courage d'aller dire deux mots à cet homme pour lui révéler sa richesse, et certainement lui sauver la vie!

— Je ne voudrais fâcher personne, dit M. Belloiseau, mais vous avez été les complices d'un crime que vous auriez pu empêcher avec deux mots, ou même avec un simple geste... »

Ils baissaient la tête, et le Papet allait parler, lorsque Manon, sans lever les yeux, dit à voix basse :

« Il y en a un seul qui a essayé de nous sauver. C'est celui qui a peint des flèches noires sur deux pierres blanches... Nous n'avons pas compris. Celui-là, c'est un homme, et je le remercie. Mais les autres, tous les autres... »

Des larmes jaillirent tout à coup, et elle cria :

« Il faut avoir le cœur pourri pour refuser de faire un miracle quand le Bon Dieu vous le permet! »

Elle sanglotait si fort que Magali la prit dans ses bras.

« Tu as raison, dit Anglade, mais un miracle, toi tu peux en faire un dimanche... Ton malheur, c'est notre péché... Si tu venais à la procession, ta prière, ce serait notre pardon... »

M. Belloiseau répliqua sèchement :

« Il est tout à fait indécent de demander à la victime de prier pour ses bourreaux !

— C'est pourtant ce qu'a fait Notre Seigneur, dit doucement Anglade, et elle a peut-être l'occasion de gagner son Paradis. Elle aurait tort de la perdre, parce que ça n'arrive pas souvent. Moi, des fois, je suis malheureux de ne pas avoir d'ennemis, parce que ça me prive de prier pour eux...

— Avec de si beaux sentiments, comment avez-vous pu laisser mourir son père ? »

Anglade leva les yeux au ciel, étendit ses bras, les laissa retomber humblement, et baissa la tête.

« La vérité, dit Philoxène, la vérité, c'est que personne n'a osé se mettre contre les Soubeyran, pour défendre un homme qui n'était pas d'ici, et surtout, surtout, qui était de Crespin... Vous comprenez, les gens de Crespin...

— Eh oui, dit Bernard, sarcastique, ils peuvent crever, les gens de Crespin...

— Et puis surtout, murmura Manon, ils détestaient ma grand-mère, et ils se sont vengés sur son fils. »

Anglade surpris, demanda :

« Ta grand-mère ? Quelle grand-mère ?

— Celle qui a quitté les Bastides pour se marier à Crespin.

— Qu'est-ce qu'elle raconte ? dit Casimir.

— Des folies, dit le Papet. Té, moi j'en ai assez, je m'en vais... »

Il fit deux pas vers la porte, tandis qu'Anglade demandait à voix basse :

« Comment elle s'appelait ta grand-mère ? »

Il avait posé la question, mais il avait déjà deviné la réponse.

« Vous le savez très bien », dit Manon.

Anglade joignit les mains, s'approcha d'elle.

« Tu ne vas pas nous dire que c'était... Florette ?

— Oui, c'était Florette Camoins, qui était née dans la ferme où son fils est mort!

— Oyayaïe! dit Pamphile, consterné, personne ici ne l'a jamais su!

— Le vieux voleur, là-bas, l'a toujours su, et Ugolin aussi le savait... »

Le Papet arrivait à la porte.

« O Papet, cria Casimir, tu le savais que c'était le fils de Florette? »

Il répondit froidement :

« Qu'est-ce que ça change? »

Pour eux, « ça changeait tout ». Avoir abandonné à son triste sort un paysan amateur venu de Crespin, c'était en somme de bonne guerre, mais la victime, c'était le fils de Florette des Bastides; non pas un locataire ou un acheteur étranger, mais le propriétaire légitime d'un bien de famille, acquis par un héritage maternel.

« Ça change, dit Anglade, que c'était mon petit-cousin! O Sainte Vierge, qu'est-ce que tu nous as laissé faire!... Il était revenu, et les siens l'ont tué!

— A moi aussi, c'était mon parent, dit Casimir.

— Et en tout cas, s'écria Pamphile, il était d'ici!

— Ce n'est pas vrai! cria furieusement le Papet. Un garçon, c'est le père qui le fait! Et la preuve, c'est qu'il porte son nom, et qu'il le garde toute sa vie! Il s'appelait Cadoret, comme son père, le maréchal-ferrant de Crespin, et il était né à Crespin! Et Florette, c'était une garce! Si elle était restée chez nous, elle aurait eu des enfants droits comme nous autres, et rien de tout ça ne serait arrivé! Tout est de sa faute, tout, et moi je m'en lave les mains! »

Il ouvrit la porte d'un geste brusque, et sortit.

« On savait, dit Pamphile, que les Soubeyran étaient des salauds, mais j'aurais jamais cru à ce point!

— Maintenant, dit Anglade, je comprends, je comprends tout.

— Et quoi donc? » demanda Bernard.

Anglade hocha la tête plusieurs fois. Enfin, il dit à mi-voix :

« C'est à cause de Florette qu'il ne s'est jamais marié. »

*
* *

Le Papet furieux, et grommelant des injures à l'adresse de son neveu, était rentré à la maison Soubeyran, où il pensait le trouver pour le déjeuner du dimanche. Un beau poulet tournait devant le feu de sarment, mais Ugolin n'était pas encore là, au grand désespoir de la muette, fort inquiète pour sa volaille.

Le Papet pensa :

« Il a honte de ce qu'il a dit, cet imbécile... Et cette fille, c'est tout sa grand-mère... Elle ne le voudra jamais... »

La colère qui l'avait secoué faisait encore trembler ses vieilles jambes... Il s'assit à table, bourra sa pipe, et se versa un grand verre de vin blanc. A une heure et demie, la muette lui imposa la moitié du poulet, déjà un peu trop doré. Machinalement, il mangea, mélancolique.

Il n'avait nul remords, mais il était grandement déçu par la faiblesse et la naïveté du dernier des Soubeyran.

« Il doit pleurer sur son lit, comme un couillon qu'il est... »

Et puis, ceux des Bastides lui avaient refusé un faux témoignage, ce qui était contraire à la tradition. Il dit à haute voix :

« Ils ont une drôle de moralité! Une bande de cochons qui trahiraient père et mère... »

Il mangea encore quelques figues, puis dit :

« Je sais où il est! Il a dû partir avec le mulet, pour un voyage d'eau. Et il a bien fait. C'est ça le plus important. Le Tribunal! Et l'hypothèque, alors, ça valait rien? — Tè, il vaut mieux que je fasse une petite sieste, pour me calmer la colère — et puis j'irai le retrouver. »

*
* *

Cependant, la nouvelle avait fait le tour du village, les commentaires allaient grand train, et dans les familles, on s'expliquait les parentés.

Pendant le repas tardif, Anglade parla longuement à sa femme Bérarde, devant les jumeaux dévorants, mais attentifs.

« Réfléchis un peu : mon grand-père Clarius avait marié la sœur de Camoins Barbette, qui était le père de Camoins le Gros. Et Camoins le Gros, c'était le père de Florette, ce qui fait que Clarius était l'oncle de Camoins le Gros. Bon. Donc, c'était le grand-oncle de Florette. Moi, je suis le petit-fils de ce grand-oncle par ma grand-mère, Elisa Camoins. Par conséquent, Florette était ma cousine, et son fils, le pauvre bossu, était mon petit-cousin... Non, attends, je crois que je me suis un peu embrouillé, et il faut que je recommence. Donc... »

Jonas intervint.

« Donc, teuf... teuf...

— Te fatigue pas, compléta Josias. Parce qu'on nic... nic...

— N'y comprend rien, dit Jonas.

— En tout cas, dit Bérarde, de mon côté aussi, on est parent. Je peux pas te dire comment, mais le bien de Canteperdrix, que mon père nous a donné pour notre mariage, ça lui était venu par l'héritage d'une fille Camoins. Tu ne te rappelles pas que le notaire nous avait lu un papier?

— Eh bien, mes enfants, dit Anglade, vous êtes deux fois parents avec cette petite...

— Moi, dit Jonas, si elle voulait, on serait p...

— Parents une fois de plus, dit Josias. Et moi, ça me plairait que tu te la maries, parce que les j...

— Les jumeaux, dit Jonas, ça p...

— Ça partage tout », dit Josias.

L'APRÈS-MIDI de ce dimanche fut lugubre. Pour atténuer l'inquiétude générale, Philoxène avait pourtant annoncé un concours de boules, doté d'un grand prix de vingt francs, et d'un second prix de dix francs... Il ne put réunir qu'une douzaine de joueurs — dont deux visiteurs venus des Ombrées, le facteur, et un jeune voyou de passage. Ces gens-là, qui avaient de l'eau chez eux, enlevèrent gaillardement les deux prix, tandis que les Bastidiens lâchaient de temps en temps la partie pour courir à la placette, où un cercle d'hommes démoralisés entourait la fontaine, pendant que les femmes priaient dévotement à vêpres.

On parlait du bossu de Florette, de l'avidité des Soubeyran, de la sécheresse qui s'aggravait tous les jours, de Cabridan qui préparait son déménagement, et le vieux Médéric annonçait son intention, si l'eau ne revenait pas, de se retirer en ville, c'est-à-dire à Roquevaire, où il pouvait avoir une place de gardien dans une villa solitaire. Là-haut, sur l'aire, il y avait un guetteur qui surveillait au loin le vallon de la Perdrix : en effet, Ange passait la journée près du bassin, et il devait annoncer le retour de l'eau par une fusée de feu d'artifice... Vers six heures, les mécréants vinrent siéger comme d'ordinaire, mais le Papet ne parut pas. Philoxène était précisément en train d'expliquer le caractère des Soubeyran, et le peu de chance qu'il y avait d'obtenir une restitution du bien volé par ces deux gredins, lorsqu'un garçon de douze ans, Tonin de Rosette, arriva, un peu essoufflé, et s'avança vers l'instituteur.

« M'sieu, dit-il, le Papet m'a dit de vous dire qu'il voulait vous voir, et aussi M. le maire, et aussi M. Loiseau. Il a dit que ça vous ferait bien plaisir.

— Et quoi? dit Philoxène.

— Je ne sais pas, dit le garçon. Il a dit que vous veniez vite, et que vous serez bien contents.

— Où est-il? demanda Bernard.

— Il est aux Romarins, dit le garçon. Il est assis sur la pierre de la porte. Il fume la pipe. »

Puis il répéta :

« Ça vous fera bien plaisir.

— Allons! dit M. Belloiseau, le voilà revenu à de meilleurs sentiments.

— Ça m'étonnerait! dit Philoxène. Enfin, allons-y quand même. »

*
* *

Ils le trouvèrent assis sur le seuil de la ferme, et il fumait sa pipe, comme l'avait dit le petit garçon. Il les laissa venir à lui sans dire un mot, puis il leva vers eux un visage blanc, un regard farouche, et montra du doigt quelque chose derrière eux...

A travers les rameaux plongeants du grand olivier, au-dessus d'une échelle tombée dans l'herbe, Ugolin tournait lentement sur lui-même, au bout d'une corde. Il s'était accroché à l'anneau de la balançoire.

Pamphile s'élança, serra les jambes du pendu contre sa poitrine, et souleva le corps pendant que l'instituteur montait à l'échelle, et sciait la corde avec son couteau.

« Est-ce qu'il y a de l'espoir? » demanda M. Belloiseau.

Pamphile répondit :

« Il est raide comme un stoquefiche. »

A quatre, ils le portèrent sur son lit, dans la cuisine. Bernard mit une serviette sur la langue longue et violette.

« Voilà, dit le Papet, voilà ce que vous avez fait.

— Allons, allons, dit Philoxène, tu as bien vu toi-même qu'il était devenu fada! Tu nous l'as dit ce matin! »

Pamphile coiffait le mort.

« Ça ne sera pas possible de l'habiller, dit Casimir... C'est trop tard...

— Demain soir, peut-être, dit Bernard.

— Vous croyez, demanda Casimir, qu'on pourra lui rentrer la langue?

— Je n'en suis pas sûr, mais ça n'a pas tellement d'importance.

— Je dis ça, répondit Casimir, parce que s'il se présente comme ça au Paradis, le grand Saint Pierre va s'imaginer qu'il se fout de lui. »

Puis, il comprit qu'il venait de reconnaître l'existence de Saint Pierre, et il ajouta, en bon mécréant :

« Moi je n'y crois pas, bien sûr. Mais lui y croyait. Ça doit l'inquiéter. »

M. Belloiseau, qui venait de s'approcher du petit bahut, allongea le bras, prit une enveloppe, et dit :

« Qu'est-ce que c'est que ça? Une lettre pour moi! Et il y en a une autre pour le Papet. »

Les yeux du vieillard brillèrent soudain.

« Donnez-les-moi, donnez-les-moi! dit-il.

— Voici la vôtre, répondit M. Belloiseau. L'autre est adressée à M. Belloiseau, notaire. Je ne puis pas me dessaisir d'un document qui est peut-être un testament... »

Il déchira l'enveloppe, tandis que le Papet glissait

la sienne dans sa poche sans l'ouvrir, et lut en silence le message du pendu.

> *à Monsieur le notère Beloisot,*

Je vous écrit à vous pasque c'est du sérieut de notère : c'est mon testaman, que vous le fête faire ésactement.

Il faut pas qu'ils s'imagine que j'ai peur. D'abord, tout sa c'est pas vrais, et en plus il y a pas deux témouins, il en faut deux. Et puits, c'est pas pour les euillets, tant pit s'ils crève, set que des fleurs. Set a cause de mon Amour, et j'ai comprit qu'elle me voudra jamet. Je m'en doutet, pasque mon ruban d'amour m'a fait un abset qui me brûle. Et puits, quand je lui dit devant tous le monde que je veux me la mariée, tous lui donner, exetéra, elle m'a craché dessur en parole, et en plus, elle s'est réfugié vers l'instituteur. D'abord, je les ai vu se parler dans la colline. Lui, elle lui tire pas une pierre dans l'estomaque, et elle l'écoute en regardant par terre, et quant il a fini elle se languit qu'il recomence! Et lui il est pas étoné, il trouve sa naturel. J'ai envie de le tuer, O oui, mes elle sa lui feret peine, alors non tanpis je veux pas la priver. Suila il sait pas son bonheur, mes moi je sait mon malleur, que je peux plus le suporter.

Mintenant, sa commense mon testaman.

Je lèse la ferme des romarins à la demoisèle Manon Cadoré la file du bosu Jean Cadoré de Crespin. J'y lèse la ferme avec tout ce qu'il y a dedans. Tout. M. le Curé a dit que si le criminel veut réparer sa fote, l'eau reviendra. Moi je répare, la sourse coulera, les eillets serons beau, sa se vendra bien. L'adrèse de M. Trémelat s'est au quai du Canal, numéro 6. Le Papet le set.

Alors, adessias, bonjour à tous.

Cès mon testaman. Dernière volonté set sacré.

Siniature ofisielle, Ugolin Soubeyran. La datte, cet le 6 Septembre, aujourd'hui.

Quand il eut achevé en silence cette lecture, M. Belloiseau parut réfléchir, puis il dit :

« Un testament est évidemment destiné à la publicité, sinon il ne pourrait être exécuté. Je crois donc pouvoir vous lire celui-ci. »

Ils écoutèrent, immobiles. Bernard parut surpris et gêné par le passage qui le concernait, et que M. Belloiseau souligna d'un regard, mais Bernard haussa les épaules, et tapota sa tempe du bout de son index. Le Papet resta impassible, mais quand la lecture fut terminée, il demanda :

« Qu'cst-ce c'est, ce ruban d'amour ? »

Pamphile, qui essayait de faire la toilette du mort, répondit :

« Venez voir : ça doit être ça... »

Il entrebâilla la chemise, et ils regardèrent avec stupeur le ruban vert taché de sang noir, sur une bosse rouge et jaune, presque aussi grosse qu'un sein de fille.

« C'est un ruban de cette pute ! dit le Papet... Enlevez ça ! Foutez-le au feu !

— Moi je n'y touche pas, dit Pamphile... Les volontés d'un mort, c'est sacré.

— Les volontés d'un fou, répliqua le Papet, ça ne compte pas. »

Bernard, qui examinait l'abcès, suggéra :

« C'est peut-être cette infection qui lui a troublé l'esprit.

— Ce qui l'a rendu fou, répondit le vieillard, vous le savez mieux que moi. »

Pamphile demanda aussitôt :

« Mais à toi, Papet, qu'est-ce qu'il te dit dans sa lettre ?

— Je la lirai quand je serai seul. »

Son visage était dur et fermé, ses yeux secs.

« Maintenant, vous autres, allez au village. Dites à la muette de prendre des cierges à l'église. Au moins six, des plus gros. Puis, un vieux drap de lin, que sa grand-mère avait filé et tissé. Toi, va faire la boîte. Tu as des planches de chêne dans la soupente. Du vieux chêne, que j'y avais pensé pour moi...

— Je sais, dit Pamphile. C'est toi qui m'as fait la commande.

— Prends-les pour lui. Et puis surtout, vous autres, dites qu'il est tombé d'un arbre. Gardez le secret au moins trois jours, jusqu'après le cimetière, à cause du curé, qui voudrait pas lui faire tout comme il faut. Maintenant, allez-vous-en...

— Je reste avec toi, dit Philoxène.

— Non, ce n'est pas la peine. Revenez, si vous voulez, pour la veillée. »

Ils sortirent l'un après l'autre, après un dernier regard au pauvre Ugolin. Ils n'avaient pas fait vingt pas, lorsque le Papet reparut sur la porte, et cria :

« Dites-lui qu'elle m'apporte mon manger. »

*
* *

Le soir tombait. Ils descendaient vers le village. Pamphile et Casimir avaient pris les devants, pour s'occuper du cercueil et du tombeau des Soubeyran.

Philoxène, Bernard et M. Belloiseau revenaient en promeneurs en parlant de l'événement.

« Moi, disait Philoxène, les histoires d'amour, je n'y ai jamais rien compris.

— Croyez bien que vous n'êtes pas le -seul, répondit M. Belloiseau.

— Et cette petite, qui habite dans un trou, au milieu d'un désert, et qui refuse le dernier des Soubeyran, l'héritier unique de la plus grosse fortune du village, ça me dépasse.

— Il était bien laid, dit Bernard.

— Tous les hommes sont laids, répliqua Philoxène. Et lui, il était brave. Oui, parfaitement. Et

236

puis, je ne vous dis pas qu'elle aurait pu l'aimer. Je dis qu'elle aurait pu l'épouser. Ça aurait été sa meilleure vengeance. Elle l'aurait fait marcher sur la tête...

— Dans cette position, dit M. Belloiseau, je ne vois pas quel plaisir elle eût pu en tirer ; mais ce que j'ai vu fort clairement, c'est que le pauvre Ugolin, tout bête qu'il était, avait fort bien compris la situation...

— Et laquelle ? demanda Philoxène.

— On dit que l'amour est aveugle, mais la douloureuse jalousie lui donne parfois une double vue, qui transperce tous les secrets. »

Il se tourna vers Bernard.

« Il est bien vrai que la jolie bergère s'est repliée vers vous, et non pas vers moi.

— Mon Dieu, répliqua le jeune homme, c'est parce qu'elle était plus près de moi.

— Sans aucun doute : mais elle était près de vous parce qu'elle y était venue, après avoir écarté en plusieurs temps le Papet, Éliacin et Philoxène.

— Je ne pense pas qu'elle l'ait fait exprès.

— Je ne le pense pas non plus. C'est pourquoi j'ai l'impression qu'il vous serait possible de pousser très loin une petite idylle minéralogique, automnale, et champêtre...

— N'en croyez rien ! dit Bernard... C'est une nature fière, assez proche des bêtes sauvages, qui agit tout naïvement, et sans arrière-pensée... Et puis, même si j'avais la possibilité d'abuser de sa jeunesse, je n'en ferais certainement rien ; ce serait une très vilaine action.

— Ma foi, dit M. Belloiseau, si j'avais votre âge, ce n'est pas sous cet angle que j'envisagerais la chose... Enfin, si vous le voulez bien, nous irons demain à la première heure lui porter la grande nouvelle, et lui communiquer le testament qui lui rend son bien. »

*
* *

Pendant ce temps, le Papet avait allumé un fagot de sarments dans l'âtre ; puis, il fouilla les tiroirs du bahut ; il y trouva une paire de ciseaux.

Alors, en faisant une grimace d'horreur et de pitié, il trancha les fils poisseux qui tenaient le ruban vert, le saisit avec les pincettes du foyer, et le brûla, grésillant, dans la flamme purificatrice.

Ce devoir accompli, il colla deux bougies — en attendant les cierges — à la tête du lit, les alluma, transporta sa chaise près du gisant, et tira sa lettre de sa poche.

« Papé, je m'en vais pasque j'en peut plus. Je veux pas voir la suite, tu me comprends jé mal de partout je préfère. Je lui done la ferme, et aussi tout ce qui est caché tu me comprends sous la pierre qui est à gauche du feu que tu connet. Il y en a 494 ajoute six pour faire 500 je lui ai dis que j'en ai 500 me fais pas mentir surtout mintenant tu me comprend et puits ne lui cherche pas des garouilles c'est pas de sa fote, c'est pas de ma fote, c'est pas de ta fote c'est la fatalité fait entention que Trémela l'ambarque pas sur les prix. Et puis fet dire des mêses pour moi pasque la haut il faudra que je m'esplique à cause de la source j'ai jamet fait d'autre mal mes suila me tire souci le bossu leur en a surement parlé alors quesqu'ils vont me pasé. Des mêses tout ce suite.

Adessias mon Papé sa me fet pêne de te quitté mes resté je peut pas. Il fot dire au monde que mintenant elle en a 500 et la ferme et les euillets cet un bon parti pas pour s'amuser, elle peux se marier qui elle veux, même quelqu'un très istruit. Je t'enbrase.

238

Quand il eut relu deux fois cette lettre, il murmura : « Pauvre couillon ! Pauvre Galinette ! »

Il bourra longuement sa pipe.

« Tu t'es bien trompé si tu crois que je vais lui laisser la marmite... Et les œillets, ils vont crever les œillets, parce que l'eau ne reviendra jamais et ce village aussi, il va crever ; ça sera bien fait pour eux... Ils ont tous parlé contre toi... »

Il pencha sa pipe vers la flamme d'une bougie, tira quelques bouffées, et reprit la conversation.

« Eh oui, c'est ça les Soubeyran... Trois fous, trois pendus, et moi tout seul avec une jambe fadade... Et personne après moi... Personne, personne, personne... »

MANON était assise devant la baume, près de son chien sous les étoiles. Baptistine et sa mère dormaient.

Elle réfléchissait à tant d'événements, d'une si grande importance pour elle, et dont elle ignorait le principal.

Maintenant, elle avait tout dit : les Soubeyran avaient perdu le fruit de leur crime, le village n'avait plus d'eau, son père était vengé, et la brûlante sécheresse qui allait compléter le désastre prouvait la complicité de la Providence. En pensant aux œillets d'Ugolin, elle se mit à rire tout bas, et elle décida qu'elle irait le lendemain épier l'agonie des fleurs criminelles.

Pendant qu'elle se déshabillait, une inquiétude lui vint : elle avait été bien imprudente de révéler à ces gens qu'elle savait tout : quelques-uns allaient peut-être comprendre qu'il y avait une bien exacte coïncidence entre leur crime et leur punition, et qu'on pouvait en conclure à une vengeance.

Alors, ils allaient se mettre à sa recherche, avec des fourches et des bâtons, pour la forcer à leur rendre l'eau... Elle savait qu'elle ne pourrait pas mentir sans rougir jusqu'au front, mais elle aurait certainement la force de se taire. Et puis, l'instituteur et sa mère la protégeraient, et peut-être aussi M. Belloiseau, et peut-être le maire...

*
* *

Dès sept heures du matin, M. Belloiseau, Philoxène et Bernard quittaient les Bastides, pour aller porter à Manon la nouvelle de la mort d'Ugolin, et lui annoncer qu'elle allait reprendre possession du bien de son père.

M. Belloiseau qui prenait très au sérieux son rôle d'exécuteur testamentaire, avait mis une jaquette sombre et un col dur. Le maire excité par son exemple, portait un costume de ville, tandis que Bernard avait gardé sa vieille veste de chasse, et sa boîte de géologue, suspendue à son épaule, tintait à chaque pas.

C'était une journée brûlante : l'été s'attardait en septembre, il n'y avait pas un souffle, et des milliers de cigales grésillaient dans les pins.

En arrivant au Jas de Baptiste, M. Belloiseau qui boitillait, s'arrêta et dit :

« Excusez-moi, j'ai un scrupule! »

Il alla s'asseoir sur une grosse pierre, et commença à déboutonner sa bottine.

« Un scrupule? dit Philoxène, c'est à propos du testament?

— Pas du tout, dit le savant notaire. Un scrupule, en latin, c'est un petit caillou dans un soulier, qui gêne la marche et blesse le pied. C'est par une métaphore charmante que nous avons donné à ce mot un sens moral. »

Ce disant, il secouait sa bottine, d'où tomba un minuscule grain de gravier.

L'instituteur se mit à rire.

« Ma foi, quoique je ne sache pas le latin, j'en ai

241

un, moi aussi de scrupule, mais il n'est pas dans mon soulier. Dites-moi d'abord si vous allez lire ce testament à la bergère?

— Sans aucun doute, dit M. Belloiseau. Je dois l'informer de sa bonne fortune. J'en suis chargé.

— Dans ce cas, dit Bernard, j'aime mieux ne pas assister à cette lecture, car certaines phrases sont un peu gênantes. Non pas tant pour moi que pour elle... Je n'irai voir ces femmes que plus tard... Pour le moment, je vais faire un tour aux Refresquières, où j'ai repéré un banc d'huîtres fossiles admirablement pétrifiées. »

Tout en parlant, il obliquait vers un ravin descendant...

« Voilà une délicatesse qui vous honore! dit M. Belloiseau. A tout à l'heure. »

Ils s'éloignèrent, le long du coteau pierreux.

*
* *

Manon était occupée à traire ses chèvres. Aimée était allée aux Ombrées pour confier à la poste ses lettres sans réponse. Baptistine piochait le jardin. Elle se redressa soudain. Et mit sa main en cornet à son oreille.

« Ne fais pas de bruit, écoute un peu. »

Une cloche lointaine sonnait. La Piémontaise dit :

« Quelqu'un est mort au village. »

Manon se signa, et répondit :

« Ça doit être la vieille qui voulait prendre la place de Giuseppe...

— La voleuse! Que le diable... »

Elle s'arrêta au milieu d'une malédiction :

« Non. Il ne faut pas dire du mal des morts. »

Elle se signa à son tour et murmurait une petite prière lorsque Manon dit :

« Voilà deux hommes de la ville qui ont l'air de venir ici!

« — Ils sont habillés des dimanches... C'est peut-être des gens pour l'enterrement qui se sont trompés de chemin?

— Non, dit Manon. C'est le maire, et M. Belloiseau. Qu'est-ce qu'ils viennent faire ici? »

*
* *

Après les salutations amicales de Philoxène, et cérémonieuses de la part du notaire, celui-ci prit la parole :

« Madame votre mère est-elle visible?

— Elle est allée aux Ombrées, dit Manon. Je ne sais pas à quelle heure elle en reviendra.

— C'est fâcheux, dit M. Belloiseau, mais vous pourrez lui faire part des nouvelles que je vous apporte et qui vous concernent personnellement. Permettez-moi de m'asseoir, car cette route est longue et remarquablement rocailleuse. »

Il alla s'asseoir sur la grosse pierre, tandis que Baptistine allait chercher une chaise pour M. le maire, qui préféra rester debout. Manon se demandait quelle nouvelle apportaient ces deux surprenants messagers.

« Cette cloche que vous entendez au loin, dit M. Belloiseau, vous annonce la mort d'Ugolin qui m'a chargé de veiller à la bonne exécution de ses dernières volontés; c'est son testament que je vous apporte, car il vous a légué la ferme des Romarins. »

Manon, stupéfaite, se demandait si elle ne rêvait pas.

« Mais... de quoi est-il mort? dit-elle.

— Il s'est pendu! dit carrément Philoxène, pendu dans l'olivier de ta balançoire!

— Pourquoi?

— Ce testament va vous le dire. »

M. Belloiseau avait tiré l'enveloppe de sa poche.

« Je vais vous le lire moi-même, car l'orthographe du défunt vous poserait quelques problèmes. »

Pendant qu'il dépliait le testament, Manon traduisait la nouvelle à Baptistine; pour la première fois depuis la mort de son Giuseppe, elle éclata de rire, et courut se cacher dans la maison.

M. Belloiseau lisait lentement, et avec une articulation parfaite, le dernier message du fleuriste désespéré. Il s'interrompit pour expliquer à Manon le « ruban d'amour » cousu sur sa poitrine : elle ne fit qu'une petite grimace de dégoût à l'idée que son ruban avait mijoté si longtemps dans la sueur sanglante de ce fou : mais lorsque M. Belloiseau lut la phrase qui lui reprochait de s'être réfugiée auprès de l'instituteur elle rougit légèrement, et parut surprise, comme si elle n'avait aucun souvenir de cet épisode.

Enfin, le notaire conclut en lui tendant une autre enveloppe.

« Voici, dit-il, une copie de ce document dont j'ai respecté l'orthographe, ce qui a exigé une attention épuisante. Je garde l'original, car je vais ce matin même le déposer chez le notaire d'Aubagne. Et maintenant, permettez-moi de vous féliciter d'avoir récupéré votre ferme.

— Trop tard, dit Manon, trop tard...

— Je sais bien, dit Philoxène — mais peut-être un jour, si la source revient, tu la vendras un très bon prix et ça te servira de dot... Bon, alors ça, c'est arrangé, mais moi, il faut que je te dise quelque chose. Voilà ce qui se passe : l'eau n'est pas revenue, et au village, ça va mal. Les potagers sont en train de crever, et l'eau du camion, elle a un goût pas bien naturel : nous allons en chercher pour boire aux Quatre Saisons. Alors, on parle, on parle. Les femmes croient qu'on nous punit à cause de toi... D'autres disent — en passant — que tu connais bien

244

les sources des collines, et que peut-être tu es bien renseignée sur ce qui se passe... Enfin bref, moi je te conseille de venir à leur procession. Bien entendu, ce n'est pas ça qui nous rendra l'eau, mais je crois que ça fera taire les gens; et maintenant qu'on sait que ton pauvre père était le fils de Florette, au village, tu seras chez toi. Voilà ce que je voulais te dire : tu feras comme tu voudras. Maintenant, il faut que je redescende, pour recevoir le médecin des morts, parce qu'avant de signer son diplôme de mort, il va poser beaucoup de questions, et il y aura peut-être les gendarmes, pour vérifier s'il s'est pendu tout seul. Alors, adessias, et ne te fais pas de mauvais sang.

— Et moi, dit M. Belloiseau, je vais me faire conduire à Aubagne, pour m'occuper de votre affaire. A bientôt, et de tout cœur avec vous. »

Ils s'éloignèrent.

Manon rassembla ses chèvres, et descendit jusqu'au cher sorbier, pour réfléchir. Le soleil déjà haut exaltait la frénésie des cigales, la brise marine ne s'était pas levée. Épuisée pas sa nuit blanche, elle n'eut pas le courage d'aller faire la tournée des pièges. Assise sous le sorbier, elle pensait au suicide d'Ugolin avec plus d'étonnement que de pitié et sans la moindre reconnaissance... Elle relut son dernier message, dont l'étrange orthographe était mise en valeur par l'admirable calligraphie du clerc de notaire.

La déclaration d'amour du malheureux ne lui inspirait qu'une frissonnante répulsion : elle pensait que Dieu lui avait envoyé cette passion extravagante pour le punir de son crime, et le legs de la ferme n'était que la tardive restitution d'un vol : mais elle relut plusieurs fois les phrases qui concernaient « l'instituteur ». Oui, il lui avait parlé dans la colline, mais il ne lui avait jamais rien dit qui méritât « une pierre dans l'estomaque ». Au contraire, il avait toujours été poli, et discret. Évidemment, le jour du bassin, il avait raconté ce rêve de « la bise » mais il ne savait pas qu'elle l'entendait, et cet imbécile de pendu ne le savait pas non plus.

D'autre part, elle le connaissait à peine. Elle ne l'avait vu que six fois. Deux fois sans être vue elle-même : le jour de son déjeuner sous le pin, puis le jour du bassin. Ensuite, il lui avait parlé le jour du lièvre, échangé contre le couteau. Puis, le matin de l'arrêt de la fontaine, puis le jour de la promenade avec l'ingénieur, enfin, la veille, après le sermon, lorsqu'elle avait tout dit... Quant au fait qu'elle s'était « réfugiée vers lui », en reculant devant le rampant Ugolin, elle ne l'avait pas fait exprès. Il n'y avait là rien d'extraordinaire, c'était un jeune homme de la ville, comme son père, au milieu de tous ces villageois qui avaient si cruellement gardé le secret de la source : il était tout naturel qu'elle allât vers lui. Le pendu, dans sa folie, en tirait la conclusion qu'elle en était amoureuse : c'était absurde.

Certes, ce beau jeune homme lui inspirait une véritable sympathie et il est vrai qu'elle pensait souvent à lui : mais c'était à cause du merveilleux couteau. Chaque matin elle ravivait son tranchant en l'aiguisant sur une pierre de sable humectée de salive, et elle pouvait tailler les bois les plus durs presque sans effort. La petite lame de scie, dont on eût pu croire qu'elle n'était qu'un enrichissement superflu, sciait aisément de grosses branches, et elle avait fait l'admiration d'Enzo, un connaisseur qui avait dit : « C'est de l'acier suédois, le même que pour les rasoirs. » Le poinçon perçait les courroies, ou les semelles de souliers, quant aux petits ciseaux, c'était un miracle d'élégance et de précision : complétés par la lime à ongle, elle pouvait maintenant soigner ses mains, qu'elle cachait autrefois sous sa pèlerine, quand elle allait à Aubagne... Oui, ce couteau c'était un trésor; il lui arrivait de le baiser avant de le remettre dans sa musette, et comme elle s'en servait dix fois par jour, il était bien naturel qu'elle eût une pensée pour celui qui le lui avait donné. C'était de la reconnaissance, mais non pas de l'amour...

D'abord, pour aimer, il faut être deux : on ne peut pas se laisser aller à aimer quelqu'un qui ne vous aime pas. L'instituteur avait au moins vingt-cinq ans, il était probablement fiancé à quelque jeune fille de la ville, et il ne pouvait pas s'intéresser — sinon par une générosité naturelle — à la pauvre bergère qu'elle était. Pourtant, il y avait ce rêve de « la bise » qui aurait pu donner à penser. Mais d'abord, une bise, ce n'est pas un baiser : on « fait une bise » à un enfant, à un père, à un ami. Le grand Enzo lui faisait toujours « la bise » quand il arrivait au Plantier le dimanche. Et puis, l'instituteur l'avait certainement dit pour plaisanter, et sans y attacher la moindre importance... De plus, ce matin même, il n'avait pas accompagné le maire et M. Belloiseau pour lui annoncer la grande nouvelle. Il était pourtant en vacances, mais c'était un fait qu'il n'était pas venu...

En tout cas, la vengeance était plus complète et plus terrible qu'elle ne l'avait espéré... Elle s'étendit sur la pierre, à l'ombre du sorbier : ses paupières étaient lourdes, comme aux temps heureux du « marchand de sable ».

Elle ferma les yeux et s'endormit.

*
* *

C'est alors que les paroles du maire à propos des gens du village troublèrent son sommeil en provoquant un rêve effrayant : elle voyait monter vers la baume plusieurs groupes de paysans, qui brandissaient des gourdins et des fourches. Ils avançaient lentement, pas à pas, dans un grand silence — puis

247

tout à coup, des femmes parurent, une foule de vieilles qui poussaient des cris de haine...

Elle voulut fuir : elle s'aperçut avec terreur qu'elle ne pouvait plus bouger... Mais tout à coup, l'instituteur surgit, se plaça devant elle, et d'une voix formidable, il cria :

« Oui, c'est elle qui a bouché la source, et vous l'avez bien mérité! C'était son devoir, et par conséquent, c'était son droit. Je vous avertis que si quelqu'un la touche, il aura affaire à moi! »

Les vieilles prirent la fuite en criant de peur; les hommes s'arrêtèrent, et presque tous ôtaient leur chapeau pour saluer le vaillant champion. Elle se tenait cachée derrière lui, et elle fit tout à coup une découverte extraordinaire : il était bossu! Non pas voûté, mais orné d'une grande et belle bosse, qui aurait pu porter une lourde jarre pleine d'eau! Une émotion puissante et douce l'éveilla, les yeux pleins de larmes heureuses, et elle sut qu'elle l'aimait d'amour.

Assise sur la roche polie, le buste penché en arrière soutenu par ses bras allongés en arcs-boutants, elle regardait au loin les barres bleuâtres des Refresquières. Elle était émue d'une inquiétude heureuse, et d'une sorte de fierté, lorsqu'un petit aboiement tendre l'appela. Elle tourna la tête : le chien noir était allongé aux pieds de Bernard, qui était assis sur la pente, dans les lavandes, et qui souriait. Elle se leva aussitôt, et sourit à son tour, rougissante.

« Alors, dit-il, vous savez?

— Oui.

— Et maintenant, qu'allez-vous faire?

— Je ne sais pas... Je ne crois pas que nous retournerons là-bas. Il y a trop de mauvais souvenirs pour moi, et pour ma mère... Et puis, je verrais toujours ce pendu à la place de ma balançoire... Et surtout, il a dû laisser son odeur dans la maison...

— Je vous comprends, dit Bernard, mais pour le reste, qu'avez-vous décidé?

— Le maire m'a conseillé d'aller à cette procession. »

L'instituteur se leva, et il dit en insistant sur chaque mot :

« Si l'eau ne revient pas, si vous êtes persuadée qu'elle ne peut plus revenir, je vous conseille, moi aussi, d'y aller. On dit qu'il faut hurler avec les loups : je crois tout aussi nécessaire de bêler avec les moutons, quand on fait partie du troupeau. »

Les yeux bleus s'assombrirent.

« Moi, ce troupeau, je n'en suis pas!

— On ne choisit pas son troupeau. Ce village, c'est celui de votre grand-mère, et de tant d'autres de qui vous êtes née.

— Ma grand-mère les détestait. Elle disait que c'étaient des brutes : ils l'ont bien prouvé. Moi, je sais bien que mon père aurait voulu être... leur ami. Il ne l'a jamais dit, bien sûr, mais je le sentais... Nous ne sommes allés qu'une fois au village : ils lui ont lancé une boule. Dans le dos.

— Je sais, dit Bernard, je sais : un accident stupide, un piège de la mauvaise chance... C'est le gentil petit Cabridan qui l'avait lancée : il le regrette encore aujourd'hui. Les vrais coupables, c'étaient les Soubeyran. Ils ont trompé les gens du village sur vous, ils vous ont trompés quand ils vous parlaient du village. C'est leur second crime, engendré par le premier. Mais si votre père était un matin venu voir le maire, avec un pantalon de velours et de gros souliers, s'il lui avait dit : « Je suis le fils de Florette », le village l'aurait admis. A leur façon, évidemment. Ils se seraient sans doute moqués (en sourdine), de ses courges et de ses lapins; ils n'auraient probablement pas dénoncé les Soubeyran... Mais aux jours de la sécheresse, les jumeaux d'Anglade, ou peut-être Pamphile et Casimir seraient montés aux Romarins, avec la pioche sur l'épaule, et sous prétexe de chercher des fourmis ailées — pour les pièges — ils auraient inondé le champ. »

Manon écoutait la belle voix d'homme, et regardait les yeux couleur de café brûlé, comme ceux de son père, qui brillaient dans ce visage brun... Elle parut tout à coup très émue, et murmura :

« Vous voulez dire que mon père a eu tort?

— Non, dit-il, non... Mais les victimes ne sont jamais tout à fait innocentes. Et puis, de toute façon, il est vengé. Le principal coupable est mort, et le survivant n'est plus qu'un vieillard accablé, à demi fou de rage et de chagrin. Les autres, dont la seule faute fut de se taire, ont perdu la moitié de leur récolte : ils ont des femmes et des enfants.

— Mon père aussi avait une femme et un enfant. »

Il se tut un moment, puis il reprit :

« Lequel est-ce, qui avait peint les flèches noires? »

Elle leva les yeux pour dire :

« Le menuisier.

— Je m'en doutais. De plus, il vous a dit que le cercueil de votre père était offert par la commune. Ce n'était pas vrai. C'est lui qui l'a donné. »

Elle se tut un moment, puis dit :

« Ce n'est pas un paysan. Il n'a pas besoin d'eau.

— Mais il a besoin d'un village. Si les jeunes s'en vont, il sera bien forcé d'aller s'établir ailleurs... »

Elle ne répondit rien, les yeux baissés. Il reprit :

« J'avais une grand-mère protestante, qui me lisait parfois la Bible. Je me souviens d'une phrase prononcée par le Dieu d'Israël, qui était pourtant sévère et cruel : « S'il reste un seul juste dans cette ville, elle ne sera pas détruite. »

Elle ne répondait toujours pas, et tordait nerveusement le brin de fenouil.

Il dit à voix basse :

« Si votre père vivait encore, et qu'il eût le pouvoir de leur rendre la source, que ferait-il ? »

Elle leva soudain ses yeux brillants de larmes.

« Oh ! lui, dit-elle, lui...

— Eh bien, en souvenir de lui, il faut faire ce qu'il aurait fait. »

Puis, comme elle pleurait, il se tourna vers le chien et dit :

« Eh bien, Bicou, veux-tu que nous allions à la recherche de cette gerboise, qui t'a échappé l'autre jour, quand tu as été si surpris de recevoir un caillou sur le crâne ? »

*
* *

C'est aux premières heures de la nuit qu'ils se retrouvèrent devant l'éboulis artificiel qui bouchait l'entrée de la petite grotte. La pleine lune montait comme un ballon derrière les pinèdes de la crête, le vent était tiède, deux grillons se répondaient. Bernard avait mis des espadrilles, et ne faisait pas plus de bruit qu'une ombre. Manon, ses cheveux serrés sous une mantille noire, l'aidait à déblayer l'ouverture du boyau, et il était surpris par la force et l'adresse de la bergère, qui manipulait sans bruit des pierres de cinquante livres.

Il lui fut très difficile de franchir l'entrée du tunnel : ils n'avaient pas osé l'agrandir, car les coups de massette eussent dangereusement réveillé les échos nocturnes. Manon entra donc la première et alluma les bougies ; puis Bernard ayant quitté ses vêtements pour s'amincir, mit son maillot de bain, et se glissa à son tour dans la crevasse. Mais ses épaules, après de pénibles contorsions, ne purent franchir l'étroit tunnel et y restèrent bloquées. Alors la fille saisit les deux mains tendues, et tira de toutes ses forces. Elle s'y reprit à plusieurs fois, en serrant fortement contre les siennes les paumes charnues du prisonnier. Enfin, les épaules passées, il glissa tout à coup aisément, et Manon, troublée, pensait à la naissance d'un chevreau.

Au bord de l'eau, elle installa quatre bougies et il descendit dans la flaque, dont le niveau avait monté. Ils entendaient la cascade qui tombait dans l'autre galerie. A grands efforts, il soulevait les plaques de roche qu'elle avait détachées des parois, et les redressait contre la berge; elle l'aidait sans mot dire, et regardait jouer les muscles du mâle, indifférent aux raies sanglantes qui striaient son dos. De temps à autre, elle sortait un instant pour scruter la nuit, et caressait Bicou, qui veillait en silence... Le bouchon de ciment parut résister longtemps à la barre à mine, mais il s'émietta peu à peu, et ils entendirent soudain la chute profonde de l'eau délivrée.

Il y enfonça ses bras, pour arracher quelques poignées d'argile.

« Et voilà », dit-il.

Sa face était brillante de sueur, une mèche noire mouillée pendait sur son front.

« Votre dos ne vous fait pas mal?

— Bien sûr, dit-il en souriant. Ça brûle.

— Ce sont les pointes de la roche qui vous ont blessé. Je vais les casser avec la massette. »

Elle s'avança la première, rampant lentement sur ses coudes, parce qu'elle tenait l'outil dans une main, la bougie dans l'autre. Une à une, elle brisait les pointes cruelles, et faisait sauter des crêtes dentelées. Par peur du bruit, elle ne frappait qu'à petits coups, et son travail dura de longues minutes. Il la suivait, rampant lui aussi. Sa nuque frôlait la voûte moussue de l'étroit boyau, qui était presque bouché par leurs corps, et sous ses yeux, les pieds nus s'agrippaient à la glaise préhistorique. Appuyé sur ses paumes, et les reins brûlants, il flairait dans l'ombre dansante l'odeur tendre et sauvage de la fille des sources, et à travers la petite musique de l'eau souterraine il entendait battre son cœur.

Soudain, la lueur s'éteignit, l'air de la nuit rafraîchit son visage.

Elle chuchota :

« Je crois que vous pouvez passer. »

Il tendit encore ses deux bras pour saisir les mains de la fille; elle appuya son pied contre la paroi verticale, jeta son buste en arrière, et à la lumière des étoiles, il se releva, sans lâcher les mains de Manon, et la regarda avec des yeux si brillants qu'elle baissa les siens, et dit très vite :

« Nous n'avons pas fini. Il faut remettre les pierres en place. »

Elle fit un pas en arrière et dégagea ses mains pour rattacher le ruban de ses cheveux.

Côte à côte, ils roulèrent ensemble deux gros blocs jusqu'à l'ouverture. Dans l'effort, leurs épaules parfois se touchaient, des gouttes de sueur tombaient sur leurs mains.

Manon s'aperçut que ses joues étaient chaudes, et que ses jambes tremblaient. Dès que l'entrée fut parfaitement cachée, elle s'assit sur un bloc, respira profondément et dit :

« Je n'aurais pas pu y arriver toute seule. Il est plus facile de faire tomber des pierres d'en haut que de les remonter ! »

Elle essuyait avec son foulard son visage trempé de sueur.

« Il ne reste plus qu'à replanter deux ou trois genévriers, dit Bernard. Je m'en charge...

— Je crois qu'il vaut mieux attendre le jour pour

253

les remettre aux bons endroits... Je reviendrai demain matin...

— Vous avez raison, dit-il... D'ailleurs, l'eau est déjà partie vers le bassin. Quand elle l'aura rempli, personne ne cherchera d'où elle vient ! »

Il passa derrière le fourré pour se rhabiller.

« Vous ne regrettez rien ? demanda-t-il.

— Ce qui est fait est fait. Si vous ne m'aviez pas parlé de mon père... Mais finalement, je crois que vous avez eu raison.

— Si vos calculs sont exacts, l'eau devrait être au bassin demain matin, vers sept ou huit heures, et une demi-heure plus tard, la fontaine coulera. »

Il entendit des tintements métalliques.

« Qu'est-ce que vous faites ?

— Je cache les outils. Ils sont très lourds. Je reviendrai les prendre demain matin avec l'ânesse.

— Je puis les rapporter chez vous maintenant, dit-il. Cette nuit est si belle que j'ai envie d'une promenade au clair de lune ! »

Elle ne répondit pas.

Tout en ajustant ses chaussettes, il reprit :

« Ce sera la fête au village, mais le curé va être navré de renoncer à sa procession d'après-demain... Bah ! Il la fera tout de même, pour remercier le Seigneur de sa bonté !... Il est possible aussi que l'eau revienne beaucoup plus tôt que nous ne pensons. »

Tout en laçant ses espadrilles, il lui expliqua sa théorie : l'eau du bassin, selon Ange, rougissait environ huit heures après les orages... Mais combien de temps lui fallait-il pour arriver à la petite grotte ? Peut-être trois ou quatre heures, et le délai pour aller de la grotte au bassin en était diminué d'autant !

Cette fois encore, elle ne répondit rien.

Il boutonna sa chemise, boucla sa ceinture, s'essuya le visage.

« Moi, ce qui m'ennuie, c'est que je n'aurai pas le

temps de faire des paris avec le maire, qui prétend que la source ne coulera jamais plus. J'aurais pu lui gagner quelques bonnes bouteilles... »

Pendant qu'il parlait, un bref aboiement retentit à quelque distance.

Il baissa la voix :

« Attention. Quelqu'un... »

Il écouta, puis dit encore :

« C'est peut-être un renard ? »

Comme elle ne répondait toujours pas, il demanda :

« A votre avis, est-ce un chien, ou un renard ? »

Le silence lui répondit.

Il sortit sans bruit du fourré : Manon n'était plus sur la roche. Il appela à voix basse :

« Manon ! Où êtes-vous ? »

Il entendit soudain rouler des pierres, et leva la tête : sur le coteau d'en face, le long d'une petite barre de roche blanche, elle courait devant son chien au clair de lune.

VERS sept heures du matin, après une toilette minutieuse — à laquelle participèrent les ciseaux et la lime à ongles du précieux couteau — elle quitta le Plantier derrière son troupeau. Elle était heureuse et pensive, et revoyait toutes les scènes de la nuit, comme elle l'avait fait avant de s'endormir. Elle se demandait, encore une fois, si elle avait eu raison de fuir sans mot dire... Évidemment, dans les romans, le clair de lune est toujours dangereux pour les jeunes filles ; mais les romans, ce n'est pas la vie. Après tout, il n'était sans doute jamais venu se promener la nuit dans les collines ; il avait été séduit par la beauté des étoiles, le parfum nocturne des plantes, et ce silence bleu de lune brodé de chants de grillons. Il était injuste de lui prêter des intentions qu'il n'avait pas eues, car il n'avait pas dit un seul mot audacieux, il n'avait pas fait un seul geste inquiétant, et cette fuite ridicule avait dû le faire sourire de pitié... Elle décida que si l'occasion se représentait, elle ne refuserait pas, au moins pour en avoir le cœur net.

Elle descendit en dansant jusqu'à la grotte condamnée, et constata de loin que le faux éboulis paraissait tout à fait naturel, sauf trois pierres qu'ils avaient posées à l'envers : leur face visible était incrustée de terre et de petites racines... Elle répara ces erreurs, puis planta des touffes de thym entre les pierres, et un beau genévrier qu'elle alla arracher sur la barre supérieure. Puis elle s'éloigna, et se retourna plusieurs fois pour vérifier le naturel de son ouvrage : il était parfaitement noyé dans le paysage, sans rien qui pût attirer le regard.

Elle partit alors vers le bassin, en marchant et trottant si vite que Bicou ne pouvait forcer le troupeau à la suivre : il lui tardait de savoir si l'eau était déjà revenue comme l'avait prévu son complice, et elle pensait aussi qu'il y était peut-être déjà ?

Il y était en effet, assis sur le bord du réservoir, les jambes pendantes, et regardait le fond de la grande cuve de ciment, déjà quadrillé de craquelures. Il la regarda s'approcher et dit :

« Elle n'est pas encore revenue, et je me demande pourquoi. Il est bientôt neuf heures... »

Manon sauta dans le bassin, s'agenouilla, et appliqua son oreille contre le tuyau d'arrivée.

Il admirait la grâce et la précision de ses gestes, et là trouvait très distinguée : non pas comme une demoiselle mais comme un écureuil, ou une hermine.

Elle écouta longuement.

« Je n'entends rien », dit-elle.

Elle fit un rétablissement sur le bord du bassin, et se rapprocha de lui pour dire à voix basse :

« Est-ce que vous pensez qu'elle reviendra ?

— Je le crois, à moins que le petit canal ne soit obstrué par les débris du bouchon que j'ai brisé... Ou alors, il y a sur son parcours un siphon, ou plusieurs petits siphons qui se sont désamorcés, mais qui reprendront leur tirage dès que l'eau atteindra son niveau habituel...

— Une idée me tourmente, dit-elle. Si l'eau ne revient qu'après la procession?

— Eh bien?

— Eh bien, ils vont croire que le saint a fait un miracle.

— Ce qui lui vaudra trois douzaines de cierges, et M. le curé ne manquera pas d'en tirer parti pour l'édification des incroyants!

— Oui, mais moi, lorsque j'irai me confesser...

— On ne confesse que ses fautes, et vous aurez effacé la vôtre, puisque vous aurez rendu l'eau au village... Et puis en ce moment, nous manquons de miracles : il serait peu charitable de renoncer à celui-là — si toutefois il a lieu... »

Il regarda sa montre-bracelet.

« Ce matin, dit-il, je ne puis rester avec vous : il faut que j'aille à l'enterrement d'Ugolin. C'est à dix heures...

— On l'enterre à l'église?

— Non. On avait dit au curé qu'il était tombé d'un arbre, et il avait fait semblant de le croire. Mais les gendarmes sont venus, et il a fini par tout savoir... Malgré ça, il doit lui donner l'absoute au cimetière.

— Tant mieux pour lui! dit-elle.

— Ça ne le ressuscitera pas.

— Pas dans cette vie; mais dans l'autre?

— Ainsi soit-il! dit l'instituteur et il se leva.

— Et si l'eau ne revient jamais? »

Manon haussa les épaules.

« Alors, ce sera le signe que le Bon Dieu me donne raison... »

Elle revint au bassin l'après-midi : mais comme elle arrivait sur la barre qui dominait le vallon, elle vit au loin une petite caravane qui en suivait le fond :

quatre ou cinq mulets, chargés de tonnelets, et accompagnés de cinq ou six hommes. Elle se cacha dans les genêts. Que venaient faire ces gens-là? Elle comprit tout à coup que la source avait repris son cours, mais que l'eau n'était pas encore arrivée au village, et qu'ils venaient remplir leurs tonneaux au bassin, qu'elle ne voyait pas. A mesure qu'ils approchaient elle reconnut d'abord le panama de M. Belloiseau, puis Philoxène, puis Ange le fontainier et le petit Cabridan. Derrière les mulets, l'instituteur discutait avec Pamphile, qui portait une cruche vernissée.

Elle se glissa sous les genêts jusqu'au bord de la barre, pour voir le bassin : il était aussi parfaitement vide que la veille, et elle pensa que les arrivants en seraient grandement déçus; mais ils ne manifestèrent aucune surprise, et commencèrent à vider les tonnelets sur le ciment brûlant que l'ardeur du soleil divisait en plaques...

« On est venu trop tard! dit simplement le maire. Il faudra refaire l'enduit... »

Il portait sous le bras une bouteille, qu'il déboucha, tandis que Cabridan distribuait des verres qu'il avait apportés dans un couffin de sparterie, puis ils s'assirent en rond sous le figuier. Pamphile, qui n'avait pas vidé sa cruche dans le bassin, en versa l'eau, en un mince filet, dans l'absinthe savamment troublée.

Puis, ils parlèrent, comme il est d'usage. Cabridan, désolé, annonça sa résolution de partir le lendemain, pour aller installer sa femme chez des cousins, à la Bouilladise, parce qu'elle était sur le point d'accoucher. Il justifiait cette désertion en disant :

« Un enfant, ce n'est pas comme un pois chiche : ça ne peut pas se faire au sec... Et puis, si l'eau ne revient pas, moi aussi j'irai là-bas : les cousins ont de grosses cultures de primeurs, et ils m'ont souvent proposé de venir travailler avec eux... Et puis, ils n'ont pas d'enfants... »

Claudius déclara qu'il envisageait de s'établir à la Valentine en s'associant à Pampette, le boucher-charcutier ; à cause de ses rhumatismes, il n'arrivait plus à servir tous ses clients.

Ange consterné, s'écria :

« Alors, tu crois qu'il ne restera plus personne au village ?

— Il restera les vieux, dit Claudius, et les vieux, c'est avare et ça n'a plus de dents : ça ne mange pas de viande... »

Philoxène se montra pessimiste. A son avis, il ne fallait pas se faire d'illusions : la source était morte, et le village allait forcément se dépeupler.

« Question d'argent, dit-il, ça m'est égal. Avec ma pension, mes économies, et quelques paquets de tabac, j'arriverai toujours à vivre... »

Il se tourna vers Bernard qui ne paraissait pas autrement ému.

« Et vous, monsieur Bernard ? Si les jeunes s'en vont, ils emmènent les enfants... On a eu beaucoup de peine à obtenir cette école... S'il n'en reste pas assez, ils sont capables de la fermer !

— Moi, dit Bernard, je suis fonctionnaire, et vous savez que l'année dernière, j'ai refusé d'aller à Saint-Loup... Si je ne suis pas ici, je serai ailleurs, et il est même probable que j'aurai de l'avancement ! »

Il avait parlé gaiement : elle recula sans bruit, et remonta vers le Plantier ; elle marchait vite, la tête baissée, et elle arrachait au passage des brins de cade et de fenouil.

LA nouvelle de la catastrophe avait fait grande impression aux Ombrées, et à Ruissatel : c'était une menace pour les sources qui nourrissaient ces deux gros villages, et le danger avait réveillé la piété paysanne. C'est pourquoi les voisins, sans aimer particulièrement « ceux des Bastides », avaient délégué quelques-uns des leurs à la procession pour demander au Ciel de ressusciter la fontaine, et de renoncer à un genre de châtiment trop cruellement approprié à l'aridité du pays.

Pendant que les « officiants » se préparaient dans la trop petite église, la foule qui cernait la fontaine morte débordait de la placette jusque sur l'esplanade au bas des marches. Pourtant on n'entendait aucun bruit, car si quelques-uns parlaient à voix basse, presque tout le monde se taisait, sauf, bien entendu, les mécréants : installés à la terrasse du café, ils tenaient des propos assez peu catholiques.

« Dans les temps anciens, disait M. Belloiseau, les prêtres auraient tenté d'apaiser la colère des dieux en égorgeant sur un autel la plus belle fille du pays : tandis que nos gentils curés supposent que le Dieu des chrétiens se contentera d'un défilé, et de quelques chants, appuyés par le piston dont saint Dominique dispose au Paradis... Il faut bien reconnaître que c'est un très grand progrès !

— Et vous croyez, dit le boulanger, que ça va y faire quelque chose ? »

L'instituteur hocha la tête, et prit un air mystérieux pour dire :

« On ne sait jamais !

— Quoi ! s'écria Philoxène, vous n'allez pas me dire...

— Non, répliqua Bernard, je ne vais pas vous dire, mais je suis en train de me demander ce que je penserais, si au premier oremus, la fontaine se mettait à couler !

— Eh bien, moi, dit le boulanger, ça me ferait un effet terrible, parce que ça me changerait les idées ! Je ne saurais plus quoi répondre à ma femme, et je serais obligé d'aller me confesser tout de suite !

— Et voilà ! dit Philoxène sarcastique, voilà le danger, parce que si par malheur l'eau revenait aujourd'hui, je connais plusieurs fadas qui raisonneraient comme lui ! Ça nous ferait tout un village de calotins, et je perdrais sûrement la mairie !

— Ça, c'est sûr, dit Casimir... Un miracle, ça ne pardonne pas !

— Le miracle, dit Philoxène, moi je n'y croirais pas au miracle ! Je croirais plutôt à un coup de maître des jésuites !

— Ho ! ho ! dit gravement l'instituteur, ça ne m'étonnerait pas !

— Allons, allons, dit M. Belloiseau incrédule, comment auraient-ils fait ?

— Comment ils font, on ne le sait jamais ! répliqua Philoxène. Ce sont des savants, et des mystérieux : mais par bonheur je ne crois pas qu'ils se dérangeraient pour la mairie des Bastides. C'est trop petit pour les intéresser ! »

Les cloches sonnèrent soudain à la volée : le saint sortait de son église, sur un pavois que portaient les jumeaux d'Anglade, le vieux Médéric, et Barnabé de Baptistine. Le curé les suivait, entouré de ses enfants de chœur ; derrière lui, Anglade portait fièrement la bannière du saint, à côté du sacristain des Ombrées, qui était le prieur des pénitents de saint Léonard. Ils étaient quatre, sous des cagoules grises qui ne laissaient voir que leurs yeux. Derrière eux, Ange avait planté dans sa ceinture la hampe d'un étendard brodé, pour la plus grande joie des mécréants, qui ne lui ménageaient pas les ricanements, ni les haussements d'épaules : mais Philoxène l'excusa en disant : « A cause de sa fontaine, il ne sait plus ce qu'il fait. Pensez que depuis huit jours, il n'a pas bu un seul apéritif ! »

Ceux de Ruissatel étaient représentés par une chorale de vieillards, et une bonne douzaine d'enfants de Marie, conduites par le bedeau.

Le cortège s'organisa aussitôt ; sous la direction de M. le curé, Eliacin formait les rangs avec la férocité simulée d'un chien de berger.

Cependant Anglade paraissait inquiet et regardait sans cesse autour de lui, comme s'il attendait quelqu'un. Il sourit tout à coup : Manon venait de paraître, avec la mère de l'instituteur. Les cheveux serrés dans une capuche de foulard gris, elle suivait Magali, qui souriait sous un large chapeau de paille.

Manon marchait les yeux baissés, mais elle entendit la présence de tant de gens immobiles : et lorsqu'elle vit cette foule que dominaient les bannières et le saint doré, elle fut effrayée par l'ampleur et la gravité de la cérémonie : elle pensait : « Si ces gens savaient ce que j'ai fait, ils me mettraient en pièces. » Mais d'abord personne n'en saurait jamais rien, sauf Bernard ; et de plus, il était là, sur la terrasse, capable de la défendre contre tous... Et justement, il la regardait d'un air grave, et les sourcils froncés : elle devina qu'il contenait à grand-peine une violente envie de rire, et elle baissa les yeux. Puis, la vue du prêtre dupé, qui s'était tourné vers elle avec une bienveillance visible, la troubla... Sa foi sans bigoterie, mais sincère et profonde, lui reprochait d'avoir organisé un faux miracle, dont on parlerait sans doute longtemps. Bernard en riait, mais saint Dominique, du haut du ciel, voyait son sacrilège, et elle n'osa pas regarder la statue.

Au passage, Anglade posa la main sur son épaule. Il souriait, les larmes aux yeux.

« Cousinette, dit-il, viens avec moi ! Nous prierons ensemble... »

Alors M. le curé entonna un psaume, soutenu par toute la chorale, dont l'architecture musicale reposait sur les mugissements d'Eliacin, et le cortège se mit en marche. Quand il arriva devant la terrasse, M. Belloiseau montra sa largeur d'esprit en se levant, et, son panama à bout de bras, salua largement le passage du saint.

La procession chantante quitta la placette, et fit longuement le tour du village. Elle s'arrêtait au bord des champs, pour en montrer la misère au Protecteur, et le curé bénissait la terre déjà poudreuse sous un impitoyable soleil. Manon, à la dérobée, regardait de temps à autre du côté du village ; elle s'attendait à voir surgir quelqu'un — l'instituteur peut-être — qui crierait, entre ses mains en porte-voix : « L'eau arrive ! »

Pendant ce temps, devant la place vide, les mécréants continuaient leur conversation.

« A mon avis, disait Bernard, la fontaine n'est pas morte pour toujours. Je ne dis pas que cette procession va nous la rendre, je dis que l'eau reviendra un de ces jours, et peut-être très bientôt.

— Je n'y crois pas, dit Philoxène. Et je vous parie trois bouteilles de Pernod, avec l'espoir de les perdre.

— Tenu! dit l'instituteur. J'irais même jusqu'à quatre bouteilles, si vous acceptez.

— D'accord pour quatre!

— J'approuve ce pari, dit M. Belloiseau, car de toute façon, c'est nous qui les boirons à la santé du perdant! »

Cependant, Bernard regardait sans cesse la fontaine; il s'étonnait de son silence, et se demandait si l'arrêt de la source pendant plus d'une semaine ne l'avait pas désamorcée à jamais...

La procession chantait au loin ses supplications psalmodiées, une cigale solitaire grinçait dans le vieux mûrier, les mécréants se taisaient, inquiets... Philoxène s'écria soudain :

« Allons, allons, il ne faut pas se laisser abattre. On peut quand même boire un coup, et faire une manille aux enchères. »

*
* *

Ils en étaient à la cinquième « donne » lorsque les chants se rapprochèrent, puis le cortège reparut, et vint se ranger en cercle autour de la conque. Tous ces gens paraissaient découragés, et Manon regardait Bernard d'un air inquiet, mais Anglade souriait toujours.

M. le curé commença, de sa belle voix claire, une litanie, et la foule donnait les répons, avec une ferveur pathétique.

C'est alors que l'on vit s'avancer un étrange personnage.

Entre un très large chapeau de feutre noir, et la double ganse d'une cravate d'artiste, il montrait un visage rond, un teint fleuri autour d'un grand nez, et deux beaux yeux brillants comme de l'anthracite. Il portait un ample costume de velours bleu de nuit, et tenait à la main une canne à pommeau d'argent.

Avec une autorité un peu théâtrale, il traversa la foule, et vint se placer au premier rang, à côté de M. le curé, se découvrit devant le saint d'un geste solennel, puis, les yeux levés vers le ciel, il répondit à la litanie d'une voix claire et forte avec une émotion profonde.

Philoxène, soupçonneux, demanda :

« Qu'est-ce que c'est que ce type-là?

— Le général des jésuites », dit gravement Bernard.

A ce moment, on vit Ange se tourner brusquement pour remettre la hampe de sa bannière entre les mains d'un pénitent gris, et s'approcher de la fontaine. Il colla son oreille contre le tuyau de cuivre, et cria :

« Il se passe quelque chose! »

La douce litanie s'arrêta net, et dans un silence vraiment religieux, Ange écouta de nouveau, et dit :

« Elle respire! »

Les hommes s'avancèrent. On entendait un souffle, qui s'amplifia peu à peu. Les mécréants s'étaient levés comme un seul homme, et M. Belloiseau demanda à très haute voix :

« Qu'est-ce qu'il y a?

— Le tuyau souffle! » dit le boulanger, et il courut auprès d'Ange.

Philoxène était pâle, l'instituteur regardait Manon, qui tenait obstinément les yeux baissés, tandis qu'Anglade, la bouche ouverte, crispait ses mains ridées sur la hampe de sa bannière. Comme M. Belloiseau traversait la foule pour essayer d'entendre, la fontaine éternua trois fois, et un mince filet d'eau parut, flottant et déformé par le souffle : puis le tube de cuivre toussa, le jet s'arrondit brusquement, et frappa

266

la pierre de la conque, qui se mit à chanter. Anglade cria « Miracle »! tandis que le sacristain des Ombrées, remarquablement excité, hurlait : « A genoux! Tous à genoux! » La foule s'effondra, tandis que le prêtre, les bras levés, lançait au Ciel de sa voix généreuse un remerciement solennel.

« Merci Seigneur, pour l'humble potager, merci pour le verger, la vigne et la prairie... Merci pour le plus frêle de nos brins d'herbe qui cette nuit va reverdir! »

Mais pendant qu'il prononçait ces nobles paroles, les hommes prirent soudain la fuite de tous côtés, comme si une bombe venait d'éclater sur la place : ils couraient à leurs bassins; seuls, les porteurs du saint et le vieil Anglade restaient héroïquement à leur poste.

Alors une voix forte et bien timbrée entonna l'Alleluia; c'était celle de l'inconnu qui chantait les paroles latines; M. le curé, surpris et charmé, suivit aussitôt, soutenu par toute la chorale; l'inconnu, tournant le dos à la fontaine, et serrant son chapeau entre ses genoux, se mit à battre la mesure des deux bras, avec l'autorité d'un chef d'orchestre, et l'hymne de reconnaissance et d'allégresse remplissait jusqu'aux toits la placette...

« Je vous l'avais dit! répétait Philoxène. Voilà l'homme des jésuites! Voilà l'organisateur du miracle! Il chante en latin mieux que le curé!

— Allons donc! disait M. Belloiseau. Il n'y a là ni vrai ni faux miracle... C'est une coïncidence, voilà tout!

— Heureuse coïncidence! dit l'instituteur, car voici notre eau revenue, et bien à point pour arroser les quatre bouteilles de Pernod que M. le maire a perdues!

— Les bouteilles, dit Philoxène, c'est d'accord, et

je vais chercher la première. Mais la mairie, ils ne l'auront pas! »

Après l'Alleluia, dans un grand silence animé par l'antique chanson de la fontaine, M. le curé bénit la conque, puis il se tourna vers Manon interdite, et la bénit elle-même, devant Anglade radieux... Elle baissait la tête, comme honteuse : mais le prêtre dit gravement :

« Les vrais miracles, c'est dans les âmes que Dieu les fait. »

Puis il se tourna vers la foule, et quoiqu'il ne vît que des femmes, il dit :

« Mes frères! Ramenons dans sa maison notre grand saint Dominique, qui vient de sauver notre village, et allons rendre grâces devant l'autel! »

Précédé par le pavois, il se dirigea vers l'église, suivi par la foule des femmes : Manon, pensive, restait au milieu de la place, et regardait couler la fontaine, tandis que le chantre inconnu se dirigeait vers la terrasse du café, où Philoxène servait les apéritifs.

« Ho! ho! dit Philoxène, il n'est pas entré dans l'église parce qu'il cache son jeu! Vous me direz ce que vous voudrez, mais c'est bien la manière des jésuites! Et maintenant, il vient nous espionner! »

L'inconnu s'arrêta devant le groupe, et salua cérémonieusement :

Philoxène attaqua aussitôt :

« Vous chantez très bien, monsieur, et surtout les chants religieux! On voit que vous avez l'habitude!

— Ce n'est pourtant pas ma spécialité, dit l'inconnu en souriant, mais il m'arrive assez souvent de prêter mon concours à d'importantes cérémonies de l'église... Je suis Victor Périssol. »

Il regarda l'assistance comme pour s'assurer de l'effet de cette révélation, qui n'en fit aucun.

Seul, M. Belloiseau répondit aimablement :

« Enchanté, monsieur. »

Philoxène, les poings sur les hanches et le menton levé, regarda fixement l'inconnu.

« Moi, dit-il, je suis le maire LAIQUE de cette commune, et les miracles ne me font pas peur. »

Et comme l'autre paraissait perplexe, il ajouta sur un ton de défi :

« Au contraire !

— Celui auquel nous venons d'assister est pourtant assez plaisant, dit Victor Périssol, et je ne vois pas en quoi il pourrait faire peur à quelqu'un ; mais ce que je vois clairement, c'est que dans ce charmant village mon nom est tout à fait inconnu, comme sans doute celui de Caruso : je le constate sans amertume !

— Vous êtes donc chanteur ? demanda Bernard.

— Oui, monsieur, oui, et j'ai eu mon heure de célébrité. Mais ce n'est pas là notre propos — et à défaut d'une ovation que je n'ai pas méritée aujourd'hui, vous pourrez peut-être me donner un renseignement... Je suis à la recherche d'un lieu nommé le Plantier. Connaissez-vous le Plantier ?

— Certainement, dit Bernard, et voici une jeune fille qui y habite précisément.

— Ho ! ho ! dit l'inconnu, ne serait-ce pas la petite Manon ?

— Elle-même ! Vous la connaissez ?

— Voilà donc mon affaire ! s'écria le chanteur. Il se dirigea vers Manon surprise, mais rassurée lorsqu'elle vit que Bernard le suivait.

— Jeune fille, je me présente : je suis Victor Périssol. Oui, lui-même. »

Manon n'avait jamais entendu ce nom, et ne sut que dire, mais le ténor enchaîna :

« Et vous, vous êtes la fille de la petite Aimée Barral.

— Oui, c'est le nom de ma mère, dit Manon.

— Alors, vous avez sans aucun doute entendu parler de moi! »

Elle dit tout à coup :

« Victor! C'est vous, monsieur Victor?

— Mais évidemment! s'écria-t-il.

— Elle vous a écrit beaucoup de lettres.

— Plus de cinquante! s'écria Victor. Elle ne savait pas que je suis maintenant à Marseille, et elle m'écrivait par le canal de l'Opéra-Comique, à Paris, pour m'inviter à dîner de la façon la plus charmante, mais sans jamais me donner d'autre adresse que « Château du Plantier », Bouches-du-Rhône... Ce Plantier, je l'ai cherché sur toutes les cartes, dans les agences de tourisme, j'ai interrogé des postiers... Rien... Et comme ses lettres étaient un peu poétiques — et finalement assez incohérentes —, je me suis demandé si ce château du Plantier n'était pas une sorte de... maison de santé... Enfin, j'ai reçu hier une lettre — renvoyée comme d'habitude de Paris — mais qui était timbrée par le bureau de poste du village des Ombrées; je n'ai pas eu de peine à le localiser dans l'annuaire des téléphones, et j'y suis allé ce matin même : la dame de la Poste m'a conseillé de m'adresser aux Bastides, et voilà pourquoi je suis ici. Allons au Plantier! »

Manon fut très gênée, et elle dit très vite :

« Je ne puis pas y aller tout de suite... Il faut que je fasse des commissions pour ma mère...

— Bien, dit-il. Je vais donc vous attendre à la terrasse de ce café, pour y boire frais! »

Sur un regard de Manon, Bernard la suivit. Dès qu'ils eurent tourné le coin de la ruelle, elle chuchota :

« Je ne sais pas ce que ma mère lui a raconté, mais cet homme s'imagine qu'il va dîner dans un château. Comment faire?

— Rigoler! » dit Bernard...

270

Et il se mit à rire de bon cœur.

« Moi j'ai honte, dit-elle. Il va voir qu'elle lui a menti!

— C'est un artiste. Il comprendra ça très bien. Je me charge de le prévenir en route.

— Oh! oui. Mais il va falloir le faire manger... Il est gros... Il n'y a pas grand-chose chez nous. Des œufs... des tomates... N'est-ce pas, nous ne mangeons pas beaucoup... Il n'y a pas de vin... Il faut que j'achète des nourritures. J'ai une pièce d'or. Vous croyez qu'ils la voudront? »

Bernard sourit.

« D'abord, dit-il, allons voir ma mère! »

*
* *

La bonne Magali écouta les explications de son fils et déclara :

« C'est tout simple. Tu vas prendre quatre ou cinq bouteilles de vin à la cave. Puis, sur la deuxième étagère, trois boîtes de sardines, le petit bocal de cornichons, etc. Et en passant au village, achète du pain. J'ai un beau civet de lapin sur le feu : je l'apporterai vers huit heures.

— Oh! dit Manon, vous n'allez pas faire tout ce chemin! Et puis, vous ne savez pas où c'est?

— Ma pauvre petite, Bernard m'a montré votre belle bergerie; et je sais très bien où elle est. Et pour marcher dans les collines, je ne crains personne. Ne vous occupez pas de moi, et préparez l'omelette aux tomates : à huit heures j'arriverai. Moi, je suis curieuse. D'abord je veux faire la connaissance de ta mère. Et puis, je veux voir cette bergerie. Et puis, ça me plairait de parler à ce ténor... Moi les ténors, je les adore, mais je les ai toujours vus de loin. Et en plus, un ténor dans une bergerie, c'est quelque chose de pas ordinaire et si nous le lui demandons, peut-être il nous chantera un air d'opéra! Allez, filez. Et n'oubliez pas de prendre le pain. »

*
* *

Ils trouvèrent l'invité, en train de chanter la romance de *Si J'étais Roi,* devant Philoxène, Pamphile, Casimir accouru, et M. Belloiseau charmé. Il tint longuement la dernière note, et salua pendant que l'assistance applaudissait.

« Est-ce que c'est loin? demanda Victor.

— Deux kilomètres, dit Bernard.

— Alors, on prend ma voiture. Je l'ai laissée sur l'esplanade...

— Elle y restera, dit Bernard, car dès la sortie du village, il n'y a qu'un sentier!

— Vous m'en voyez ravi! s'écria Victor, mais je veux porter ce casier à bouteilles! »

Il le prit des mains de Bernard, déjà chargé de son sac tyrolien.

*
* *

Ils montèrent par le chemin des crêtes. Tout le long de la route le ténor ne cessa de parler.

« Je l'ai connue dans une tournée de Werther... Toute jeune, une petite débutante. Une fort jolie voix, un soprano-dramatique pas encore très bien placé, mais des plus agréables... Elle était premier soprano dans les chœurs, et elle doublait, en cas de malheur, la « prima donna »... Et voilà qu'à Castelnaudary, notre Charlotte — une ogresse énorme — mais une voix admirable, — un rossignol dans un baobab — s'offre une terrible indigestion de cassoulet et en arrivant à Toulouse, on m'informe que ces haricots lui ont bouché les aigus, et que c'est la petite

Aimée qui jouera le soir! A Toulouse! Vous vous rendez compte! »

Il tira un mouchoir de sa poche pour essuyer son front ruisselant, en répétant : « A Toulouse! »

Il poussa un soupir d'angoisse, et reprit :

« On m'annonce ça à neuf heures du matin, pendant que je me rasais. Je me dis : la petite va se faire emboîter et me faire emboîter moi, Victor Périssol. Je l'emmène tout de suite au théâtre, avec un pianiste et je la fais répéter toute la journée. On a déjeuné d'un sandwich... Je me faisais un sang de peste. Eh bien, mon cher, le soir, savez-vous ce qui est arrivé le soir? »

Il s'arrêta, planta sa canne dans le sol, et attendit.

« Évidemment, nous ne le savons pas, répondit Bernard en souriant, mais vous allez nous le dire!

— Eh bien, le soir, à Toulouse, j'ai eu un triomphe! J'ai dû bisser la cavatine du premier, la romance du second, et à la fin du Clair de Lune, un ouragan de bravos! Ils me l'ont fait chanter trois fois! Il faut dire que ce soir-là, j'étais en état de grâce... Ce fut peut-être ma plus belle soirée.

— Et maman? demanda Manon.

— Elle ne m'a pas gêné du tout! Et puis, elle était si jolie! Et puis n'est-ce pas, elle était portée par l'enthousiasme du public — et malgré un si bémol un peu douteux ils l'ont applaudie à la fin du trois; au dernier rideau, pour les saluts, pendant l'ovation, je suis allé la prendre par la main (il prit la main de Manon) et je la poussai vers le public... Alors, ce fut du délire! C'est à partir de ce soir-là que je me suis intéressé à elle. »

Il fit un clin d'œil mystérieux qui crispa la moitié de son visage du côté de l'instituteur.

« Je lui ai replacé sa voix, qui était un peu trop bas dans la gorge, et nous avons fait ensemble plusieurs

tournées, *Manon, Werther, Lakmé, Si J'étais Roi...*
Et puis l'Amérique m'appela. »

Il s'arrêta, secoua la tête, et reprit :

« Quand je dis l'Amérique, je veux dire qu'un impresario m'offrit d'être le partenaire de l'illustre Massiarova. Cette dame, qui avait les dimensions d'une locomotive, en avait aussi le sifflet. On me donnait beaucoup d'argent pour chanter à côté d'elle. Son sifflet intéressa vivement les Américains. Ma voix leur plut. C'est ainsi que j'épousai une charmante fille du Texas qui m'en fit voir de toutes les couleurs, et qui mourut de l'abus du whisky de maïs, en me laissant des souvenirs compliqués, mais un héritage assez important. Je suis revenu en France, il y a eu la guerre, — que j'ai faite dans le théâtre aux Armées — et je n'ai jamais revu la petite Aimée. On m'a dit qu'elle avait fait une gentille carrière en tournée, puis qu'elle avait trouvé le Grand Amour et qu'elle avait épousé un financier. C'est pourquoi je n'ai pas été étonné quand elle m'a écrit qu'elle habitait un château! »

Manon lança un regard désespéré à Bernard, qui intervint aussitôt.

« C'est-à-dire qu'elle a une imagination qui la rend en somme très heureuse, parce qu'elle embellit tout... Elle transforme, elle transmute...

— Elle a toujours été un peu comme ça, affirma Victor; mais d'après ses lettres, il me semble que ça s'est aggravé...

— C'est depuis la mort de mon père, dit Manon. Elle rêve tout éveillée... »

Victor s'arrêta de nouveau, fronça les sourcils :

« Donc, vous allez me dire que ce n'est pas un château. Alors, une simple villa?

— Même pas.

— Eh bien, tant mieux! s'écria Victor. Rien n'est plus beau qu'un vieux mas! »

274

Manon rassembla tout son courage, pour dire :

« Ce n'est même pas un mas. C'est une ancienne bergerie. »

Victor Périssol s'arrêta net, et répéta à mi-voix, sur un ton dramatique :

« Une bergerie? »

— Oui. Dans une baume... Mais nous l'avons bien arrangée... Il y a des meubles, ça ressemble à une maison... »

Mais le gros Victor ne l'écoutait pas. Il avait ôté son vaste feutre, regardait le ciel, et disait :

« Dieu du ciel, le cycle est accompli. »

Puis il regarda tour à tour les deux jeunes gens, et reprit sur un ton confidentiel :

« Vous êtes trop jeunes pour savoir, comme tout le monde l'a su, que de dix ans à dix-sept ans, je fus berger. Oui, je gardais les moutons dans les montagnes des Basses-Alpes et je ne savais pas lire. Or, un jour, le célèbre Altchewsky m'entendit chanter à l'église du village. Et alors... »

Il s'arrêta brusquement, et changea de ton :

« Je vous raconterai tout ça à table. C'est trop important — et trop noble — pour résumer ce récit dans une conversation de plein air. Donc, c'est une bergerie, vous m'en voyez bouleversé, parce qu'un jour une gitane m'a dit : « Tu es sorti d'une bergerie, et tu retourneras — pour un soir — dans une bergerie. » C'est extraordinaire, vous ne trouvez pas?

— C'est prodigieux! dit Bernard.

— D'ailleurs tout ce qui m'arrive est extraordinaire, reprit Victor. Je vous en raconterai bien d'autres qui vous laisseront pantois!

— Est-ce que vous chantez encore dans les opéras? demanda Manon.

— Quelquefois, oui — mais je n'ai pas honte d'avouer que j'ai été trahi par mon physique, qui fut dévasté par mon appétit... Il serait indécent de présenter Werther ou Des Grieux sous les apparences d'une roucoulante barrique... Eh oui. Et puis, il y a l'âge. J'ai cinquante ans, eh oui... »

Il secoua mélancoliquement la tête, puis dit tout à coup avec violence :

« Et pourquoi mentir? J'ai cinquante-quatre ans bien sonnés. C'est-à-dire cinquante-cinq. Quant à ma voix, je ne l'ai pas perdue : mais il m'arrive... »

Il hésita quelques secondes, comme devant un aveu pénible, puis reprit humblement :

« Il m'arrive de barytonner... Eh oui. D'ailleurs, c'est le destin du ténor... L'organe clair et pur qu'il avait dans le masque s'obscurcit avec l'âge pour descendre dans la gorge, puis dans la poitrine, puis dans le nombril, puis dans ses bottes, et ça finit par le mi-grave du vieillard hébreu dans *la Juive*... Je n'en suis pas encore là, non... et même, il me reste encore un très joli fausset. Mais j'avoue que je ne pourrais plus chanter sans faiblir un opéra tout entier... Et c'est bien dommage, car tous comptes faits et rabattus, je chante beaucoup mieux qu'autrefois, je veux dire que... MAINTENANT, je sais chanter... »

Pendant ces discours, Manon réfléchissait aux rapports que cet homme avait pu avoir avec sa mère. Comme presque tous les enfants, elle ne savait à peu près rien de la vie passée de ses parents. Il avait dit que sa mère était très jeune, une petite débutante, et qu'il l'avait aidée et protégée... Elle-même avait dit souvent, dans ses soliloques, qu'elle était étonnée de ne pas recevoir de réponse de Victor, parce que c'était un homme bon et généreux... Elle le regarda parler et gesticuler : il lui parut un peu ridicule parce qu'il ne parlait que de lui — mais il avait de gros yeux noirs d'enfant, et elle lui donna son amitié.

Ils approchaient du Plantier, en longeant le coteau sous la haute barre bleue dont le soleil couchant rougissait le sommet, au flanc de l'étroit vallon de roche. Au loin, on voyait déjà la muraille de la bergerie. Victor s'arrêta, et regarda le paysage.

« C'est beau! dit-il. Ce vallon serait sensationnel pour la nuit de Walpurgis, dans *Faust*... Ces rochers ont l'air en carton, comme à l'Opéra. C'est admirable! »

A ce moment, et sans que l'on vît personne, une voix de femme chanta une longue phrase du dernier acte de *Manon*.

Victor ouvrit de grands yeux, et s'arrêta; il écouta quelques secondes, et dit :

« C'est elle! »

Il posa soudain le panier à bouteilles sur le sentier, jeta sa canne et son chapeau sur les kermès, tandis qu'Aimée sortait des térébinthes, en serrant sur sa poitrine une gerbe d'iris des collines. Elle chantait : « Ah! je puis donc mourir! »

Alors montant vers elle qui descendait vers lui, il répondit : « Non, vivre! Et désormais sans danger pouvoir suivre. Deux à deux, le chemin où tout va refleurir... »

Alors, il la prit dans ses bras : joue contre joue, et seuls au monde, ils chantèrent le duo final, et ce furent des cris d'amour que les échos de la gorge se renvoyaient à l'infini. Les jeunes gens écoutaient, immobiles, surpris par la force et la délicatesse de ces voix, et par la tendresse de ce gros homme qui n'avait pas été célèbre pour rien.

Quand les jeunes gens arrivèrent près d'eux, elle ne reconnut pas le visage de sa mère, dont les yeux brillaient d'une lumière nouvelle, et elle sentit obscurément que cette femme s'était sacrifiée à son mari. Victor, qui essuyait ses larmes avec un mouchoir de dentelle, disait le plus simplement du monde :

« Tu es un peu descendue vers le mezzo, mais tu donnes encore facilement le contre-fa, et le timbre est beau... »

Il leva son index pour une restriction :

« Un peu assourdi dans les aigus. Mais nous mettrons ça au point facilement... »

Magali arriva, pendant que Manon préparait l'omelette aux tomates, et que Bernard ouvrait les boîtes de conserves tandis que Baptistine bardait de lard une douzaine de merles et de grives. Dans la bergerie, Victor aidait Aimée à mettre le couvert, en fredonnant *les Contes d'Hoffmann.*

A table, le merveilleux appétit du ténor ne l'empêcha pas de parler... Il raconta ses tournées d'Amérique où des chefs indiens féroces fondaient en larmes en écoutant la mort de Werther, ses triomphes à Mexico, son apothéose à Philadelphie, où il avait failli périr asphyxié dans sa loge par les dizaines de gerbes de fleurs que des femmes d'une éblouissante beauté lui avaient prodiguées.

Magali l'écoutait bouche bée, Aimée riait de plaisir, et applaudissait de joie.

Depuis le commencement du repas, Manon regardait Victor avec admiration, et riait de ses traits d'esprit, mais Bernard voyait par instants une ombre passer sur son visage : il crut que la familiarité du chanteur avec sa mère la gênait, à cause du souvenir de son père. Il vit bientôt qu'elle avait un autre sujet d'inquiétude.

En effet, tout en cassant des amandes par des coups de poing qui faisaient sauter les assiettes sur la table tressaillante, Victor déclara :

« Maintenant, parlons de choses sérieuses. Cette bergerie, c'est pittoresque, c'est charmant, c'est émouvant. Je veux dormir cette nuit devant la porte, roulé dans une couverture, à la belle étoile, en souvenir de mon enfance. Mais je ne vais pas te laisser ici. Non, ce n'est pas possible. Des femmes seules dans ce désert, il peut vous arriver n'importe quoi!

— Mais non, dit Manon, mais non! Il y a Enzo et Giacomo qui sont toujours dans les environs, les gens qui viennent quelquefois par ici sont des chasseurs, ou de pauvres vieux qui ramassent des herbes, et il n'y a pas de bêtes féroces! Ici, nous sommes très heureuses!

— Tu te crois heureuse parce que tu ne connais rien d'autre. Et puis toi, tu cours comme une chèvre, tu vis comme une chèvre, et tu n'as pas dix-sept ans. Pour ta mère, c'est tout à fait autre chose.

— Monsieur a bien raison, dit Magali. Pour une femme encore jeune et belle, et avec une si jolie voix, c'est un péché de rester dans une caverne, à parler toute seule!

— Voilà ce que je propose. Je suis maintenant professeur au Conservatoire de Marseille, et chef des chœurs à l'Opéra. Situation peu enviable au point de vue pécuniaire — qui ne compte pas pour moi, bénie soit la mémoire de Mildred — J'ai un très grand studio avec plusieurs chambres, sur le Vieux-Port tout près de l'Opéra. J'y vis avec ma sœur, qui est une vieille dame tout à fait charmante : demain, je vous installe là-bas toutes les deux. Tu chanteras dans les chœurs à l'Opéra, comme premier soprano, et l'été, nous irons donner quelques représentations dans les casinos. Et cette petite, on va un peu la civiliser. On lui donnera un professeur. On lui apprendra à se coiffer, à s'habiller, à danser, et peut-être à chanter. »

Manon baissa les yeux, et dit à mi-voix :

« Moi, en ville, je vais tomber malade, et je vais mourir!

— Tu dis des bêtises! répondit Victor... Quand tu

verras les magasins, les rues illuminées, les théâtres, l'Opéra...

— Et mon chien? Et mes chèvres? Et l'ânesse? Et les collines? »

Elle réussit à retenir ses larmes, mais son menton tremblait.

« Victor a raison, dit Aimée. Tu ne peux pas juger ce que tu ne connais pas...

— Il faut se mettre à sa place, dit Bernard. Elle a une mentalité primitive, un esprit d'oiseau qu'on veut mettre en cage, mais d'autre part, je suis de l'avis de M. Victor. Votre mère doit — si elle le peut — reprendre la vie civilisée, car il est certain que cette solitude ne lui vaut rien...

— Alors, dit Victor, le problème est insoluble!...

— Écoutez, dit soudain Magali, moi j'ai une idée. C'est vrai que cette petite, il ne faut pas lui changer sa vie trop brusquement. De voir tout ce mouvement de la ville, elle en sera espaloufie, elle va s'étouffer, elle va pleurer la nuit, elle séchera sur pied... Moi, à mon idée, si elle restait quelque temps au village, ça lui ferait comme une étape. Elle s'habituerait à voir des gens, à leur parler... Des fois, elle m'accompagnerait en ville, on irait vous dire bonjour en passant, et petit à petit, elle s'apprivoiserait.

— Moi, dit Manon, je veux bien habiter aux Romarins.

— Qué Romarins? dit Magali. Tu pourras y mettre tes bêtes, et tu iras les promener tant que tu voudras, mais une fille de ton âge ne peut pas dormir toute seule dans un mas des collines. Nous avons de la place à la maison, et tu habiteras quelque temps chez nous. Tu m'aideras dans mon ménage, je t'apprendrai à faire la cuisine, de la couture, et tout le reste. Qu'est-ce que tu en dis? »

Manon ne répondit pas. Elle serrait ses mains

jointes entre ses genoux, et elle regardait la nappe sous ses mèches retombantes.

« Et toi, Bernard, ton idée? » demanda Victor.

Le jeune homme leva les yeux, et sourit.

« Si elle veut venir dans notre maison, moi mon idée, c'est qu'elle n'en partira jamais plus. »

A travers la table, il allongea le bras, et posa sa paume ouverte devant la fille des sources.

Elle fit une drôle de petite grimace, se leva brusquement et s'enfuit dans la nuit.

VÊTU de sa belle redingote noire — celle-là même qu'il mettait pour rendre visite à M. le préfet —, ceint de son écharpe tricolore, et coiffé d'un chapeau gibus, M. le maire fit trois bonds et réussit un « carreau » qui fut applaudi par l'assistance, à la grande consternation de Casimir, qui se croyait déjà vainqueur... M. Belloiseau, qui arbitrait ce duel, proclama « 14 à 14 ».

La « galerie » endimanchée admirait sa jaquette bleu marine, sa large cravate où brillait une perle bossue, et surtout un chapeau de soie d'une hauteur si grande qu'il n'eût étonné personne s'il en avait tiré des lapins vivants.

Pourtant, ce n'était pas la fête paroissiale, ni même un dimanche : c'était un joli matin d'avril et le jour même du mariage de M. l'instituteur; mais en attendant l'arrivée des futurs époux, le maire et Casimir n'avaient pu résister à la vue d'un panier de boules, et Philoxène avait aussitôt tiré ses gants blancs en offrant au forgeron de « lui donner une leçon » : proposition que l'autre avait acceptée en ricanant de pitié.

Ils étaient donc 14 à 14, et c'est fort gravement qu'ils entamèrent la « mène » suivante, qui devait être la dernière, et dont les péripéties angoissantes serraient la gorge des spectateurs muets, lorsque le cortège nuptial parut.

En tête, venait la mariée, la petite Manon, si grande à cause de ses talons de dame, qu'on ne l'eût pas reconnue de loin sans la robe traditionnelle de tulle blanc, et sur ses cheveux dorés, la couronne de vraies fleurs d'oranger. C'était un précieux cadeau de Pamphile et de Casimir, qui étaient allés les voler la nuit chez le notaire des Ombrées, un original qui entretenait à grand peine un bigaradier, dans une petite serre au fond de son jardin. De plus, en souvenir de ses chères collines, elle avait piqué entre les douces grappes blanches quatre larges fleurs plates, d'un rouge violet : celle du ciste, que les anglais appellent « la rose des roches », et les provençaux la « messugue ».

En descendant la côte qui menait à la mairie, elle s'appuyait sur le bras de Victor, un Victor grandiose, drapé dans une cape noire qui avait joué *Werther,* et qui flottait sur les bottes vernies du *Postillon de Longjumeau,* dont les reflets avaient ébloui plus d'un souffleur.

Sous un large feutre de mousquetaire, ses gros yeux noirs brillaient d'émotion et de fierté.

Derrière eux marchaient gravement Bernard et sa mère. Elle était vêtue de dentelle beige des pieds à la tête, et souriait à travers une voilette légère qui flottait autour de son large chapeau de paille, tandis que Bernard se tenait très droit dans un complet tout neuf — et ça se voyait — qui venait certainement de la Belle-Jardinière. De plus, sous les pointes rabattues d'un col dur, il avait une cravate de soie bleu d'azur piquée d'un petit saphir. C'est-à-dire qu'ils étaient tous les deux encore plus beaux que d'habitude : mais on voyait bien qu'ils le savaient, et qu'ils n'étaient pas modestes du tout.

Ensuite, venait Anglade qui avait acheté un beau feutre gris pour le mariage de la « cousinette ».

Il donnait dignement l'appui de son bras à Aimée, dont le maquillage (qui eût paru insuffisant sur une scène d'opéra), était peut-être un peu trop brillant pour une mairie de village, mais sa capeline de tulle ombrait avantageusement ses beaux yeux...

Enfin, derrière elle, marchaient quatre messieurs pareillement vêtus de redingotes noires et de chapeaux melons. C'étaient des invités de Victor, dont on devrait comprendre bientôt le mérite.

Comme ils entraient sur l'esplanade, Philoxène leva la main pour les arrêter, et cria :

« Une seconde, pour l'estocade finale ! »

Il confia son gibus à Pamphile, se pencha en arrière, et tint un instant la boule à la hauteur de ses yeux ; puis, dans un grand silence, il bondit en avant : on entendit claquer le « carreau », puis des applaudissements crépitèrent.

Philoxène salua modestement, et tout le monde allait entrer à sa suite dans la mairie, lorsque la mariée lâcha soudain le bras de Victor, releva sa belle robe, et courut vers un petit groupe à demi caché derrière le tronc d'un platane : Enzo, Giacomo, et Baptistine. Les bûcherons étaient merveilleusement propres, mais dans leurs costumes de gala, ils avaient l'air de gigantesques perroquets : chapeaux vert olive, cravates roses, vestons bleus, souliers jaune clair à claque verte. Manon les ramena chacun par un bras, tandis que Baptistine, tout habillée de gris prenait la fuite : ce fut Bernard qui la rattrapa, et qui la remit aux mains de Pamphile, à demi étranglé par un col amidonné.

Le cortège entra dans la salle de la mairie, décorée de romarins et de jaunes genêts en fleurs.

Tous les enfants de l'école, qu'Eliacin empêchait de pénétrer dans le saint des saints, criaient leur déception — mais ils en furent dédommagés par un épisode des plus remarquables.

M. Belloiseau ayant salué fort galamment la mariée, mit son merveilleux chapeau de soie sous son bras, et d'un geste vif, l'aplatit au point d'en faire une galette... Les enfants, charmés par cette crise de folie subite, allèrent coller leur nez aux vitres des fenêtres, dans l'espoir d'en voir d'autres conséquences : mais M. Belloiseau alla s'asseoir avec beaucoup de dignité, et borna son extravagance à éventer son visage avec la platitude de ce couvre-chef sacrifié, tandis que M. le maire prenait la parole.

*
* *

Pendant ce temps, derrière la ferme de Massacan, assiégée par les cistes et les fenouils depuis qu'Ugolin ne l'habitait plus, le Papet, solitaire, fouillait du bout de sa canne cette végétation sauvage. Il portait un costume neuf de velours noir, un chapeau noir, une cravate noire. De temps à autre, il plongeait sa main dans la broussaille, et en tirait une poignée d'œillets rouges et blancs : c'étaient les survivants des premières boutures d'Ugolin, plantées au retour de son service militaire. Les plantes s'étaient reproduites au hasard, et leurs fleurs étaient nombreuses, mais petites, et M. Trémelat les eût certainement refusées. Le vieillard leva soudain la tête : les cloches de l'église sonnaient pour le mariage. Il lia la gerbe de quelques tours de raphia, et descendit vers le village.

*
* *

Le discours du maire avait été longuement applaudi, et surtout par M. Belloiseau, qui en était l'auteur. Manon fut profondément émue par un court passage qui évoquait la mémoire de « l'enfant du village trahi par les siens » et « l'amer regret de tous les Bastidiens à la pensée de cette précieuse amitié perdue ».

A la sortie de la mairie, les enfants stupéfaits assistèrent à un nouvel exploit de M. Belloiseau : ils l'attendaient, espérant jouir de sa surprise lorsqu'il tenterait de remettre sur son crâne ce chapeau qu'il avait si comiquement aplati sans s'en apercevoir : mais la surprise fut pour eux, car M. Belloiseau, tout en parlant à Anglade, prit la noire galette qu'il portait sous son bras, et d'une simple chiquenaude qui produisit une petite explosion, il en refit un chapeau tout neuf qu'il posa sur sa tête sans même interrompre la conversation.

*
* *

La cérémonie à l'église fut tout à fait réussie. Manon ne manifesta aucune émotion, si ce n'est par quelques rougeurs et pâleurs qui conviennent à une mariée, et Bernard fut superbe d'assurance et d'autorité. Naturellement, Magali pleurait. Aimée et Victor n'étaient pas auprès des jeunes époux, mais là-haut, dans la galerie, près de l'harmonium, avec leurs mystérieux invités.

Le petit vieux était un organiste qui révéla aux Bastidiens la véritable sonorité de l'antique instrument. Les trois autres étaient les meilleurs choristes de l'Opéra de Marseille. Leurs voix savantes harmonieusement superposées sur les basses de l'harmonium supportaient la pathétique voix de Victor, et l'angélique soprano d'Aimée : la voûte de la petite église, qui les entendait la première, les réfléchissait sur les fidèles, si bien que cette musique céleste semblait descendre vraiment du ciel. D'ailleurs, M. Belloiseau lui-même affirma plus tard que cette messe chantée eût fait honneur à une cathédrale, le jour d'un mariage princier.

C'est à la sortie, tandis que l'instituteur, sur le parvis, lançait aux enfants des poignées de pièces de dix sous, que le Papet surgit au fond de la place. Son bras gauche serrait sur sa poitrine une épaisse gerbe d'œillets blancs et rouges, et il descendit vers l'église. Il n'avait pas de canne, et l'on voyait bien qu'il faisait des efforts pour marcher d'un pas assuré. Cette arrivée parut surprenante à toute la compagnie. A cause de la beauté de son costume, et de son air solennel, on crut qu'il venait, en signe de réconciliation, offrir ces fleurs à la mariée, et qu'elle l'inviterait peut-être à la noce. Les courses et les cris des enfants cessèrent, tous se taisaient, immobiles, et Manon inquiète et gênée serra le bras de son mari. Elle chuchota : « Je ne vais pas savoir que lui répondre... »

Mais le vieillard passa devant le groupe sans le voir, les yeux fixés sur l'horizon, et une lourde clef brillait dans sa main droite : c'était celle du cimetière.

La noce muette le regarda descendre sur l'esplanade. Puis il s'éloigna sans se retourner, solitaire, unique, tirant la jambe et son chagrin, mais raidi dans son orgueil, et portant haut la dure tête du dernier des Soubeyran.

Un an plus tard, le village était toujours le même, et l'esprit des Bastides n'avait pas changé : mais l'instituteur et surtout sa femme, avaient gagné l'amitié de tout le monde, si bien que le maire était allé à la préfecture de Marseille — chapeau de soie en tête, avec des gants — pour demander à M. l'inspecteur d'Académie d'annuler la nomination de M. Bernard Olivier à la Pomme, et de lui accorder son avancement sur place, avec l'assentiment de l'intéressé.

La mère de Manon, mariée au généreux Victor, habitait à Marseille un très grand studio sur le Vieux-Port, à deux pas de l'Opéra : ils étaient tous les deux au comble du bonheur, et Manon recevait de Victor des lettres triomphales, dans le genre de celle-ci :

« Ma chère enfant,

« Je t'envoie quelques nouvelles de ta mère : elle va très bien, et j'en profite pour te dire que j'ai doublé — *au pied levé* — Ricardo Goldoni dans le rôle d'Albert (*Werther*). J'ai barytonné tout à mon aise, et je t'affirme sans vanité, que j'ai eu un très beau succès. Nous avons eu huit rappels! La voix de ta mère a dominé tous les chœurs. C'est bien simple : on n'entendait qu'elle.

« Bons baisers. »

« *P. S.* — As-tu vu ma photo dans *le Petit Provençal?* Elle est superbe. Je suis le septième à droite au second rang. Nous monterons déjeuner mardi avec un gigot, des truffes, un Saint-Honoré et du champagne. Huit rappels à Marseille en valent quinze à Paris. »

*
* *

Les réunions des mécréants avaient toujours lieu à la terrasse du café, mais leur groupe s'était augmenté d'un membre important : M. le curé, qui avait commencé par leur parler debout, au passage, puis qui avait fini par s'asseoir à leur table. C'était un gai compagnon, dont la présence imposait une certaine retenue à la conversation, tout au moins jusqu'à l'heure de la prière du soir.

Du coup, Pamphile et Casimir allaient à la messe du dimanche, pour lui « rendre la politesse ».

M. Belloiseau avait changé de bonne, ou plutôt sa bonne avait changé de maître, car c'est elle qui était partie pour Marseille, en disant qu'elle en avait assez de supporter les fantaisies d'un vieux grigou dans un village de « parpagnats ».

Elle avait aussi changé de métier.

La nouvelle servante qui avait dix-huit ans, était une charmante souillon, qui se laissait parfois aller à tutoyer son maître, qu'elle appelait un peu familièrement Jean. Sur quoi M. Belloiseau disait avec indulgence : « C'est une enfant... »

Le Papet était devenu bien vieux. Il ne travaillait presque plus, et c'est Pamphile qui entretenait sa vigne du vallon, mais il montait tous les matins à Massacan où il cultivait trois vaseaux d'œillets dont il fleurissait le dimanche la tombe d'Ugolin. Toutefois, il faisait volontiers sa partie de manille à la terrasse, chaque jour, et ne se plaignait jamais, sauf un soir, quand Manon au passage fit un sourire à son mari. Comme ils la regardaient s'éloigner, Philoxène déclara :

« C'est extraordinaire ce qu'elle est devenue belle... »

L'instituteur se rengorgea, et le Papet murmura :

« Elle l'a toujours été. Pour mon malheur. »

Une larme glissa jusqu'à sa moustache : il renifla deux fois, et dit :

« Alors, qu'est-ce que c'est l'atout? »

*
* *

On avait installé Baptistine aux Romarins, avec les chèvres, l'ânesse, le chien et les grandes cognées de Giuseppe. Elle continuait sa vie errante, ses herbes et ses fromages, tandis que les jumeaux d'Anglade cultivaient les champs. Ils avaient abandonné les œillets, parce qu'il fallait penser à trop de choses, et puis c'était « un travail beaucoup délicat »; mais grâce à la source, ils avaient repris les cultures de Camoins le Vieux, et à la bonne saison, ils descendaient au marché d'Aubagne de pleines charretées de légumes.

Le jeudi ou le dimanche, Manon, Bernard et Magali venaient souvent déjeuner avec Baptistine, toujours assise au bord de l'âtre; parfois, les deux amoureux partaient dès l'aurore pour les collines. Il cherchait des pierres pour son « Musée scolaire », qui lui avait valu les félicitations de M. l'inspecteur primaire, elle tendait des pièges (« comme autrefois », disait-elle), puis ils déjeunaient sous le vieux sorbier. Manon emportait toujours, dans sa musette, un petit flacon de lait, à l'intention du limbert : mais le grand lézard, par une répulsion sans doute freudienne, refusait de sortir de son trou tant que le beau Bernard était présent : le mari s'éloignait, feignant une indulgence souriante, mais profondément vexé. Quelquefois, Pamphile les accompagnait, le fusil sous le bras. Manon avait gardé pour lui, une vraie tendresse, à cause des flèches noires. Il grillait des côtelettes ou des saucisses sur une épaisse braise de thym, et les salait avec de la poudre de pèbre d'aï, pendant que Manon grimpait dans les pins, et lançait aux pieds de son mari des pignes amandières.

Mais en septembre, il fallut renoncer à ces courses : elle marchait penchée en arrière, et, pour la première fois, sur ses talons. Pamphile, en grand secret, alla mettre un cierge à l'église de Ruissatel, pour que le petit ne soit pas bossu.

C'EST cette année-là que revint au village la vieille Delphine, la tante d'Ange, le fontainier. Elle avait épousé jadis le fils de Médéric, le douanier de Marseille qui avait mis pas mal de sous de côté, et qui avait pleinement réalisé son idéal, puisqu'il avait fini par toucher une retraite. Ils avaient vécu très heureux jusqu'à un âge avancé, mais par malheur, la pauvre Delphine avait peu à peu perdu la vue, et son mari, dont la tendresse l'avait aidée à supporter son infirmité était mort le jour même de leurs noces d'or... Elle était donc venue, avec son petit magot, et la moitié de la retraite, se réfugier chez son neveu, qui en fut triplement content.

Delphine était très grande, très large, et très maigre. Pamphile disait qu'elle aurait pu faire un magnifique « épouvantail de figuière »; d'ailleurs, les enfants en avaient peur, car sur son visage, aussi grand que celui d'un homme, les rides s'étaient figées une fois pour toutes, à la mort de son mari, en un masque dur et blanc comme du marbre.

Tous les après-midi la belle Clairette, sa nièce, conduisait la vieille aveugle sur l'esplanade, et l'installait au soleil sur un banc. Elle portait toujours, sur ses cheveux blancs, une mantille de dentelle

noire, serrée sous son menton par une agrafe qui
était peut-être en or, et sur ses épaules, un mantelet
de velours noir un peu râpé. Les deux mains
appuyées sur le pommeau de sa canne, elle rêvait en
silence, et elle écoutait les bruits du village, qui
n'avaient pas changé depuis son enfance... Presque
tous les passants lui faisaient un brin de causette, et
souvent le Papet, qui l'avait connue autrefois, venait
s'asseoir près d'elle : ils parlaient du temps jadis,
quand les poulets de grain se vendaient douze sous la
paire, quand les saisons étaient en ordre, et qu'ils
avaient des cheveux noirs...

* *
*

Un soir d'automne, ils bavardaient comme d'habitude, en tournant le dos au soleil couchant dont les
derniers rayons leur chauffaient les épaules.

Le Papet parlait de l'Afrique, des moutons rôtis
entiers dans un trou, des petites danseuses arabes qui
faisaient la danse du ventre, au son des flûtes et des
tambourins. La vieille l'écoutait sans mot dire, puis
elle tourna vers lui ses yeux morts, et dit :

« C'est bien joli, la danse du ventre, mais tu as fait
une belle bêtise quand tu étais là-bas...

— Moi?

— Oui, toi. Je dis « une bêtise », mais c'est
presque un crime !

— Quelle bêtise?

— Ça m'étonnerait bien que tu l'aies oublié.

— Eh bien, moi, je ne vois pas de quoi tu veux
parler. Tous les officiers étaient contents de moi,
puisqu'ils m'ont donné la médaille ! Quand j'ai été
blessé, ils allaient me nommer caporal.

— Ça, c'est autre chose. Moi, je pense à une lettre
que tu as reçue.

— Quelle lettre?

— Une qui méritait bien une réponse. Et toi, tu n'as pas répondu. »

Il la regardait, fronçant ses épais sourcils gris.

« Une lettre de qui?

— Bon! dit-elle. Je comprends que tu ne veux pas me le dire, parce que tu crois que je ne le sais pas.

— Delphine, je te jure...

— Ne jure pas, gros mécréant! Excuse-moi de t'avoir fait penser à quelque chose qui te déplaît. Tiens, j'entends Clairette qui s'amène... Approche-toi, ma fille! Il commence à faire frais et je serai bien mieux au coin du feu. Adessias, César. A demain. Et sois tranquille : je n'en ai jamais parlé à personne, et je ne t'en parlerai jamais plus! »

*
* *

Le Papet réfléchit longuement. Qui donc avait pu lui écrire en Afrique? Il n'avait reçu que trois ou quatre lettres de son père, qui lui donnait des nouvelles de la récolte, du mulet, du chien, de la famille. Sa mère ajoutait un mot d'amitié et c'était tout... Anglade lui avait envoyé une ou deux cartes postales. Et puis, qui? Personne. Absolument personne. Delphine devait se tromper. Ou alors, elle inventait ça pour l'intriguer? Ou peut-être, elle commençait à perdre la tête?... A son âge, ce n'était pas impossible. Mais bientôt il renonça à cette trop facile explication. Delphine ne parlait jamais pour ne rien dire, et sa mémoire était restée infaillible. Il y avait certainement quelque chose : mais quoi?

C'est dans son lit, tout à coup, qu'il trouva. Il avait bien reçu, en effet, une lettre de Castagne, un ivrogne célèbre à qui le père Soubeyran avait prêté de l'argent, et qui était menacé d'une saisie.

Ce Castagne le suppliait d'intervenir auprès du vieillard, en annonçant que si son bien était saisi, il se suiciderait. Il n'en avait pas cru un mot, et n'avait même pas daigné lui répondre : deux mois plus tard, le père Soubeyran lui avait signalé dans une lettre, entre deux nouvelles sans importance, que Castagne s'était pendu.

« Si c'est de ça qu'elle veut parler, franchement, c'est de pas grand-chose! »

Pourtant, il y repensa le matin, en se rasant.

« Et puis, dit-il à haute voix, quand on prête de l'argent, c'est pour qu'on vous le rende. Même si j'avais répondu à Castagne, et si j'avais écrit à mon père, ça n'aurait rien changé. Le vieux était plus têtu que moi, et en plus, il avait raison! »

*
* *

Il la retrouva sur l'Esplanade, à cinq heures.

« Je t'ai reconnu à ton pas, dit-elle.

— Tu as l'oreille fine comme un œil!

— Ça ne remplace pas, César. Non, ça ne remplace pas...

— Dis, Delphine cette lettre que tu m'as dit hier, j'ai trouvé ce que c'est.

— Oui, dit-elle, tu n'as pas dû chercher bien longtemps. Mais puisque ça te gêne, parlons d'autre chose

— Et pourquoi ça me gênerait? Il n'était pas intéressant, Castagne. Et puis, ce n'est pas moi qui l'ai pendu. Il était toujours soûl-perdu, et alors...

— Et alors, je vois que tu continues à faire semblant de rien, mais tu perds ton temps et ton hypocrisie. Ce Castagne, je ne m'en souviens même pas et ce n'est pas de ça que je voulais te parler.

— Alors, qui est-ce qui m'avait écrit?

— Tu le sais très bien, parce que tu ne peux pas l'avoir oublié!

— Delphine, nous sommes en face de l'église, et je

vois la Croix, là-haut sur le clocher. Eh bien, devant cette croix, je te jure que je ne fais pas la comédie. Je te jure que je n'ai pas reçu de lettres, sauf de mon père, d'Anglade et de Castagne. »

La vieille tourna vers lui ses yeux morts.

« Ça, alors, dit-elle, ce serait un désastre.

— Pourquoi?

— Jure-moi encore que tu ne me fais pas des hypocrisies.

— Encore une fois je te le jure. Qui est-ce qui m'avait écrit? »

Elle hésita un moment, puis elle se pencha vers lui, et dit à voix basse :

« Florette. »

Le Papet tressaillit.

« Florette Camoins?

— Tu sais bien qu'il n'y en avait pas deux.

— Tu es sûre qu'elle m'avait écrit?

— C'est moi qui ai donné la lettre au facteur, parce qu'elle ne voulait pas qu'on le sache.

— Delphine, je te jure devant Dieu que cette lettre, je ne l'ai jamais reçue... Parce qu'une lettre d'elle, je ne l'aurais pas oubliée. Et si tu veux savoir la vérité, que je n'ai jamais dite à personne, j'ai encore deux mots de billets, au crayon, à moitié effacés, et une épingle noire de ses cheveux. Eh oui. Mais quand je suis revenu, elle n'était plus au village. Elle était mariée à ce forgeron de Crespin, et même elle avait déjà un enfant! »

Delphine joignit les mains.

« Comment est-ce possible que cette lettre se soit perdue?

— Tu sais, là-bas, on changeait tout le temps de pays, c'était dans le bled ou dans la montagne... Des fois, on ne recevait pas le manger, ni même les cartouches... C'est bien possible que des lettres se soient perdues... Celle-là, si je l'avais reçue, je la saurais encore par cœur... »

La vieille laissa tomber son menton sur sa poitrine, et murmura.

« Alors ça, si c'est vrai, c'est terrible. »

Le Papet chuchota :

« Tu crois qu'elle m'aimait ?

— Imbécile !

— Elle n'a jamais voulu me le dire. Même après... ce qui s'était passé un soir en revenant du bal, elle prenait des airs de se moquer de moi.

— C'était son caractère. Mais moi, elle me disait tout, et je sais qu'elle t'aimait, et cette lettre, je l'ai lue. »

Elle se tut un long moment, pensive et noyée dans le passé. Le Papet n'osait pas parler, mais il avait rentré son cou dans ses épaules, et il baissait la tête, comme dans l'attente d'une pierre du ciel. Enfin, elle murmura :

« Elle te disait qu'elle t'aimait, et qu'elle n'aimerait jamais que toi. »

Le Papet racla sa gorge trois fois.

« Et puis ?

— Elle disait aussi qu'elle était enceinte.

— Quoi ?

— Eh oui. Tu étais parti depuis peut-être trois semaines... Et alors, elle te disait que si tu écrivais à son père, pour lui promettre de l'épouser, elle t'attendrait... Parce qu'on aurait pu montrer la lettre à tout le village, et personne ne se serait moqué d'elle. »

Il voulut se lever, mais il retomba sur le banc. Il murmura :

« Delphine, Delphine, tu es sûre...

— Je te dis que j'ai lu sa lettre, et même, je l'avais aidée à l'écrire... Elle ne dormait plus, la pauvre... Alors, elle a essayé de faire passer le petit, avec les tisanes du diable... Dans la colline, elle sautait du haut des rochers... Mais il était bien accroché. Alors, elle t'a détesté. Elle est allée danser à Aubagne, et elle y a trouvé un grand bel homme, ce forgeron de Crespin. Elle l'a pris pour pouvoir quitter le village, et personne n'a su quand cet enfant est né...

— Il est né... vivant?

— Oui, vivant. Mais bossu. »

Le Papet sentit un grand froid, qui montait de son ventre et son cœur s'élargit brusquement entre ses côtes paralysées. Il ne souffrait pas, mais il ne pouvait plus respirer.

L'aveugle continuait :

« Elle m'a écrit plusieurs fois, au début. Elle me disait que son mari était une merveille, et que le petit garçon était très intelligent... Elle espérait qu'en grandissant, il deviendrait comme les autres. Et puis, je me suis mariée, j'ai habité Marseille... Quand on est loin, on s'oublie vite... Elle ne m'a plus écrit, et je ne l'ai jamais revue... On m'a dit qu'elle était morte, et son mari aussi. Mais le petit, je ne sais pas ce qu'il est devenu. Il doit être encore à Crespin. Tu devrais aller le voir, César. Tu es seul au monde, tu es riche, il a peut-être besoin de toi... »

Elle se tut longtemps, comme absente, auprès du Papet immobile.

Le clocher sonna lentement la prière du soir, et deux petites vieilles s'avancèrent sur l'esplanade à pas pressés.

« O Delphine, grande bazarette, c'est pas bien joli de faire des coquetteries à ce vieux diable pendant que le Bon Dieu t'appelle! »

Delphine se leva.

« Ce n'est pas de ma faute! C'est Clairette qui est en retard! Viens me donner la main, ma belle... A demain, César. Je vais prier pour toi. »

298

Deux heures plus tard, M. l'instituteur sortit du Cercle, où il venait d'expliquer à Philoxène quelques lignes obscures du *Journal officiel,* à propos du « droit de vaine pâture sur les terres gastes de la commune ».

La nuit était venue; une pluie fine tombait de l'ombre, à peine jaunie par les quinquets, et le vent du soir conduisait de petites rondes de feuilles mortes.

L'instituteur, en tenant d'une main son chapeau enfoncé sur sa tête, longea l'esplanade en courant, pressé de retrouver sa chère femme. Mais il ralentit soudain sa course, puis s'arrêta, car il venait de voir une ombre toute noire sur un banc. Il s'approcha.

Le Papet était là, tout seul, sous la pluie... Immobile, le menton sur ses mains croisées au bout de son bâton, il était comme ramassé sur lui-même.

« Bonsoir, Papet... Ça ne va pas? »

Le vieillard leva un visage de cire, qui paraissait trempé de pluie sous son chapeau noir, et la bouche entrouverte sous des poils blancs.

« Ne restez pas là, dit Bernard. Venez, je vais vous raccompagner chez vous. »

Il l'aida à se lever.

« Appuyez-vous sur moi. »

Le Papet prit son bras, comme celui d'un vieil ami, et la tête basse, il sanglotait doucement, avec des gémissements étouffés.

« Vous souffrez? »

Il ne put répondre.

Ils passèrent près d'une échelle, au bout de laquelle il y avait Ange, qui allumait les quinquets.

Il dit :

« Salut! Ça ne va pas? »

Le Papet parut ne pas entendre, mais l'instituteur répondit :

« Non, ça ne va pas très fort, et je le ramène chez lui.

— Une bonne tisane avec un peu de marc, ça va le remettre... Papet, fais bien attention qu'à ton âge, un petit courant d'air peut te souffler la lampe! Ne fais pas le couillon, et couche-toi tout de suite! »

Sur l'aire, le vieillard s'arrêta. Il tremblait des pieds à la tête...

« Je crois, dit Bernard, que vous feriez bien d'appeler un médecin... Si vous voulez, je vais téléphoner aux Ombrées. »

Il répondit d'une petite voix enrouée :

« Non. Merci. Je sais ce que j'ai. Je le sais... Je le sais... »

La sourde-muette, qui guettait son retour, parut sur la porte, et descendit à sa rencontre, en poussant de petits cris désolés. Elle le prit par le bras, et l'entraîna dans la maison.

*
* *

Le lendemain, Philoxène le vit descendre, tout habillé des dimanches, mais il poussa un cri de surprise quand il fut à trois pas.

« O Papet, qu'est-ce que tu as? »

Son visage était rapetissé, et ses cheveux gris étaient blancs comme la neige.

« Je vais aux Ombrées, dit-il. J'ai des choses à faire là-bas. »

Il s'en alla, clopinant.

« Qu'est-ce qu'il lui arrive? pensa Philoxène. Il doit se passer quelque chose. »

Pamphile, qui fumait une cigarette sur le seuil de son atelier, l'appela.

« Tu as vu le Papet? Il porte une tête de mort! »

*
* *

A partir de ce jour, on le vit tous les matins à la messe de sept heures.

« C'est pas bon signe, dit Pamphile... Je crois que je ferais bien de commencer sa caisse! »

*
* *

Puis, le boulanger dont la fenêtre de derrière donnait sur le vallon, le vit monter presque tous les jours à Massacan. Il n'en redescendait que le soir.

« Il me fait peine, disait la boulangère. Il va là-bas pour penser à son neveu. Il est bien seul, maintenant, ce pauvre homme... et il peut à peine se traîner... »

Quelques jours plus tard, il parut avoir repris des forces : on le revit sur l'esplanade, avec Delphine. Tous les soirs, il se faisait raconter l'histoire de la lettre, et les confidences de Florette, mais il n'avoua jamais rien lui-même.

Le matin, il s'installait près de la boulangerie : la boulangère qui avait un œil infaillible, remarqua qu'il attendait toujours le passage de Manon, qui venait prendre son pain; il ne la perdait pas des yeux, et quand elle partait, il la suivait, comme hypnotisé.

« Hé! hé! dit la boulangère un jour à son mari, le vieux galant aime encore les filles! »

Le boulanger haussa les épaules.

« Tu veux dire qu'il est gaga! »

*
* *

C'est la veille de la Noël qu'il fit appeler M. le curé pour recevoir les sacrements.

Il était couché très pâle, les joues creuses, mais il parlait comme d'habitude, et son regard était clair.

« Mon cher ami, dit le curé, je ne vous vois pas du tout à l'article de la mort !

— Mais moi je m'y vois, dit-il, et je sais que je vais partir cette nuit.

— Qu'est-ce qui vous le fait croire ?

— Je vais mourir, parce que je n'ai plus envie. Allez, zou, confessez-moi. Vous verrez que j'en ai bien besoin.

— Vous savez, dit le prêtre, que le suicide est un péché mortel ?

— J'aurai pas besoin de me suicider, dit le Papet. J'aurai qu'à me laisser aller. Confessez-moi en plein, et faites-moi les huiles comme il faut. »

*
* *

M. le curé resta longtemps dans la maison des Soubeyran. Il en sortit pensif. Devant le seuil, sous le jour gris et la bise glacée, il y avait Philoxène, Ange et Pamphile, les mains dans les poches, et les épaules remontées, qui étaient venus aux nouvelles. Ils saluèrent le passage des Saintes Huiles, puis Pamphile alla frapper à la porte.

Elle ne s'ouvrit pas : mais le visage de la muette parut derrière une vitre ; appuyant sa joue sur ses deux mains jointes, elle leur fit comprendre qu'il dormait, et ils redescendirent au Cercle pour la partie de manille.

Au son des cloches de la messe de minuit, le Papet se leva sans bruit. Il écrivit une longue lettre. Puis il se rasa avec soin, et brossa ses cheveux de neige. Il mit ensuite son plus beau costume : le complet de velours noir, le gilet de drap brodé à l'ancienne, et la cravate à pompons de soie. Sa bague en or au petit doigt, et les mains jointes liées d'un chapelet, il alla s'étendre sur son lit.

302

Le lendemain matin, on apprit chez la boulangère
que l'enfant de Manon était né : on savait que c'était
un garçon, rien de plus. Mais vers dix heures, on vit
arriver M. l'instituteur : à la place de sa mère, il vint
choisir son pain lui-même, mais on vit bien que
c'était un prétexte, et qu'il venait pour recevoir des
félicitations; il se montra aussi fier que s'il avait fait
cet enfant tout seul : les dames en furent choquées.

Il déclara ensuite que son fils était né à 5 heures 35
du matin, le jour de Noël, comme si c'était un
événement sans précédent, puis il révéla en souriant
que la sage-femme des Ombrées estimait le poids du
garçon à plus de huit livres. Il avait les yeux bleus,
comme sa mère, et les cheveux blonds, comme sa
mère, mais qu'à part ces détails, c'était tout le
portrait de son grand-père, le propre père de M.
l'instituteur qui avait été un noiraud de Montpellier,
et que son fils n'avait jamais vu qu'en photographie.
Enfin, il ajouta (comme un détail amusant) que le dos
du bébé étant merveilleusement droit, il était passé
comme une lettre à la poste, mais en sens contraire
évidemment. Sur quoi la boulangère raconta la
périlleuse naissance de sa propre fille : à son arrivée,
elle avait un corps si mince, et une tête si grosse,
qu'elle avait cru accoucher d'un bilboquet, auquel il
ne manquait même pas la ficelle. Mais à douze ans
c'était déjà une belle fille.

M. l'instituteur n'apprécia guère ce récit, car si l'on
admettait que les enfants qui naissent laids
deviennent beaux, il fallait en conclure que ceux qui
naissent beaux deviennent laids. Il affirma donc, avec
une conviction autoritaire, que les formes de son
garçon étant anatomiquement parfaites, elles ne
pouvaient que s'embellir en grandissant. Il ajouta

303

modestement qu'il n'en revendiquait pas le mérite, et que ce n'était là qu'une affaire de chance : mais son sourire démentait ses paroles, et l'on voyait bien qu'il se félicitait lui-même d'avoir fait un enfant comme on n'en avait jamais vu.

C'est à ce moment-là que Pamphile entra dans la boutique ; son mètre à la main, il annonça la mort du Papet, et cette triste nouvelle ne surprit personne.

« Je viens de lui prendre mesure, dit-il. J'avais prévu 1,75, mais il n'a plus que 1,68. Tant mieux. Si je m'étais trompé en sens contraire, il aurait fallu lui remonter les genoux, et il aurait pas été à son aise.

— Il est mort cette nuit ? demanda l'instituteur.

— Eh oui, dit Pamphile. Il a dû passer entre cinq heures et cinq heures et demie, parce qu'à huit heures, quand la muette est venue lui apporter son café, il était raide comme la justice pour un pauvre... Mais il est beau à voir ; tout rasé, tout frais, tout propre, avec un espèce de sourire. C'est drôle quand même comme de mourir, ça vous change le caractère ! »

*
* *

Les obsèques furent solennelles : presque tout le village accompagna au cimetière le dernier des Soubeyran. Il vint un chantre de Saint-Menet, et M. le curé fit un beau discours : il révéla que dans les derniers jours de sa vie, le Bon Dieu avait envoyé la grâce à ce pauvre pécheur, ce qui fit ricaner Philoxène, Pamphile et M. Belloiseau.

Après le cimetière, dès qu'il eut ramené le Bon Dieu chez lui, M. le curé alla frapper à la porte de l'instituteur. C'est Magali, toute illuminée, qui le reçut. Il y avait sur la table un grand étalage de langes, de bavettes et de maillots, autour d'un petit pot de chambre en porcelaine rose.

« Bonjour monsieur le curé! Je parie que vous venez prendre date pour le baptême?

— Nous en parlerons aussi », dit mystérieusement le prêtre.

Comme on était en vacances, Bernard était assis sur le lit au chevet de sa femme, dont la main tenait le bord du berceau. Elle avait sa jolie figure ordinaire, au milieu d'un soleil de cheveux dorés, qui s'étalaient en auréole sur l'oreiller. Il parlait, et elle riait; on savait d'ailleurs au village, par les racontars de Céline, qui allait leur faire le ménage, que ces deux-là n'arrêtaient jamais de se parler, de rire, et de s'embrasser, comme s'ils étaient seuls au monde.

Quand Magali annonça la visite de M. le curé, l'instituteur fut intrigué, mais Manon toute fière que ce saint homme vînt la féliciter à domicile.

Le prêtre fit d'abord ses compliments aux heureux parents, puis il dit :

« Je sais évidemment que le papa n'est pas un bon chrétien, mais je crois que c'est chez lui une opinion politique plutôt que religieuse, et qu'il n'empêchera pas la mère de faire baptiser son enfant.

— Bien sûr que non! dit Bernard. Ma belle-mère en mourrait : elle veut être sa marraine.

— Bien. Je voulais donc vous conseiller de le baptiser demain. C'est un peu tôt pour la première sortie d'un nouveau-né, mais j'ai une très bonne raison : c'est que cet enfant étant né le même jour que Notre Seigneur, il serait bien de le baptiser pour la fête de saint Jean l'Évangéliste, qui fut son disciple favori.

— Et justement, dit Manon, il s'appelle Jean!

— Voilà qui est parfait! dit M. le curé. Vous avez un parrain?

— Oui. C'est M. Belloiseau. »

M. le curé fronça les sourcils.

« Encore un mécréant, dit-il, et de mœurs douteuses.

— Je sais, dit Manon mais il s'appelle Jean, il a été baptisé, et nous ne connaissons pas d'autre Jean.

— Soit. J'aurai plaisir à le confesser! Donc, après-demain. Maintenant, j'ai une mission à remplir. »

Il tira de la poche de sa soutane une lettre cachetée.

« César Soubeyran, qui vient de mourir, et qui a fait — je suis heureux de vous le dire — une fin chrétienne après une vie bien dangereuse, m'a chargé de vous apporter cette lettre. Je dois la remettre en main propre à Madame.

— A ma femme? dit Bernard. C'est assez bizarre. Leurs rapports n'ont jamais été bien cordiaux.

— C'était un criminel, dit Manon.

— Il a reçu l'absolution, dit gravement le prêtre, et il est maintenant devant son Juge. »

Il lui présenta la lettre.

« Alors, à demain matin, vers onze heures. »

Il bénit l'enfant, et se retira.

Magali le reconduisit, et revint en courant.

« Qu'est-ce que c'est que cette histoire? »

Bernard ouvrait des yeux si grands qu'il en avait des rides sur le front, pendant que Manon déchirait l'enveloppe.

« Je ne t'en ai jamais parlé, dit-elle, mais depuis quelque temps, il était devenu tout à fait gâteux.

— En quoi?

— Il m'attendait tous les matins chez le boulanger, et il me suivait partout.

— Il passait dix fois par jour devant la maison, dit Magali. Il s'arrêtait, et il regardait les fenêtres!

— Et il avait des yeux étranges, dit Manon.

306

— Il t'a parlé?

— Non, mais j'avais l'impression qu'il voulait me parler. Finalement, j'en avais peur! Figure-toi qu'un soir, j'étais toute seule à la fontaine. Il m'a regardée de loin un long moment, et quand je suis partie, il m'a envoyé un baiser!

— Hé! hé! dit Bernard... Il est d'ailleurs assez fréquent que le gâtisme des vieillards soit teinté de lubricité. Tu vas voir que cette lettre est une déclaration d'amour!

— Il ne manquerait plus que ça, s'écria Magali. Après ce qu'il a fait à ton père! »

Bernard vint s'asseoir sur le lit et ils commencèrent la lecture joue contre joue.

Chère petite Manon,
« *Le notaire des Ombrées te dira que je te laisse tous mon bien.* »

« Ho! ho! s'écria le mari, c'est tout à fait gentil mais ce vieux coquin te tutoie! »

« *Ça va t'étonner, mes cé la vérité devant Dieu. Il y a baucout de terres, et trois maisons. Le notère te donnera les papiers et tous les actes. Fait bien entention au petit mas de Massacan. Dans la cuisine, sous le lit, dis à ton mari de creuser. Juste au milieu, sous le malon du milieu. Il enlève le malon, et puis il casse le plattre. Après, il enlève deux pans de gravier, et il trouve un gros jaron entéré. Tout plein de louis d'or. Il y en a six milles.* »

« Six mille louis! s'écria Magali, ce n'est pas possible. Il rêve, ou il se moque de nous!

— Attendez, maman, dit Manon, et elle reprit la lecture.

— « *Cé le trésor des Soubeyran, qu'il a commencer à la Révolution, pour rester dans la famille. Mais cé pas pour toi : ça te sote par dessus la tête, et cé pour ton enfant qui va naître, que cé mon reire petit-fils* ».

— Qu'est-ce que ça veut dire? demanda-t-elle.

— Ça veut dire, dit Magali, que votre enfant est son arrière-petit-fils.

— Tout ça est absurde! dit Bernard, ou alors, il s'imagine que c'est l'enfant d'Ugolin?

— Attends! dit Manon. Écoute :

— « *Pasque ton père, c'était mon fils, mon Soubeyran, qui m'a tant manquer toute ma vie, et que je l'ai lessé mourir apetifeu, pasque je savais pas que c'était lui. Javé qu'à lui dire la source, et mintenant, il jourait encore l'armonicat, et vous seriés tous venu habiter dans notre maison de Famille. Aux lieux de sa, apetifeu. Personne le set, mé quand même j'ai honte devant tout le monde, même les arbres. Au village, il y a quelqu'un qui set tout, et si tu lui dis ma lettre, elle t'espliquera : cé Delfine, la vieille avegle. Elle te dira que tout ça, c'est la faute de l'Afrique. Demande lui. C'est l'Afrique. Demande-lui pour l'amour de Dieu! Je me suis pas mériter de te dire que je t'ambrasse et j'ai jamais osé te parler mais peut-être que mintenant, tu peut me pardoné, et des fois faire une petite prière pour le povre Ugolin et le povre de moi. Même à moi je me fet pitié.*

Pense un peu que par malisse jamet j'ai voulu m'approcher de lui. Sa voix je l'ai pas connu, ni sa figure. Jamet de prêt j'ai vu ses yeux que peut être c'était ceux de ma mère et j'ai vu que sa bosse et sa pène, tout le mal que je lui ai fait. Alors tu comprends que je me languis de mourir pasque a côté de mes idées qui me travaille même l'enfer cet un délice. Et puis la-haut, je vais le voir j'ai pas peur de lui au contraire.

Mintenant il set que c'est un Soubeyran il n'est plus bossu par ma fote, il a compris que c'est tout par bètise, et moi je suis sûr qu'au lieu qu'il m'attaque, il me défendra.

Adessias, ma pitchounète,
Ton grand-père
César Soubeyran.

HISTOIRE DE *L'EAU DES COLLINES*

Beaucoup de romans célèbres ont donné naissance à des films. Pour la première fois, un film allait inspirer un roman. Marcel Pagnol, ce grand « classique » français, est également un novateur.

En 1952 il avait tourné l'histoire de *Manon des sources*, qu'un paysan des collines lui avait racontée quand il avait treize ans. *Manon*, c'était à la fois un hymne à la Provence, et un chant d'amour pour une femme, Jacqueline Pagnol, qui allait donner de Manon, la sauvageonne, la fée, la sorcière, le « génie du bien », une interprétation inoubliable.

Dix ans plus tard, après le succès de ses *Souvenirs d'enfance*, Marcel Pagnol eut envie d'écrire, sous forme de roman, l'histoire de Manon et de son père Jean de Florette. Et ce furent deux nouveaux chefs-d'œuvre, qu'il regroupa sous le titre *L'Eau des collines*.

Né du cinéma, le roman de *Jean de Florette* est revenu au cinéma.

Au début de l'année 1985, le cinéaste Claude Berri a entrepris de porter à l'écran ce grand livre dans sa totalité. Installé pendant plus de neuf mois dans les collines qui dominent Aubagne, sur les lieux mêmes de l'action, animé d'une fidélité magnifique et « inspiré », servi par des interprètes exceptionnels, Claude Berri a réalisé une œuvre qui fera date dans l'histoire du cinéma français.

JEAN DE FLORETTE

film de Claude Berri
d'après l'œuvre de Marcel Pagnol
L'EAU DES COLLINES

CÉSAR SOUBEYRAN	Yves MONTAND
JEAN DE FLORETTE	Gérard DEPARDIEU
UGOLIN SOUBEYRAN	Daniel AUTEUIL
AIMÉE	Élisabeth DEPARDIEU
MANON	Emmanuelle BÉART
MANON (enfant)	Ernestine MAZUROWNA
BAPTISTINE	Margarita LOZANO
L'INSTITUTEUR	Hippolyte GIRARDOT
PHILOXÈNE	Armand MEFFRE
PAMPHILE	André DUPON
CASIMIR	Pierre NOUGARO
VICTOR	Gabriel BACQUIER
LE CURÉ	Jean BOUCHAUD
DELPHINE	Yvonne GAMY

Adaptation	Claude BERRI-Gérard BRACH
Mise en scène	Claude BERRI

Musique	Jean-Claude PETIT
Photo	Bruno NUYTTEN
Décors	Bernard VEZAT
Costumes	Sylvie GAUTRELET
1er Assistant Réalisateur	Xavier CASTANO
Montage	Arlette LANGMANN
	et Geneviève LOUVEAU
Scripte	Hélène SEBILLOTTE
Producteur Associé	Alain POIRE
Producteur Exécutif	Pierre GRUNSTEIN

Une co-production RENN PRODUCTIONS
ANTENNE 2 T.V. FRANCE — FILMS A 2 —
D.D. PRODUCTIONS
avec la participation du Centre National
de la Cinématographie
et du Ministère de la Culture
Procédé Technovision — Son stéréo Dolby

ŒUVRES DE MARCEL PAGNOL

1926. *Les Marchands de gloire*. En collaboration avec Paul Nivoix, Paris, L'Illustration.

1927. *Jazz*. Pièce en 4 actes, Paris, L'Illustration. Fasquelle, 1954.

1931. *Topaze*. Pièce en 4 actes, Paris, Fasquelle.
Marius. Pièce en 4 actes et 6 tableaux, Paris, Fasquelle.

1932. *Fanny*. Pièce en 3 actes et 4 tableaux, Paris, Fasquelle.
Pirouettes. Paris, Fasquelle (Bibliothèque Charpentier).

1935. *Merlusse*. Texte original préparé pour l'écran, Petite Illustration, Paris, Fasquelle, 1936.

1936. *Cigalon*. Paris, Fasquelle (précédé de *Merlusse*).

1937. *César*. Comédie en deux parties et dix tableaux, Paris, Fasquelle.
Regain. Film de Marcel Pagnol d'après le roman de Jean Giono (Collection « Les films qu'on peut lire »). Paris-Marseille, Marcel Pagnol.

1938. *La Femme du boulanger*. Film de Marcel Pagnol d'après un conte de Jean Giono, « Jean le bleu ». Paris-Marseille, Marcel Pagnol. Fasquelle, 1959.
Le Schpountz. Collection « Les films qu'on peut lire », Paris-Marseille, Marcel Pagnol. Fasquelle, 1959.

1941. *La Fille du puisatier*. Film, Paris, Fasquelle.

1946. *Le Premier Amour*. Paris, Éditions de la Renaissance. Illustrations de Pierre Lafaux.

1946. *Judas*. Pièce en 5 actes, Monte-Carlo, Pastorelly.

1947. *Notes sur le rire*. Paris, Nagel.
Discours de réception à l'Académie française, le 27 mars 1947. Paris, Fasquelle.

1948. *La Belle Meunière*. Scénario et dialogues sur des mélodies de Franz Schubert (Collection « Les maîtres du cinéma »), Paris, Éditions Self.

1949. *Critique des critiques*. Paris, Nagel.

1953. *Angèle*. Paris, Fasquelle.
Manon des Sources. Production de Monte-Carlo.

1954. *Trois lettres de mon moulin*. Adaptation et dialogues du film d'après l'œuvre d'Alphonse Daudet, Paris, Flammarion.
1956. *Fabien*. Comédie en 4 actes, Paris, Théâtre 2, avenue Matignon.
1957. *Souvenirs d'enfance*. Tome I : La Gloire de mon Père. Tome II : Le Château de ma Mère, Monte-Carlo, Pastorelly.
1959. *Discours de réception de Marcel Achard à l'Académie française et réponse de Marcel Pagnol*, 3 décembre 1959, Paris, Firmin Didot.
1960. *Souvenirs d'enfance*. Tome III : Le Temps des secrets. Monte-Carlo, Pastorelly.
1962. *L'Eau des collines*. Tome I : Jean de Florette. Tome II : Manon des Sources, Paris, Éditions de Provence.
1964. *Le Masque de fer*. Paris, Éditions de Provence.
1970. *La Prière aux étoiles, Catulle, Cinématurgie de Paris, Jofroi, Naïs*, Paris, Œuvres complètes, Club de l'Honnête Homme.
1973. *Le Secret du Masque de fer*. Paris, Éditions de Provence.
1977. *Le Rosier de Madame Husson, Les Secrets de Dieu*, Paris, Œuvres complètes, Club de l'Honnête Homme.
1977. *Le Temps des amours*, souvenirs d'enfance, Paris, Julliard.
1981. *Confidences*, Paris, Julliard.
1984. *La Petite Fille aux yeux sombres*. Paris, Julliard.

Les œuvres de Marcel Pagnol sont publiées dans la collection de poche « Presses Pocket ».

Traductions.
1947. William Shakespeare, *Hamlet*. Traduction et préface de Marcel Pagnol, Paris, Nagel.
1958. Virgile, *Les Bucoliques*. Traduction en vers et notes de Marcel Pagnol, Paris, Grasset.
1970. William Shakespeare, *Le Songe d'une nuit d'été*, Paris, Œuvres complètes, Club de l'Honnête Homme.

IMPRIMÉ EN FRANCE PAR BRODARD ET TAUPIN
58, rue Jean Bleuzen - Vanves.
Usine de La Flèche, le 02-09-1986.
6646-5 - Nᵒ d'Éditeur 1102, 2ᵉ trimestre 1976.

PRESSES POCKET - 8, rue Garancière - 75006 Paris
Tél. 46.34.12.80